MOINS DE VIE

STUART G. YATES

TRADUCTION PAR
HANÈNE BAATOUT

Pour David, qui fait aussi des cauchemars sur notre planète.

UNE CHAMBRE AVEC VUE

WILSON FREMENT SE LEVA. IL FRISSONNA LORSQU'IL REGARDA PAR la fenêtre la rue en contrebas. Une journée fraîche et glaciale derrière le triple vitrage, nette et claire, les feuilles des arbres cernées de blanc. Ni la pluie pour perturber ce silence parfait. Ni les gens. Jamais personne, plus jamais.

Une chambre froide et clinique, aux murs blancs et aux souvenirs douloureux de ceux qui avaient souffert dans les limites de sa lumière crue.

Désinfectée. Propre et éclatante. Aucun bruit susceptible de déranger Wilson.

Sauf les cris dans sa tête.

Les cris des torturés et des mourants. Et leurs visages, tordus, agonisants, les mains tendues, implorant la pitié.

Aucun d'eux ne parvint.

De telles images défilaient derrière ses yeux pendant le sommeil et au moment du réveil. Des mannequins grotesques, luttant pour se libérer de bras forts les traînant à l'intérieur, les plaquant contre le mur, les mettant à nu. Là, ils se tortillaient jusqu'à ce que des hommes grossiers attachèrent des électrodes à leurs testicules et mettèrent le courant.

Mon Dieu, *ces cris* !

Souvent, il se surprit, comme s'il se réveillait d'un rêve, à se demander si tout cela n'était pas une erreur. Il n'y avait pas si longtemps, les gens allaient et venaient dans cette rue. Les chiens tiraient sur leur laisse, les enfants riaient. Ils n'étaient pas tous méchants, ces gens. Certains d'entre eux étaient bons, décents et attentionnés, profitant de leurs journées, de leurs espoirs et de leurs rêves illuminant leurs yeux, planifiant un avenir plein de promesses. La ville regorgeait de citoyens, de couples aimants, les bras entrelacés, les têtes serrées l'une contre l'autre, perdus dans un monde d'amour. De jeunes familles sautaient, souriaient. De temps en temps, une personne passait, le visage terni par la misère et la douleur, mais cela justifiait-il sa mort ? Même les criminels, leurs crimes étaient-ils si odieux ? De plus, comment distinguer le mal du bien, simplement en les surveillant. Impossible. Seules les actions révélaient le secret du cœur et les actions des citoyens ordinaires ne créaient pas les problèmes.

"Nous devons les massacrer", se souvint-il lui avoir dit le président chinois à l'autre bout de la table du conseil, tandis que les dignitaires d'une douzaine d'autres pays fixaient le regard en silence, aucun d'entre eux n'osant penser l'impensable.

Sauf Wilson Frement.

Il savait que les gens ordinaires n'étaient pas la cause. C'était du ressort du monde des affaires, du désir de toujours plus de richesses, quelles qu'en soient les conséquences. Les gisements de pétrole s'asséchaient, la fracturation hydraulique des roches provoquait des tremblements de terre, le niveau de carbone augmentait. Même si leur monde se mourrait autour d'eux, peu de citoyens se détournaient de la vie décente et saine. La plupart vécurent leur vie du mieux qu'ils purent, comme des rats en cage, mais honnêtement et dans le respect de la loi. Tout le monde n'était pas mauvais. Néanmoins, Wilson avait regardé droit dans les yeux du président chinois et avait hoché la tête. L'ordre de les tuer. De tous les tuer.

Lorsque la porte s'ouvrit, il se retira de sa rêverie et se retourna. Son fils franchit le seuil. Wilson fronça les sourcils.

"Je pensais t'avoir demandé de ne jamais venir ici à l'improviste."

Sebastian demeura immobile. Pendant un instant, la froideur de la pièce surpassa le grand froid ressenti de l'autre côté de la fenêtre. Les yeux du jeune homme oscillèrent d'un côté à l'autre, serrant les poings, incertain. Il fit semblant de partir.

"Qu'est-ce qu'il se passe ?" s'écria Wilson, furieux d'être dérangé. Il avait si peu de temps à présent, quelques moments de solitude de temps en temps et il les valorisait plus que tout autre chose.

"Ils te veulent."

Wilson ferma les yeux et ravala sa colère. Ils le voulaient tout le temps. Toujours un nouveau mandat à approuver, une directive à superviser. L'intérieur de la steppe, le Ghobi, la nature sauvage de l'Inde. Des tas de régions toujours pas expurgées. Il soupira, tourna une fois de plus son regard vers le monde derrière la vitre. Un moineau picorait sur la route, la peur disparue comme les véhicules ne passaient plus, menaçant d'éteindre la vie. Plus de circulation, plus de population ici, à l'ouest. Seuls quelques-uns, essentiels - pour ceux qui prenaient les décisions, ceux qui entretenaient le pool génétique.

Et les serviteurs occasionnels. De nombreux citoyens privilégiés préféraient un être humain à un clone cybernétique, sans émotion, sans éclat dans les yeux. D'autres, comme les mineurs de diamants, les travailleurs du secteur des biocarburants, les ingénieurs des éoliennes et des ondes. Leur mission consistait désormais à servir l'élite, à assurer la continuité des modes de vie de luxe.

Le moineau sauta sur le trottoir puis s'envola dans un arbre à proximité. Wilson s'efforça d'entendre son appel, mais n'y parvint pas. Rien ne pouvait traverser la vitre. Il soupira. "Je pense m'en aller."

"Oh." Sebastian s'approcha.

Par-dessus son épaule, Wilson dévisagea son fils. "Quelque part, très loin. Un endroit différent. Un endroit où je peux me vider l'esprit, être plus subjectif. Peut-être les Rocheuses. Il paraît que c'est beau là-bas. J'ai besoin de paix, de sagesse. Tu comprends ?"

"Je comprends les mots."

Wilson ferma les yeux. Mais, quel était le problème ? "Sébastian, à ton avis, pourquoi je t'ai demandé de ne jamais venir ici ?"

Prenant un moment pour examiner les murs nus, l'absence de meubles, le petit judas dans la porte, les prises électriques oubliées, tous désormais sans vie, Sebastian haussa les épaules. "Je ne sais pas."

"As-tu déjà pensé à la raison ?"

"Est-ce important ?"

"De comprendre le "pourquoi" ? Bien sûr. C'est le principe fondamental de la vie - poser des questions. Trouver les réponses."

"Je croyais que le principe fondamental était de servir ?"

"*Servir* ?" Wilson secoua la tête. " Mon Dieu. Servir qui ?"

"Soi-même. L'État. Contribuer, entretenir, améliorer."

"Tu parles comme un vulgaire manuel."

"Nous n'avons pas de manuels, papa. En fait, je ne pense pas avoir déjà vu un livre, et encore moins en avoir lu un."

"La lecture améliore l'esprit, elle te donne les outils pour débloquer des secrets et développer l'imagination."

"Ce genre de choses n'a aucun intérêt pour moi."

"Ça devrait. Tu dois te poser des questions, Sebastian. Et non seulement tout accepter facilement. S'intéresser, se poser les questions qui doivent être posées. Cette chambre est..." Il referma les yeux, mais sans exaspération cette fois. Des souvenirs. Trop nombreux ; ils traversèrent brutalement son cerveau. Il ouvrit les yeux et montra la fenêtre de la tête. "En bas, dans la rue. Rien d'interpellant pour toi ? Comment était le monde avant, que s'est-il passé en bas ?"

Sébastien fronça les sourcils, la question lui causant manifestement quelque embarras. "Que s'est-il passé avant ?"

Wilson pressa son index et son pouce dans les yeux. "Jésus ... Des choses comme des enfants, des gens qui vivent leur vie, qui vont d'un endroit à l'autre."

"Pourquoi aller d'un endroit à l'autre quand tout ce dont on a besoin est là ?"

Wilson lâcha délibérément sa main. Il resta bouche bée devant son fils. "Mais regarde, Sebastian, regarde l'oiseau dans l'arbre ! Tu le vois ?"

Le fils de Wilson s'approcha de la vitre en suivant le doigt pointé de son père et haussa les épaules. "Je vois l'arbre. Cet oiseau est-il une espèce exotique ?"

"C'est un moineau. Tu ne trouves rien de curieux ? Rien du tout ?"

Sebastian suivit à nouveau le regard de son père et aperçut le petit oiseau qui se posa sur le tarmac. Le moineau sautilla sur la route, suivi par deux autres. Un petit moment de convivialité.

"Je ne comprends pas. Les oiseaux ? Ils ne sont pas méchants, n'est-ce pas ? Pourquoi les oiseaux devraient-ils m'intéresser ? "

"Parce qu'ils vivent."

"Moi aussi."

Wilson grimaça lorsqu'un poignard de douleur s'en prit à son cerveau et il se massa le front. "C'est comme ça que tu vois les choses ? Ce que tu fais, ce que je fais. Ce que nous faisons tous. Tu appelles ça une vie, ou une existence ? Les gens avaient une vie, avant. Ils étaient impatients de faire des choses, partir en vacances, en week-ends. Tu n'as jamais envie de quelque chose de ce genre, d'un désir d'appartenir au passé ?"

Un long soupir.

"Papa, je ne comprends pas où tout cela mène. Je ne comprends pas tes questions."

"Ce n'est pas grave. Je ne comprends pas non plus." Il baissa la main. "En fait, j'ai de plus en plus de mal à comprendre quoi que ce soit."

"Je ne t'ai jamais vu comme ça."

"Eh bien..." Wilson haussa les épaules. "Les choses changent. La vie. Tu sais, soudain tu te réveilles un matin et tu réalises que tu es vieux. Tu as une autre vision des choses, tu réévalues tes réalisations, ce que tu as fait, ce que tu n'as pas fait." Il grimaça une deuxième fois, se malaxa la tempe avec les poings. "Si peu de temps, et pourtant tant à faire."

"Mais tu as déjà tellement fait pour nous tous. Nos vies, le monde, si propre, un paradis comme disent les gens. Tout ça, c'est grâce à toi, de ce que tu as accompli. Le salut. "

« Vraiment ? » Wilson avait du mal à le croire. Il s'était installé devant les écrans interactifs, à la maison et dans les stades, les images de son visage souriant rayonnaient dans le ciel, les gens l'acclamaient. Le salut. Même lorsqu'ils s'étaient débarrassés des corps en décomposition du dernier immeuble, il n'avait éprouvé aucune joie, aucun sentiment de triomphe. Comment aurait-il pu, maintenant qu'il était le plus grand meurtrier de masse de l'histoire de l'humanité ? Les estimations variaient. Certaines parlaient de dix milliards, d'autres disaient plutôt vingt. Quelle que fût la vérité, ils furent presque tous morts et la terre entière poussa un immense soupir de soulagement. Mais pas Wilson Frement. Il secoua la tête, se détourna. "Je n'en suis pas si sûr."

Sebastian sourcilla. Il allait toucher le bras de son père mais il s'arrêta net. Il y avait rarement des signes d'émotion entre eux désormais. Peut-être n'y en avait-il jamais eu. "Ils veulent que tu les voies au Parlement."

Wilson ne rencontra pas le regard de son fils. "Je n'avais pas le droit de me prendre pour Dieu."

"Le monde se mourait. Quelqu'un devait prendre les décisions, sinon tout aurait disparu. Nous serions devenus comme des bêtes, papa. Tu sais que c'est la vérité."

"Mais tant de..."

Silence. Wilson avait le regard fixe dans l'espace et peu de temps après, Sebastian s'éloigna. Il s'arrêta à la porte et lui dit : "Je leur dis que tu viens?"

En regardant par la fenêtre, Wilson répondit d'une voix rauque: "Oui." Puis la porte se referma. Il appuya son front contre la vitre froide et regarda les moineaux sauter sur le tarmac vide. Une vie simple pour eux, mais une vie quand même. Une vie qui a un sens.

"Jésus", dit-il alors que la première larme coulait sur sa joue, "qu'ai-je fait..."

QUELQUES ANNÉES PLUS TÔT
DES BOMBES ET DES BOMBARDIERS

IL SORTIT DE SON RÊVE EN SURSAUT, L'ESPRIT EMPLI DE SCÈNES DE maisons en feu, de chaleur accablante, de la puanteur de cheveux et de chair brûlés. Assis droit comme un piquet, perplexe, désorienté, un cri se coinça dans la gorge et de quelque part une voix hurla : "Bremen, Bremen pour l'amour de Dieu, réveille-toi !"

Une main lui saisit l'épaule et le secoua. "*Réveille-toi !*"

Bremen se tourna vers le son de la voix, incapable de se concentrer, un voile de fumée et de poussière impénétrable l'empêchant de distinguer des formes ou des silhouettes.

Ce n'était que lorsque l'eau l'éclaboussa qu'il émergea soudainement de sa confusion. Toussant et bafouillant, il s'essuya le visage avec la paume de sa main. "Mais qu'est-ce que c'est que ce bordel ?"

La silhouette se dessina à la périphérie de sa vision, émergeant lentement de l'obscurité. Le sergent de service. "Prends ton manteau, Bremen. On vient de nous appeler, un incendie à la caserne de Manchester."

Bremen balança ses jambes sur le côté du lit de camp et se

pencha en avant, passant les doigts dans ses cheveux. "Quelle heure est-il ? J'ai l'impression d'avoir dormi cinq minutes."

"Il est trois heures et quart. Tu as dormi pendant plus de quatre heures."

En s'étirant, Bremen bâilla, claqua ses lèvres et se leva. Il attrapa le holster automatique en bandoulière posé sur le dossier d'une chaise et le passa sur l'épaule. Précipitamment, il enfila sa veste et enfonça ses pieds dans ses chaussures. Baillant à nouveau, il se traîna jusqu'à la porte, "Il me faut une boisson".

Le sergent de service fourra une tasse de café dans la main de Bremen. Il en prit une gorgée, fit une grimace, "Merde. Combien de sucres as-tu mis dedans ?"

"Deux."

"Jésus." Il en prit une autre gorgée et la rendit au sergent. "J'en prends quatre."

Il ouvrit la porte et scruta le couloir silencieux menant à la sortie principale. Il n'y avait personne aux alentours, juste la collection de bureaux jonchés de papiers et de cendriers trop pleins lui rappelant, s'il en avait besoin, que l'équipe de jour travaillait beaucoup plus dur qu'il ne lui semblait. Le sien était un petit bureau de contrôle, bien loin du centre ville, l'un des plus paisibles de cette partie du pays. Il frissonna.

"Tu as oublié ton masque."

Il se retourna vers le sergent qui suspendait le masque par la lanière entre le doigt et le pouce. Bremen sourit d'un air suffisant, il sortit sans le prendre.

"Je t'enverrai les détails sur ton ordinateur de bord."

Bremen ne dit rien. Il se sentait mal, ses genoux lui faisaient mal, le fond de sa gorge était déjà recouvert d'une substance métallique et désagréable. Il toussa, sortit une cigarette et l'alluma.

Il trouva sa voiture sur l'aire de chargement et il y monta face à la console. Les feux rouges s'allumèrent et presque aussitôt, les sonorités douces et mélodieuses de la voix féminine de l'ordinateur le saluèrent : "Bonjour, inspecteur Bremen. J'ai les détails de votre destination. Caserne de Manchester, quartier des affaires du port d'Eastside. L'heure d'arrivée prévue est de sept virgule trois minutes. Le trafic est léger à cette heure de la journée, je doute que vous deviez passer à..."

Bremen baissa le volume et se pencha en arrière sur son siège, fixant le plafond et expirant un nuage de fumée. Il était de service depuis trois nuits, et il lui en restait encore un à accomplir. Tout ce dont il avait besoin, c'était d'une autre nuit tranquille, et non d'un cas d'incendie criminel qui ne mènerait probablement à nulle part. Des questions à poser, des rapports à rédiger. Il reprit une bouffée de sa cigarette avant de l'écraser dans le cendrier du tableau de bord : "Allons-y, d'accord ?"

Traversant le ciel nocturne, il remarquait de temps en temps des troubles civils occasionnels, des fusillades, des agressions. Il vit des vélos de secours se précipiter sur des groupes de citoyens forçant l'entrée de commerces ou d'entrepôts encore en activité. Sur le tarmac, plusieurs corps gisaient, entourés de mares noires. Le sang coulait à flots, comme toujours.

Le feu flamboyait dans les immeubles. Bremen n'osait pas rabaisser les vitres de peur d'être contaminé mais il crut entendre le bourdonnement constant des cris, une symphonie de désespoir sans fin. À sa droite, sur le côté gris du fleuve, les lueurs de la rive éloignée ondulaient à la surface. Là-bas, la violence et la dépravation étaient la norme. Le mauvais coin de la ville, où la nuit servait de voyage dans la rue des abattoirs. Bremen ferma les yeux et souhaita que tout cela disparût.

Lorsque des camions de pompier passèrent bruyamment en faisant marche arrière, il rouvrit les yeux, secoua ses épaules et enfonça les poings dans ses yeux. La descente se fit lentement, il se pencha en avant et monta le volume de la console. "Nous sommes arrivés, Inspecteur. Avez-vous apprécié la balade ?"

Bremen grogna, sortit en rampant avant que la porte ne s'ouvrît complètement et se cogna la tête contre la jante. Il jura, tint sa tête d'une main et sortit ses cigarettes de l'autre. Le paquet était vide. Dégoûté, il le jeta et se fraya un chemin à travers la crasse et la puanteur jusqu'au vaste bâtiment de briques rouges qui se dressait devant lui.

Il s'arrêta et regarda vers le ciel. Une centaine de fenêtres noires le regardaient mais sans la moindre lueur. Le feu ? Où était ce putain de feu ?

Tout près, des lampes à arc éclairaient toute chose d'une lumière fade. Bremen frissonna.

Une brise glaciale remontait du fleuve. Il tira le col de son manteau autour de son cou et se dirigea vers les portes qui se trouvaient en haut d'un grand escalier. Là, étaient plantés deux hommes en uniforme et aux bérets noirs posés élégamment. Les énormes fusils automatiques menaçants qu'ils tenaient près de leur poitrine n'avaient, par contre, rien d'élégant.

Le premier garde ne le regarda pas à mesure que Bremen s'approchait, agitant sa carte d'identité devant le nez de l'homme. " Bremen. Brigade d'enquête locale. Où est le feu ?"

Prenant son temps, probablement délibérément, le garde se tourna et regarda Bremen. Il n'y avait aucune émotion sur son visage, ni dans sa voix éraillée lorsqu'il répondit : "Vous n'êtes pas autorisé à entrer."

Bremen cligna des yeux : "Hein ? Qu'avez-vous dit ?"

"Vous n'êtes pas autorisé à entrer."

"Je n'ai pas dit que je voulais entrer."

"Mais vous en aviez l'intention. Vous n'en avez pas le droit."

Bremen recula, lâcha son manteau et posa les mains sur ses hanches. "Qui a dit ça ?"

"Moi. Le bâtiment est en quarantaine."

"En quarantaine" ? Contre quoi ?"

"Contre toute menace possible."

Bremen toussa et remarqua pour la première fois qu'aucun des gardes ne portait de masque. "Mon Dieu, vous êtes des androïdes sanguinaires."

"Nous sommes des agents du gouvernement, Inspecteur Bremen. Cette zone est interdite au personnel des forces de l'ordre."

"Pourquoi ?"

"Je vous l'ai déjà dit."

"Je ne vous crois pas. J'ai été envoyé ici pour enquêter sur un incendie. Il a été signalé."

"Il n'y a pas de feu. C'était une fausse alerte. Bonne nuit, Inspecteur."

Bremen se rapprocha et plongea son regard profond dans les yeux sans vie du garde : "Alors comment se fait-il que vous soyez ici ?"

"Bonne nuit, inspecteur", dit le second garde, aussi impassible que le premier, mais en pointant le fusil automatique dans sa direction, Bremen comprit.

Il descendit les marches d'un pas lourd. Il jeta un oeil gauche puis à droite avant de voir un véhicule d'intervention d'urgence près duquel discutaient trois hommes assis autour en train de discuter. Ils portaient tous des masques résistants. Ils n'étaient donc pas des androïdes. Bremen était sûr d'obtenir au moins quelques informations de leur part. Alors qu'il s'approchait, les hommes cessèrent de parler et devinrent tendus, le considérant avec leurs yeux étroits.

"Lequel d'entre vous est le responsable ?"

"Moi", répondit un homme accroupi, chauve, considérablement plus âgé que les autres. Même dans l'obscurité et avec le masque, Bremen pouvait voir à quel point le visage de l'homme était cireux. Bremen montra sa carte d'identité. L'homme haussa les épaules. "Je m'attendais à ce que vous soyez l'un de ces détectives."

"Précisément. J'aimerais vous poser des questions." L'homme soupira, le son s'amplifiant derrière le masque. "On m'a dit qu'il y avait un feu. On a été prévenu au commissariat, donc quelqu'un a du penser qu'il y en avait un, mais d'après ce que je vois, c'était un canular."

"C'était une bombe."

Pendant un moment, Bremen ne réalisa pas le sens des mots de l'homme. Il s'arrêta, retenant son souffle, et fronça les sourcils : "Une *bombe* ? Vous voulez dire, des terroristes ?"

" Je ne saurais pas vous le dire."

"Mais, elle a explosé ?"

"En partie, oui. On nous a appelés quand la bombe a explosé et détruit tout l'étage. On a trouvé et désamorcé les deux autres. Si elles avaient explosé, tout ce putain de bâtiment se serait écroulé."

"Il faut que j'aille jeter un oeil. Est-ce que l'endroit est sécurisé ?"

"Quasiment, mais ces deux charmants garçons ne vous laisseront pas entrer, peu importe qui vous êtes. Vous vous êtes déplacé inutilement, inspecteur."

"On dirait bien." Bremen se retourna vers les deux hommes en haut des marches qui se tenaient aussi immobiles et droits que des statues. "Des agents du gouvernement ? Que diable fait le gouvernement ici ?"

"J'en sais rien, c'était peut-être des terroristes, qui sait. Je n'ai pas demandé et si vous avez un peu de bon sens, vous ne vous entêterez pas à trouver la réponse à cette question particulière, mon garçon. Vous feriez mieux de ne pas y fourrer votre nez."

Bremen fronça les sourcils encore une fois. "Mais pourquoi une bombe ? Qu'est-ce qu'il y avait là-dedans ?"

"Aucune idée, et ces deux-là n'allaient pas nous laisser fouiner. Dès que nous avons fait notre travail, ils nous ont fait sortir de là."

"Vous n'avez pas demandé pourquoi ?"

Le chef lança à Bremen un regard de mépris total : "Êtes-vous débutant, ou juste idiot ? *Personne* ne demande rien aux agents du gouvernement. Nous avons juste fait ce qu'on nous a dit."

"Mais la première bombe, celle qui a explosé ? Où était-elle ?"

"Dans le bureau du troisième étage. Elle a fait sauter toutes les fenêtres et tout ce qu'il y avait à l'intérieur. Tout ce dont nous devions affronter quand nous avons réussi à nous frayer un chemin à travers les décombres était une ruine de meubles, des débris de plafond, des trous dans les murs."

"Personne n'a été tué ?"

"Il n'y avait personne, pas à cette heure matinale. Écoutez," ajouta-il en jetant un coup d'œil autour de lui, s'assurant qu'il était bien hors de portée de voix. Il prit Bremen à part en le tirant par le coude, "vous feriez bien de ne plus poser de questions, non ? Je vais vous dire une chose, cette situation est bizarre. Ils étaient là avant nous, ces deux imbéciles. A mon avis, ils savent tout, donc ça veut dire qu'ils ont peut-être été prévenus ou..." Ses yeux soutenaient ceux de Bremen.

"Ou quoi ?"

"Ils ont posé la bombe."

À UNE DIZAINE DE MINUTES DE LA GARE, BREMEN S'ARRÊTA PRÈS d'un kiosque alimentaire ouvert toute la nuit. L'homme derrière le comptoir occupait presque tout l'espace. Il avait un fusil à répétition dans les mains, et portait un regard qui proclamait au monde entier que personne n'avait intérêt à s'en prendre à lui. Bremen évita tout contact visuel et scruta le menu accroché sur le côté du kiosque. "Il y a quoi, dans tes hamburgers ?"

"Des noix."

"Hein ? Bremen leva les yeux, en faisant la grimace. "Que des noix ?"

"Un peu de viande de rat. Ce n'est pas un restaurant cinq étoiles, mec. Alors, fais ton choix et dégage. »

Pour donner un sens à ses paroles, il brandit son gros fusil. Bremen secoua la tête, glissa sa carte de crédit dans le moniteur de paiement et dit : "Je vais en prendre un".

Soudain, un cri derrière eux les fit tous les deux sursauter. Bremen se retourna et vit une femme, vêtue d'une robe noire déchiquetée, pieds et jambes nus, surgir d'un immeuble et prendre les marches de l'entrée trois par trois. Quelques secondes plus tard, elle fut suivie par un grand type, totalement nu, brandissant une bouteille cassée. Du sang jaillissait de sa bouche. Il avait vraisemblablement reçu un coup.

"Viens ici, salope."

Bremen regardait la scène comme dans un film, adossé au kiosque, se demandant s'il devait intervenir ou non. Mais le problème de la caserne tournait toujours dans sa tête. C'était un film de série B, sans grand intérêt, bien qu'il eût cru reconnaître l'homme nu. Se forçant à se concentrer sur le visage de l'homme, et non sur le reste de son corp, il bailla devant la normalité de la scène. Même lorsqu'une voiture volante noire se posa au milieu de la rue et que trois types en uniforme en sortirent, dont deux équipés d'automatiques noirs et maléfiques, aboyant très fort et criblant le grand homme nu d'une demi-douzaine de balles. La poitrine et l'abdomen de l'homme explosèrent et il tomba contre les marches, mort. La femme, en sanglots, le visage dans les mains, se dirigea vers la voiture en titubant. Un des hommes en uniforme l'aida à monter à l'intérieur et en quelques secondes, le véhicule s'éleva dans le ciel encore sombre et disparut.

"Des proxénètes et des putains", marmonnait le propriétaire du kiosque en faisant glisser le hamburger vers Bremen.

"Joli quartier"

"C'est pas le pire."

Bremen se retourna et prit une bouchée du hamburger. Il

mâcha la garniture filandreuse et haussa les épaules. "Il faudrait plus d'oignons."

"C'est un ersatz, mec. Il n'y a pas d'oignons par ici."

"Ersatz ? C'est quoi ça, de l'allemand ?"

L'homme mit le fusil de côté et prit un chiffon humide pour essuyer le comptoir. "Je suis Allemand. Tout comme ces hamburgers. Si tu n'aimes pas, tu peux aller voir ailleurs, comme je viens de te le dire."

"Non, non", Bremen regarda le hamburger avec satisfaction, se léchant les lèvres, "C'est bon. Quelqu'un va venir prendre le corps ?"

"Les chiens feront ça."

Bremen acquiesça. C'était vraiment un super quartier. "Dis-moi, tu sais quelque chose sur la caserne de Manchester ?"

L'homme cessa de nettoyer et jeta un regard sombre sur Bremen. "Seulement que c'est une caserne et que ce n'est pas à Manchester."

"Oui, mais tu as *entendu* parler de quelque chose qui s'y passe ?"

"Même si c'était le cas, je ne te le dirais pas."

Bremen haussa les épaules. "Et si je t'en scannais deux cents ?""Je te dirais d'aller te faire foutre."

"Cinq cents ?"

Les lèvres de l'homme s'allongèrent légèrement. Probablement un sourire. "Scanne-le, mon pote."

Ce que fit Bremen aussitôt avant de glisser le dernier morceau de hamburger dans la bouche.

"Tout ce que je sais, c'est qu'il y a beaucoup de gens qui y travaillent. Mais pas des gens ordinaires. Des professionnels. Ils y sont transportés tous les matins par un bus qui les récupère tard dans la nuit. Ils passent par là tous les jours."

"Qu'est-ce qu'ils font ?"

"Je n'en ai aucune idée. Mais ça doit être important, car il y a des voitures blindées et d'autres machins lourds tout partout autour de cet endroit. Si quelqu'un s'approche, on lui dit de partir. S'il ne le fait pas", le mec met son index contre sa tête et utilise son pouce pour tirer avec le faux pistolet.

"Bang !"

Bremen cligna des yeux. "Quoi, tu veux dire qu'ils tirent sur les gens ?"

"J'ai déjà vu ça. Donc, comme tu peux l'imaginer, plus personne ne s'approche de cet endroit maintenant."

"Les gardes, ils tirent vraiment sur les gens ?"

L'homme inclina la tête : "Tu es sourd ou quoi ? J'ai dit, bang ! Bref", il reprit le nettoyage du comptoir, "c'est tout ce que je sais".

"Combien de travailleurs dans le bus ?"

Un haussement d'épaules, un moment de réflexion. "Trente ou quarante, peut-être plus. Ils viennent parfois en deux chargements, généralement la nuit. Donc, peut-être quatre-vingts. Et ils travaillent en équipe. L'endroit n'est jamais tranquille."

"Il l'est, maintenant.˝

"T'y es allé ?" Il secoua la tête, toujours en passant le tissu sur le comptoir afin de trouver une occupation. "Tu dois avoir des pulsions suicidaires."

Bremen s'essuya les doigts d'une serviette et regarda de l'autre côté de la route le mort qui gisait là, dans son sang et ses entrailles. "Tu dois aimer cet endroit."

"Tu l'as dit, mon pote. Un paradis sur terre."

Alors qu'il entrait dans son appartement en titubant, les yeux granuleux, la puanteur de la rue dans les narines, la nouvelle tomba à l'holovision. Il y avait eu un autre scandale terroriste. Un important fonctionnaire du gouvernement abattu devant la maison d'un ami, et un kiosque de rafraîchissement situé à proximité pulvérisé. Le propriétaire, un certain "Leonard Karpernov", mort sur place. Selon les services de sécurité, les deux incidents n'étaient liés.

Bremen s'affala sur sa chaise, bouche bée devant les scènes

devant lui, incapable de bouger, alors que le vomissement remontait de ses tripes. Il eut des haut-le-cœur, plié en deux et resta assis pendant un long moment, fixant le désordre, sans savoir s'il devait remettre les pieds hors de son appartement.

UNE DÉCOUVERTE MALENCONTREUSE

LE LENDEMAIN MATIN, À L'HEURE DE SON SERVICE, IL REÇUT UN appel téléphonique de son supérieur. "Prends ta soirée, Bremen, c'est calme."

Bremen, qui était sorti de la douche, pressa une serviette contre ses cheveux humides, fronça les sourcils vers le commissaire, dont l'image scintillait gris-vert au centre de la pièce. "Qu'est-ce tu veux dire, chef ?"

"C'est calme. Tu n'es pas obligé de venir, alors prends un peu de temps pour toi. Sors manger, ou regarde un film. Profite de tes loisirs, mais ne viens pas. Pas ce soir. Je te verrai vendredi prochain." Il sourit, se pencha derrière son bureau et, un instant plus tard, se redressa, tenant le masque de Bremen par la lanière. "Et tu as oublié ça, espèce d'idiot. Ce serait peut-être mieux pour toi de rester à l'intérieur. Je vais t'envoyer des sushis."

"Je n'aime pas les sushis."

"Un burger au rat, alors."

Bremen se figea alors qu'il se séchait les cheveux, et ses yeux se fixèrent sur ceux de son chef. "Qu'as-tu dit ?"

"Bremen, j'ai lu ton rapport. Je l'ai supprimé. Tu n'étais pas près de ce kiosque, tu me comprends ?"

"Non, pas vraiment, chef."

L'homme gonfla ses joues, exaspéré : " Putain, tu es vraiment aussi bête que tout le monde le dit ". Il se pencha en avant, envahissant la pièce, le visage dur, intransigeant. "Je vais te le dire clairement, alors écoute bien. Tu t'es rendu à la caserne et tu as découvert que l'alerte était une erreur. Un appel anonyme. Tu es allé directement au poste, tu as signé et tu es rentré chez toi. Rien d'autre."

"Pas exactement. J'ai parlé au..."

"Je sais ce que tu as fait, Bremen. Et eux aussi." Il sourit, sans humour. "Tu comprends ce que je veux dire, Bremen ?"

"Je pense que oui."

"Bien. Maintenant, tu restes assis sur ton gros cul pendant les trois prochains jours et tu ne mentionnes plus jamais, jamais rien de tout ça à une autre âme qui vive, tu comprends ?"

Bremen hocha la tête et le visage du commissaire disparut, laissant Bremen fixer la porte à l'autre bout de la pièce. Il devrait sortir immédiatement, retourner au poste et parler au chef en personne. Mais quelque chose l'en empêchait.

Qui diable étaient "ils" ?

QUELQUES HEURES PLUS TARD, BREMEN PASSA UN COUP DE FIL AU sergent de service, dont le visage s'assombrit lorsqu'il vit son interlocuteur sur l'écran. Il se pencha sur son bureau, se couvrant le visage d'une main grisâtre et noueuse. "Putain, qu'est-ce que tu veux, Bremen ?"

"Le registre des appels. Je veux savoir d'où venait l'appel concernant l'incendie."

"Pourquoi ?" Il retira sa main et parut fatigué, résigné à une autre nuit fastidieuse, pleine de viols, de combats et de meurtres. "Je croyais que le chef t'avait dit de lâcher prise ?"

"Non, il m'a dit de ne plus en parler. C'est ce que je fais, sergent. Je n'en parle plus, je pose une question. C'est tout."

"Tu es vraiment idiot, Bremen. Je ne peux pas t'aider."

"Parce qu'il est supprimé."

"Perspicace. En ce qui nous concerne, les incidents de la nuit dernière n'ont pas eu lieu. Rien de tout cela. Maintenant, laisse tomber, Bremen."

"J'ai vu un homme se faire tirer dessus et j'ai parlé avec le propriétaire du kiosque. Maintenant il est mort et je veux savoir pourquoi."

"Je ne te le dirai pas."

"C'était aux infos, disant que c'était une attaque terroriste, mais je sais que ce n'était pas le cas. J'ai tout vu."

"Non. Je vais te le répéter pour la dernière fois - tu n'as rien vu."

"Juste le numéro, sergent. Le numéro de la personne qui m'appelé."

"Je ne m'en souviens pas."

"Ou tu ne veux pas te souvenir ?"

Ses yeux devinrent froids. "Bremen, tu n'aurais pas une case en moins ? Tu es proche de la retraite. Dans trois ans. Pourquoi ne pas faire ce qu'ils te disent et oublier la nuit dernière, prendre ton courage à deux mains et rêver de vacances au soleil, hein ?

Qui sont "ils", sergent ? Je ne cesse d'entendre "Ils" ceci, "ils" cela. Eclaire-moi."

Le sergent regarda à gauche puis à droite, "Le *Gouvernement*. Ok ? Rien que ce mot devrait te mettre dans la tête que ce n'est pas une partie de plaisir, Bremen. Ce qui s'est passé hier soir ne te concerne plus."

"J'ai parlé aux démineurs."

"Tu as fait quoi ? Quand ?"

"Hier soir. Ils m'ont dit que ce n'était pas un incendie. C'était une bombe. On les avait appelés pour la désactiver, mais ils sont arrivés trop tard. L'explosion a détruit un des étages de l'immeuble. Ils en ont trouvé deux autres et ont réussi à les neutraliser."

"Mon Dieu, Bremen. Je ne veux pas entendre ça."

"Trop tard, je viens de te le dire. Maintenant, donne-moi ce putain de numéro d'appel."

Deux heures plus tard, il avait réussi à localiser l'origine de l'appel. Sur son canapé, sa troisième tasse de café à côté de lui, il avait le regard, incrédule.

L'appel provenait de la résidence privée de Wilson Frement. À ce moment, Bremen pensa qu'il valait mieux tout oublier, du moins pour l'instant.

Mais, comme toujours, il ne pouvait pas oublier.

Il attendit la nuit, puis se vêtit d'un polo noir et d'un jean gris foncé. Une veste en cuir brun sale compléta sa tenue et, alors qu'il considérait son reflet dans le miroir géant, il enfila un bonnet de laine et grogna de satisfaction.

La nuit. Il roula jusqu'aux alentours de la caserne de Manchester, stationnant le véhicule dans une rue latérale déserte. La nuit, silencieuse et sinistre, s'était abattue sur tout le quartier. D'immenses bâtiments se dressaient devant lui et, de chaque fenêtre et porte fermée, il s'attendait à ce que des agents gouvernementaux en noir émergèrent à tout moment et le forcèrent à partir. Il frissonna, referma son manteau et, se tenant près du mur de l'immeuble d'en face, il avança discrètement jusqu'à l'angle. Il jeta un rapide coup d'œil sur la route principale.

La caserne de Manchester demeurait silencieuse. Les agents du gouvernement étaient partis. Le journal télévisé n'avaient pas fait allusion à une bombe qui aurait explosé à cet endroit, une autre curieuse omission dans cette affaire de plus en plus déroutante. Après une dernière vérification des lieux, il se glissa sur la route.

Dans l'espace dégagé, il était conscient d'être exposé. Il se trouvait sur une place, dont le centre était dominé par une grande fontaine, ornée d'une statue de bronze massif représentant des combattants, commémorant un conflit oublié depuis longtemps. Tout autour se dressaient d'autres bâtiments indéfinissables, d'impressionnants sièges sociaux. Il se rendit compte, avec un soubresaut, que c'était le cœur battant de la ville, bien qu'éloigné du centre. Là, des hommes en costume gris s'éloignaient sans se faire remarquer, gagnant leur fortune, alors que tout autour, le monde suffoquait et mourait de faim.

Quelque chose bougea derrière lui. Il se mit à genoux et saisit son arme. Une série de poubelles s'entrechoquèrent. Il se figea, retenant son souffle, attendant.

Il poussa un long soupir lorsqu'un chat s'échappa des grands conteneurs en plastique, lui lança un regard révulsif avant de disparaître dans la pénombre. Bremen remarqua que la main qui tenait l'arme tremblait. Il en ria, s'efforçant de se calmer. Comment aurait-il réagi de toute façon ? Il ne se souvenait pas de la dernière fois où il avait utilisé son arme de service, sauf pour les séances d'entraînement bimensuelles. "Trois tirs ciblés sur douze, Bremen", avait dit Cosgrave la dernière fois, en grimaçant, sérieux comme un cadavre. Ce n'est pas suffisant. Je vais devoir le dire au commissaire.

En rangeant l'automatique, il scruta les étages supérieurs et décida de tenter sa chance par derrière. Il s'élança donc vers le coin le plus éloigné et se faufila par l'arrière du bâtiment.

Il pensait qu'une alarme aller se déclencher mais quelque chose dans cet édifice presque désert lui donnait des raisons de douter de cette hypothèse. Aussi, lorsqu'il arriva à l'entrée arrière aux volets baissés, il n'hésita pas à se pencher, à empoigner le dessous et à le soulever.

Le concertina en aluminium grinça horriblement. Il s'arrêta, haletant, à l'affût de tout signe d'alerte des agents de sécurité accourant pour enquêter.

Rien ne se produisit. Pas d'alarme, pas de gardes, seulement le calme de la nuit.

Il prit une profonde inspiration et se contracta tous les muscles afin d'ouvrir complètement la porte d'entrée usée.

Il scruta l'obscurité et renifla l'air vicié. La puanteur de l'abandon et de la décadence prouvait que plus personne n'utilisait cet endroit, peut-être même qu'ils ne l'avaient pas honoré pendant des années.

Il sortit son vieux briquet Zippo de sa poche et effectua trois ou quatre tentatives avant qu'il ne s'allumât. Il le tendit, balançant la flamme de gauche à droite alors qu'il se dirigeait progressivement vers l'intérieur. La faible lumière parvint à pénétrer dans une partie de l'alentour, mais de manière très limitée. La pièce semblait remplie de cartons d'emballage, le sol jonché de feuilles de papier étouffées par la poussière qui se soulevait alors qu'il avançait à pas feutrés, ce qui l'obligeait à s'arrêter à chaque pas pour tousser.

Il n'avait plus besoin de preuves. L'endroit était désert.

Il rabattit le couvercle du briquet et attendit. Plongé dans l'obscurité, il prit un moment pour permettre à ses yeux de se retrouver. Il se retourna et se dirigea à tâtons vers la sortie, mais avant d'avoir fait deux pas, il l'entendit. Un clic métallique, venant du fond des entrailles du bâtiment.

Évidemment, il se maudit. Le sous-sol. Les démineurs ne lui avaient-ils pas dit qu'ils avaient désamorcé un appareil explosif dans les étages inférieurs, ou bien l'imaginait-il ? Alors qu'il se tenait immobile, la bouche ouverte, à l'écoute, le ronronnement des câbles métalliques lui dirent exactement ce qui se passait.

Un ascenseur. Il se déplaçait vers le haut. Et s'il fonctionnait, cela signifiait que quelqu'un avait dû l'activer.

LE CAMBRIOLAGE

AVERY ÉTAIT VIEUX. PAS ASSEZ POUR NE PAS POUVOIR MARCHER OU uriner quand il le voulait, mais assez vieux pour se souvenir de l'époque où le monde était plus verdoyant.

Il ne se passait pas grand chose à présent. La vie était devenue fastidieuse, une suite interminable de journées sans signification mais des journées qui fuyaient. Il se réveillait, se brossait les dents, prenait quelques repas et, en un clin d'oeil, l'heure du coucher était arrivée. Parfois, allongé dans son lit, le pavé tactile le dévisageant, les mots sur l'écran n'étant qu'un flou bleu, il essayait de se rappeler ce qu'il avait fait pendant la journée. Un petit déjeuner sur la terrasse du Gilbert, quelques mots de conversation oisive. Puis une promenade en front de mer, pour regarder les maçons empiler les pierres. Un exercice inutile s'il en était un. Un peu plus tard, le déjeuner. Un cocktail peut-être. Il aimait les cocktails. Ils lui transportaient à un endroit, loin de toutes ces conneries.

L'histoire. Personnelle. Lui et Mavis. Comment elle riait, lui tenait la main, touchait son visage et l'embrassait. Souvenirs. Puis, le dîner avec Clément qui servait la nourriture. Pas de mots, juste le cliquetis de cuillères en argent sur des plateaux en argent. De la bonne nourriture, bien préparée. Mais il ne se souvenait d'aucun détail. La routine quotidienne. Le flou.

La nuit où l'incident se produisit, Avery se mit à table et regarda Clément lui servir de la soupe dans un bol, à l'aide d'une louche. " Quel effet cela vous fait-il d'être un domestique ? "

Clément, peut-être plus âgé que les collines, s'arrêta, leva un sourcil. "Je vous demande pardon, Monsieur ?"

"Bon sang, je vous le demande."

"Mais je n'en comprends pas le sens, Monsieur."

"Depuis combien de temps êtes-vous ici ? Dans cette maison, à me servir ?"

"Monsieur, c'est..." Clément semblait troublé, il se frotta le menton. "Je ne sais pas à juste titre, Monsieur. Je me souviens de votre père, Monsieur. Je me souviens qu'il m'avait fait passer un entretien pour le poste ici, mais il y a combien de temps, c'était..." Il secoua la tête. "Il y a longtemps, Monsieur. C'est tout ce que je sais."

"Vous vous souvenez de mon père ? Mon Dieu, c'est que vous êtes plus vieux que moi."

"Je crois bien, Monsieur."

Avery secoua la tête. " Zut. Ma mémoire se détériore, Clem. Je ne peux pas me rappeler ce que j'ai fait plus tôt dans la journée. Peut-être est-ce plus lié à la vacuité de tout ce qui nous entoure. J'ai besoin de ... d'une raison pour me lever le matin. Vous comprenez ce que je veux dire ? J'ai besoin d'une raison pour avancer."

"Le business, Monsieur. Vous avez votre business, c'est une raison suffisante, non ?"

"C'est la responsabilité de mon fils, maintenant. Je n'ai plus rien à voir avec tout ça."

"Vous avez encore beaucoup à offrir, Monsieur. Je ne pense pas que vous ayez plus de 80 ans."

"J'ai 87 ans, Clément. Quel âge avez-vous ?"

Clément recommença cette expression douloureuse. "Monsieur... Je ne sais pas."

"Une supposition, alors. Pour l'amour de Dieu, vous devez avoir une idée, une intuition."

"Bien plus d'une centaine, Monsieur. Peut-être... peut-être cent vingt."

Avery prit son verre et fit tournoyer le cognac. "Mais vous avez un objectif, non ? Une raison de continuer à avancer."

"Celle de vous servir, Monsieur. Oui."

Avery fixa son verre. "Mais que faites-vous pendant votre temps libre, le soir, Clem ? Comment remplissez-vous le vide ?"

"Pas grand-chose, Monsieur. Je mange, je regarde les vieux matchs de ballon sur l'holovision, en me souvenant du passé. Des choses comme ça."

"Est-ce que vous lisez, Clem ? Des livres, je veux dire ? Je lisais beaucoup. De la fiction, de l'histoire, un peu de tout. Maintenant, je n'arrive plus à garder les yeux ouverts plus de deux minutes avant de m'endormir. Le pavé tactile est un véritable fouillis, les mots sont flous et n'ont plus aucun sens. J'aimais lire autrefois".

Un lourd silence s'abattit sur eux.

Clément s'appuya sur l'autre jambe. Je ne me rappelle pas avoir déjà lu, Monsieur. Ce n'est pas nécessaire. Tout ce que je veux est sur l'holovision."

"Mais avant l'holovision, Clem ? Vous n'avez pas lu à l'époque, dans le temps ?"

"Je ne me souviens pas des jours avant l'holovision, Monsieur. Ça a dû être terriblement ennuyeux."

"Oui, je suppose." Avery vida son verre, se lécha les babines, observa les résidus de l'eau-de-vie. "Alors, comment c'est d'être un serviteur ?"

"Comme tout le reste, je suppose, Monsieur. C'est un travail. Je me lève, je fais mon travail et je vais me coucher. Même chose, le jour suivant, et ainsi de suite."

"Et c'est tout ?"

"Y a-t-il autre chose, monsieur ?"

Avery observa son domestique. Une sorte de compréhension s'échangea entre eux. Un lien. Quelque chose. Maître et serviteur partageant un moment émouvant, l'acceptation de leurs rôles respectifs. "Je vous envie, Clem. Savoir ce que chaque jour nous réserve. J'y trouverais du réconfort, un sentiment de sécurité."

"Mais vous avez le choix, Monsieur. Vous pouvez faire ce que vous voulez. C'est un luxe qui dépasse de loin mon existence, Monsieur."

"L'existence". Oui. Mais, de plus en plus, je me retrouve à tout remettre en question. Les jours se confondent en un seul. Une seule, longue chaîne de vide. Je suis une force épuisée, Clem. Je n'ai plus rien à offrir à personne." Il but la dernière goutte de cognac et posa le verre sur le plateau d'argent. "Je m'excuse. Je deviens morose. Ne faites pas attention. Bonne nuit, Clem."

"Bonne nuit, Monsieur."

Avery alla se coucher. Ses vieux os craquèrent alors qu'il mettait son pyjama non sans difficulté. Le matelas s'affaissa sous son poids. Allongé, il fixa le plafond et se demanda si la vie de Clem était plus satisfaisante que la sienne. Plus il y réfléchissait, plus il commençait à accepter qu'en fait, la vie de Clem était infiniment meilleure que la sienne. Le manque de responsabilité, le poids des décisions, sans rien de tout cela, la vie devait être meilleure. Certainement plus simple.

Il essaya de dormir.

Mais il n'y arrivait pas.

Après des heures infructueuses, il descendit pour se servir un verre de lait.

Il traversa lentement la grande cuisine froide, ouvrit la porte et aperçut une ombre dans le hall. Il sut à ce moment précis que la vie était sur le point de prendre un tout nouveau tournant, inattendu.

Deux individus l'attachèrent à une chaise solide au centre de la pièce. L'un des deux intrus fourra une orange dans la bouche d'Avery, mais l'autre la lui retira aussitôt. "Comment est-il censé nous parler avec ça ?"

L'autre haussa les épaules, fit une grimace, ouvrit le frigo. Il sortit une brique de jus de fruit, arracha le dessus et en but le contenu en une seule gorgée. Il se lécha les babines et s'essuya la bouche du dos de la main. Il dit en soupirant: "Purée, je n'ai pas dégusté ça depuis plus d'un demi-siècle."

"C'est la manière dont vit la meilleure moitié, Sheldon."

Sheldon répondit par un regard furieux. "Pas de noms, espèce d'idiot."

L'autre gémit, posa sa main sur la bouche. Il regarda Avery. "Tu n'as pas entendu ça, n'est-ce pas, grand-père ?"

"Tu seras anéanti pour ça," répondit Avery

"Ta gueule", dit l'inconnu et il gifla Avery durement. Le coup était si puissant qu'il renversa la chaise et fit tomber Avery. Il se cogna la tête contre un placard. Son crâne s'ouvrit comme un oeuf cassé. Avery s'effondra et resta immobile, le sang coulant sur le sol, tacheté de petits morceaux de matière cérébrale. Ses yeux restèrent ouverts.

Il était mort.

"Espèce de putain de lunatique." Sheldon claqua la porte du frigo, prit l'autre homme par le col et le poussa à travers la pièce. Il donna un coup sur le bord de l'évier, jura fort, et sortit un petit automatique noir de l'intérieur de son manteau. "Tu me touches encore et je te tue, salaud."

Sheldon s'agenouilla et chercha le pouls du vieil homme. Il leva la tête. "Tu l'as tué."

"Et alors ? On peut toujours trouver le truc."

"Comment ?"

"Hein"

"Comment on va trouver le truc s'il est mort ? Il allait nous donner la combinaison du coffre, espèce d'idiot."

"Arrête de m'appeler comme ça, Sheldon. Attention à toi."

"Grant, t'es un vrai con." Sheldon se leva subitement, attrapa l'arme de la main de Grant en un clin d'oeil. Avant que Grant ne pût réagir, Sheldon retourna l'arme et enfonça le canon dans la bouche de Grant. "Je t'appelle comme je veux, espèce d'idiot." Il prit de grandes inspirations, réfléchissant à ce qu'il allait faire ensuite. Le plan avait été simple. Menacer le vieil homme, récupérer la combinaison du coffre, trouver les titres et se barrer. Des titres internationaux, valant une petite fortune, ainsi que des schémas. Des documents techniques. Leur client les voulait. Apparemment, il avait essayé de négocier avec Avery au cours des derniers mois pour tenter de trouver un compromis, mais le vieil homme ne voulait plus s'en soucier. Donc, comme rien n'eut été fait, il contacta Sheldon par le biais d'un intermédiaire qui lui exposa le plan. Obtenir les titres et les papiers. Sortir de la maison. Les livrer. Terminé.

En aucun cas, il ne s'agissait de tuer quelqu'un.

Personne ne mentionna qu'il pourrait y avoir une autre personne dans la maison et que cette dernière pourrait avoir sa propre arme. Parce que c'était exactement ce que Sheldon aperçut à l'instant même dans l'embrasure de la porte. Un homme, avec une grosse arme. Fusil à pompe Winchester 1987. Antique. Comme dans un rêve, l'homme fit glisser la pompe, introduisit la cartouche, et pointa l'arme dans le dos de Sheldon.

"Bouge, salaud, je vais t'exploser en mille morceaux."

Sheldon ne bougea pas jusqu'à ce que l'unité de force mobile arrivât une vingtaine de minutes plus tard et les emmenât, lui et Grant.

APRÈS LE DÉPART DE LA POLICE, APPAREMMENT ENNUYÉ PAR TOUTE cette affaire, Clément s'assit dans la cuisine, penché sur le Winchester, regardant le sol. Ils avaient transporté M. Avery en ambulance. Trois longues heures s'écoulèrent alors. Rien depuis, juste le silence de la maison. Alors que les sirènes disparaissaient dans la nuit, Clément pensait à tout ce qui s'était passé, à la manière dont la vie avait totalement changé. Qu'allait-il faire maintenant, sans M. Avery ? Il réalisa, assis, le regard dans le vide, que sa propre vie était maintenant terminée. Ces bâtards lui avaient tout pris en moins d'une seconde. Il n'y avait vraiment plus aucun intérêt.

Au bout d'un moment, il parvint à retourner le canon du Winchester contre lui et à le coincer sous son menton. Il retint son souffle, ferma les yeux et se fit sauter la cervelle contre le mur de la cuisine.

FUNÉRAILLES

Ils se rassemblèrent, les riches et les bons. Le fils d'Avery, Wilson, était assis au premier rang. Il y avait des lunes qu'il n'avait pas fréquenté d'église: la religion, une vocation minoritaire, et les vieux monuments destinés à un dieu, ignorés et presque oubliés, s'effritaient. Il n'en restait plus beaucoup à présent, les rares bâtiments classés, des fanatiques du début du siècle, mais la plupart avaient été rasés pour faire place à des zones résidentielles. Le rituel du dimanche matin ne manquait à personne ; l'attrait de l'holovision était devenu la nouvelle religion, les jeux virtuels, l'opium dont tout le monde avait besoin. L'évasion. Rien d'autre n'avait le même attrait.

Pendant la cérémonie, Wilson se tourna vers Melinda et demanda s'il pouvait sortir, prendre l'air. Melinda lui lança un regard de pure haine et Wilson se résigna, s'enfonça plus profondément dans le banc de bois dur et essaya de ne penser à rien.

Surpris, il ne s'attendait pas à ce qu'il y eût autant de monde à l'intérieur. Il se retourna, tendit le cou et scruta les visages gris et sombres. Peut-être une centaine d'entre eux, la rigidité cadavérique les tenaillait ou du moins c'était ce qu'il semblait. Avery était peut-être très respecté mais le père de Wilson avait toujours été une sorte de reclus. À présent, avec sa mort, de vieux amis et collègues sortirent de l'ombre, pour répondre à l'appel et montrer leurs respects, les visages austères, flétris. La jeunesse n'était pas au rendez-vous ce jour-là.

Peut-être à cause de la manière dont il était mort, les amis d'Avery pleurèrent à chaudes larmes. Wilson les étudia, conscient que ce n'était pas un faux deuil. Son père, si aimé et maintenant si regretté. Wilson n'avait pas besoin d'une autre preuve de la profondeur des sentiments qu'ils éprouvaient tous pour Avery Frement.

À la suite de la cérémonie, Wilson se tint à l'entrée de l'église, le prêtre à ses côtés, serrant la main de personnes en deuil qu'il connaissait à peine. Une vieille femme aux cheveux blancs saisit les poignets de Wilson de ses doigts noueux en sanglotant : "Un si grand homme". Wilson sourit, se força à lui rendre la pareille et surtout souhaita être ailleurs. Alors que la vieille femme s'éloignait en titubant, il vit Melinda et se dirigea vers elle. "Je vais à la voiture."

Dehors, la pluie tombait à verse.

La pluie contribuait souvent à la qualité de l'air mais elle n'empêcha pas les personnes en deuil de ressortir leurs masques. Ils semblaient étrangement grotesques, comme des visiteurs d'un autre monde, enveloppés dans des imperméables ternes, les contours brouillés par l'averse, le blanc des masques contrastant avec la grisaille. Wilson frissonna. Leur âge moyen devait largement dépasser les cent vingt ans, l'odeur de leur richesse imprégnant l'atmosphère épaisse et empoisonnée.

Melinda passa devant lui. Il voulut lui dire quelque chose mais elle lui tourna le dos et parla à d'autres personnes. Wilson jura, détestant la façon dont elle le traitait comme s'il était un enfant, à peine toléré, toujours ignoré. Il enfonça ses mains dans les poches de son pantalon, replia ses épaules autour de ses oreilles dans une tentative peu convaincante de se protéger de la pluie. Il se sentait horriblement mal, exténué.

"C'est le type même d'Avery qui nous pisse dessus", dit un vieux chnoque en s'approchant de lui. Wilson fronça les sourcils, pensant l'avoir reconnu, mais ne dit rien. L'homme sourit, les lèvres minces et pâles.

"Vous ne vous souvenez pas de moi, n'est-ce pas ?"

Les proches du défunt avancèrent péniblement sous la pluie battante. Certains firent un signe de tête à Wilson. Tous les hommes embrassèrent Melinda, le masque remonté sur ses cheveux. Leur meilleure, voire leur seule chance de savourer ses douces lèvres.

Il reçut une tape sur l'épaule. Il se retourna. "Quoi ?"

"Je vous ai demandé si vous vous souvenez de moi"

"Pourquoi? Je devrais ?"

"J'avais l'habitude de vous faire des balades à dos de cochon quand Avery venait me voir."

"Des balades à dos de cochon ? C'est quoi, ce délire ?"

L'homme secoua la tête. Gris, noueux, il n'avait plus beaucoup de cheveux, les quelques mèches restantes étaient blanches et vaporeuses. Il ressemblait à un pruneau, ridé au-delà de l'imaginable. Des yeux enfoncés, jaunes, comme de la pisse. Son visage, ouvert aux éléments sans masque, témoignait d'années d'efforts. Il clignait des yeux alors que la pluie éclaboussait ses traits douloureux. L'absence de protection ne semblait pas le déranger du tout. "Mon nom est Lester. J'étais le plus vieil ami de votre père. Il m'a volé ma femme, Mavis, et j'ai toujours dit que je vivrais assez longtemps pour pisser sur sa tombe." Il tourna ses yeux larmoyants vers le ciel. "Mais il semble qu'il me pisse dessus."

Wilson resta bouche bée, s'efforçant d'assimiler les paroles de l'homme, une masse d'informations dont aucune n'avait de sens. "Comment avez-vous dit que vous vous appeliez ?" Le vieil homme lui répéta son nom. Wilson haussa les épaules. "Peut-être que votre souhait à tous les deux a été exaucé."

"Vous croyez ?" Lester secoua la tête, un regard triste traversant son visage. "C'était un salaud, et je le détestais. Mais maintenant, je suis un peu désolé."

Wilson poussa un rire dédaigneux. "Vous le montrez bien."

"Je ne suis pas désolé de le détester. Mais de ne pas avoir eu la chance de... lui dire quelque chose, avant qu'il ne meure."

"Eh bien, je ne devrais pas m'inquiéter. Il ne vous aurait probablement pas écouté de toute façon." Wilson s'éloigna, fatigué de parler, fatigué d'essayer de paraître intéressé. Il n'était pas intéressé. Il voulait juste rentrer chez lui et mettre Melinda dans son lit. Si elle le laissait faire. Ils n'avaient pas fait l'amour depuis quelques semaines, peut-être qu'elle céderait, surtout s'il essayait de la convaincre que le sexe pourrait l'aider à surmonter son chagrin.

Le vieil homme le tira brusquement par le bras. Wilson se retourna, essayant de se libérer, mais la pression de l'homme était particulièrement forte. "Lâchez-moi", dit-il, en cherchant l'un de ses gardes du corps. Il ne pouvait distinguer personne sous la pluie, les ombres se déplaçant aux limites de sa vision. "Vous ne savez pas qui je suis ?"

"Je le sais très bien", dit l'homme en ricanant. "Ecoutez-moi bien. Les salauds qui ont fait ça, que va-t-il leur arriver ?"

Wilson ferma les yeux et fit disparaître sa fureur d'avoir été molesté. De toute évidence, le vieil homme était blessé par la mort d'Avery, alors il lâcha prise. "La perpétuité obligatoire."

"Et ça veut dire quoi, exactement ?"

Wilson arqua un sourcil. "c'est-à-dire la prison à vie."

"Je croyais que vous les feriez disparaître."

"C'est pour les violeurs et les agresseurs d'enfants. Les méchants." Il sourit. "Et les filles."

"Mais ce sont des méchants, ceux qui ont fait ça. Ils ont tué deux personnes innocentes."

"Seulement une. Mon père. Clément s'est tiré une balle. Un suicide."

"L'aurait-il fait si Avery était encore en vie ? Se tirer une balle, je veux dire."

Wilson se mordit la lèvre, acceptant la vérité qui sortait de la bouche du vieux chnoque. Clément était le serviteur d'Avery depuis... enfin, depuis avant la naissance de Wilson. Clément idolâtrait le vieil homme. Avec la mort d'Avery, y avait-il un intérêt à continuer ? L'homme ledit Lester relâcha le bras de Wilson qui ajusta les poignets de sa chemise. "Qui sait. Peut-être."

"C'est des conneries et vous le savez bien. Ils auraient aussi bien pu tuer Clément eux-mêmes. Des assassins, des salauds. La perpétuité ? La vie, c'est quoi, 15 ans ?"

"En général."

"Ça devrait être la vie !" Il montra ses poings blancs, les secoua, la voix tremblant de rage. "Jusqu'à ce qu'ils soient morts. Vous m'entendez ? Morts. Ce qu'ils ont fait, ces bâtards. Laissez-les pourrir."

"Nous ne pouvons pas. On n'a pas la place, ni les équipements. Le coût, c'est trop - prohibitif."

"Jésus, quel langage utilisez-vous. Tout a un prix, non ? Tout doit être comptabilisé, les économies faites, le gaspillage réduit au minimum. Je sais tout ça, j'ai écouté toutes les conneries du gouvernement. Mais certaines choses n'ont pas de prix. Faire ce qui est juste ne devrait pas avoir de prix !" Il inspira, desserra ses poings, son corps se décontractant comme s'il avait besoin de ce discours pour se sentir mieux. "Vous êtes un ministre du gouvernement, non ?"

Wilson se raidit. Peu de gens le savaient car il avait tendance à se faire aussi discret que possible, à ne pas se faire remarquer. Le vieil homme avait peut-être des informations privilégiées, quelqu'un qui savait la réalité - que Wilson Frement était le leader, l'homme le plus puissant du gouvernement. Comme le vieux fou semblait contrarié, Wilson ignora la question, ne souhaitant pas en révéler trop. "Il n'y a rien que je puisse faire. Les prisons sont surpeuplées et l'argent se fait rare."

"Ça doit vous énerver. Savoir qu'ils seront sortis dans quelques années, alors qu'on ne reverra jamais votre pauvre vieux père."

"Je croyais que vous le détestiez ?"

"C'est vrai. Mais ça ne rend pas ce qu'ils ont fait moins terrible, ni moins grave. J'ai peut-être voulu que le vieux schnoque meure, mais pas de cette manière."

Wilson était rongé par la curiosité, malgré l'envie de battre en retraite. "Que vous a-t-il fait ?"

"Je vous l'ai dit. Il m'a volé ma femme." Lester inclina légèrement la tête et ajouta d'une voix basse : "Votre mère."

L'air devint immobile, la pluie cessa à ce moment précis. Wilson retint son souffle et leurs yeux se croisèrent. Sa mère ? Qu'est-ce que ce vieux salaud avait à voir avec sa mère ? La chaleur se dégagea de son col, il jeta un coup d'œil autour de lui et aperçut enfin, à travers l'air pur, Gilbert, le gigantesque garde du corps. Il lui fit signe de venir.

"Je comprends que vous soyez bouleversé," dit Wilson, "et je comprends toute votre colère, votre confusion, mais c'était mon père, Monsieur... ?"

"Mon nom est Steinmann."

"Steinmann." Wilson se donna un moment pour digérer le nom, qu'il pensait avoir reconnu.

"Des problèmes, monsieur ?"

Gilbert se dressa au-dessus des deux hommes. Il était imposant, ses mains pareilles à des poêles et ses épaules assez larges pour faire tenir en équilibre un petit camion.

"Un instant, Gilbert." Un souvenir resurgit. C'était au tour de Wilson de prendre le vieil homme par le bras et de l'éloigner. "Je vous connais", dit-il toujours à voix basse. "Et ça n'a rien à voir avec mon père ou ma mère." Il prit son menton dans sa main, "Je me souviens de vous, maintenant. Le laboratoire à Finchley. Vous le dirigiez en tant que chercheur principal. Il s'est passé quelque chose. Ils vous ont enfermé."

"Ils ... Oui, mais avant de nous enfermer, ils ont volé la technologie. Tout comme Avery a volé ma femme." Ses yeux se rétrécirent.

Wilson prit une inspiration, voyant soudainement tout cela clair comme le jour. "Vous m'en voulez."

"Qui d'autre ? Vous êtes ce maudit intermédiaire, Wilson. Vous étiez ministre du gouvernement à l'époque, le fils même de ce salaud d'Avery. Vous êtes un traître et un menteur, tout comme lui."

"Attention à ce que vous dites, Steinmann."

"Ah bon ? Vous ne nous avez pas vraiment enfermés, n'est-ce pas Wilson ? Vous avez simplement repris nos recherches, vous et vos associés, à vos propres fins. Intéressant, non ?"

"Vous ne savez pas de quoi vous parlez."

"Je ne le sais pas ? Je crois que si. Et votre père aussi. Nous avons travaillé pendant des années à peaufiner nos théories et nous y étions presque, si près du but. C'est à ce moment là que vous avez débarqué, espérant prendre le contrôle mais Avery était là le premier. Il savait que vous alliez venir, et donc il a gardé les notes des recherches pour lui, m'évitant même moi, son partenaire, son collègue chercheur. Quand vous avez découvert qu'il était toujours en possession de nos notes de recherche, vous avez engagé ces bâtards de meurtriers pour aller les récupérer... Et ils l'ont tué. Votre propre père. Mon Dieu, vous vous permettez tout." Il secoua la tête, les yeux embués de tristesse. "Et dire que je vous faisais faire des balades à dos de cochon."

Le vieil homme fit un pas en arrière, un clic se fit entendre dans sa main.

Wilson sursauta, réalisant trop tard ce que c'était. Il cria, la voix étouffée par une autre averse soudaine qui s'abattait sur eux.

Tout à coup, Gilbert s'interposa entre eux et attrapa le poignet de Lester Steinmann avant que ce dernier ne pût planter un couteau dans le coeur de Wilson.

DES MOTS DANS LA NUIT

Les deux furent conduits dans des cellules de détention séparées. Ils y restèrent des heures. Peu d'eau arrivait dans leur bouche, et encore moins de nourriture. Le but étant de les affaiblir. Généralement atteint.

Bremen était de service et cette heure de la nuit le rendait toujours nerveux, quelque peu anxieux. Ce qui arriva à la caserne de Manchester ne l'aidait pas. Ce qu'il vit sur place. Il frissonnait dans sa veste légère, se demandant quand la gendarmerie allait mettre les moyens nécessaires pour alimenter le chauffage. Il était impatient d'être chez lui, dans son lit, en train de dormir.

Les murs anis de la salle de la brigade se resserraient autour de lui et il se tortilla sur sa chaise, mal à l'aise. Il tira sur sa dernière cigarette, fixant le mégot incandescent comme s'il s'agissait de sa première puis l'écrasa dans le cendrier. Miller l'étudia de l'autre côté du bureau en fronçant les sourcils.

"Il m'arrive souvent de penser que ce boulot n'est pas fait pour toi."

"Ouais, bon, tu as toujours été méprisant."

"Je croyais que tu avais arrêté de fumer ?"

"Exact. Mais c'est une addiction. J'y peux rien ?"

"Trouve une femme, installe-toi, achète une jolie maison à la campagne."

"J'ai une femme."

"Ah oui, j'avais oublié. Comment va cette charmante dame ?"

Bremen haussa les épaules. "À ton avis? Elle est furieuse que je ne sois jamais à la maison."

Miller se mit à rire. "Seigneur, pourquoi tu t'es devenu flic ?"

"J'aimais la bouffe de la cantine." Bremen se leva et s'étira, grognant bruyamment. Dans la pénombre, il se dirigea vers le distributeur d'eau, plaça un gobelet en papier sous le robinet avant de se rendre compte qu'il était vide. Il poussa un gros soupir. Dans le noir et le silence, ils étaient les seuls policiers encore présents. Quatre heures et demie du matin et deux meurtriers en cellule. Bremen jeta le gobelet en papier dans la poubelle la plus proche. "J'étais censé être en congé, du moins c'est ce qu'ils ont dit. Ils m'ont dit, prends du temps pour toi, détends-toi. Pourquoi c'est arrivé ce soir, pendant notre garde ?"

"Dieu seul le sait, mais je ne pense pas que c'est en rapport avec une affaire difficile à boucler. Les agents qui les ont ramenés disent que le dossier est clos, maintenant. Tout ce qu'il nous faut, c'est la signature des aveux. Ça ne devrait pas prendre trop de temps. Ils se dégonflent, ils sont déboussolés. Ils pleurent pour leurs mamans. En plus, leurs empreintes sont partout, de l'ADN, tout ce qu'il y a d'habituel. Et nous avons la déclaration sous serment du majordome."

"Du majordome ? C'est quoi ce bordel, Miller ? Un Agatha Christie ?"

Miller sourit. "Non. Agatha Christie écrivait des polars, Bremen. En plus, le majordome est mort. Mais, comme je l'ai dit, nous savons que ces types sont les coupables. Il faut juste les forcer à signer, c'est tout ce que tu as à faire. Je pense qu'ils le feront."

"Comme c'est gentil de ta part."

41

"Ouais. Et je suis l'aîné, alors grouille-toi."

"Oui, *Monsieur le Détective*."

"Sinon, Bremen, tu ne seras pas payé."

"Paiement aux résultats ..." Bremen secoua la tête. Ses pensées se tournèrent vers la nuit précédente, ce qu'il avait vu, et ce souvenir entraîna une accélération de son rythme cardiaque.

DANS L'OBSCURITÉ DE LA CASERNE, APRÈS AVOIR OUVERT LES volets, il se glissa dans l'ascenseur alors que deux grands hommes émergeaient d'un pas traînant. Rires et plaisanteries se firent entendre puis ils disparurent dans les profondeurs de l'entrepôt. Bremen, se plaquant contre le mur de l'ascenseur, attendit que les portes se referment automatiquement. Les éclairages dans l'espace fermé de la minuscule cage étaient trop intenses. Il ferma les yeux, comptant les secondes, sans savoir ce qu'il faisait, quelle idée folle l'avait poussé à enquêter.

Les portes se refermèrent. Il ouvrit les yeux, cherchant les boutons de l'ascenseur. Il y en avait trois, deux flèches, une vers le haut, une vers le bas, et une troisième qui était rouge. Cette dernière était l'alarme, supposa-t-il. Alors il appuya sur la flèche pointant vers le bas. L'ascenseur vibra avant d'entamer sa descente.

La descente semblait une éternité. En fourrant instinctivement sa main dans sa veste, Bremen toucha la crosse de son arme à feu. Il contrôla sa respiration, se demandant ce qu'il allait trouver lorsque les portes allaient se rouvrir. Des visions de droïdes armés emplissaient son esprit, les armes levées, des mains métalliques froides l'attrapant, l'entraînant vers un destin inconnu. Et de la douleur. Beaucoup de douleur.

L'ascenseur s'arrêta. Il se crispa, la main prête à sortir l'arme de sa veste. Mais quand les portes s'ouvrirent, il n'y avait personne. Seul un couloir éclairé s'étendait devant lui. Il attendit un moment, redressa son dos, et sortit.

Il sursauta lorsque les portes se refermèrent et pendant un instant, il eût envie d'appuyer sur le bouton, de rappeler l'ascenseur, de s'échapper. C'était un endroit où il ne devait pas se trouver, ni professionnellement ni personnellement. Il avait fait beaucoup d'erreurs dans sa vie et l'idée que celle-ci pourrait être la plus grande de toutes s'imposa et menaça de le dominer. L'ascenseur s'éleva, son échappatoire disparut. Il passa le dos de sa main sur le front, essuyant la sueur, acceptant qu'il n'y avait pas de retour possible, pas maintenant. D'ailleurs, il devait savoir.

Il marcha donc, en veillant à ne pas faire trop de bruit mais les semelles de ses chaussures crissaient et craquaient à chaque pas sur le sol métallique. Il s'arrêta toutes les deux secondes, écoutant, mais n'entendant rien, à part le faible bourdonnement des bandes lumineuses du plafond.

Au fond du couloir, à gauche, se trouvait une seule porte en aluminium. Il posa son oreille contre la surface froide de la porte et attendit, retenant sa respiration, essayant de distinguer tout son de l'intérieur. Alors qu'il réfléchit à ce qu'il allait faire, l'ascenseur à l'autre bout du couloir redescendit, une sonnerie retentissant pour annoncer son arrivée. Les portes s'ouvrirent. Bremen n'hésita plus. Il passa de l'autre côté de la porte en aluminium.

Bremen frissonna, s'arrachant à ses souvenirs. Si toutefois il s'était fait remarquer en train de fouiner, il n'y avait eu aucune suite. Même son expérience précédente à la caserne, lorsqu'il avait parlé avec l'équipe de déminage, semblait avoir été efficacement fermée, classée et oubliée. En retournant au poste, Bremen s'attendait à trouver des officiers du gouvernement pour l'intercepter, mais il n'y avait personne. Le sergent de service ne lui adressa même pas un regard. C'était comme si rien de tout cela n'était arrivé : les bombes, les agents du gouvernement, les démineurs. Et le meurtre. Ce pauvre bâtard, le propriétaire du kiosque, qu'avait-il fait pour mériter de mourir de cette façon ?

"C'est des conneries, Miller", dit Bremen avec émotion, en regardant par la fenêtre dans l'obscurité, "et tu le sais. Rouler les gens, pour des choses qu'ils n'ont pas faites, alors que les vrais criminels sont libres. Les crimes commis qui ne sont pas enregistrés, les actions que nous faisons, ou ne faisons pas. Personne ne se demande "pourquoi". J'en ai ras le bol."

"Tu as une religion ou quoi, Bremen ? Une conscience ?

"On peut dire ça comme ça." Il tapota sur ses poches à la recherche d'une autre cigarette. Il soupira, appuya son front contre la vitre blindée de la fenêtre. "Il n'y a plus de justice."

"Eh, Bremen, d'où vient toute cette haine en toi ? On déteste tous notre putain de boulot, Bremen, mais on le fait parce qu'il le faut, parce que personne d'autre ne le fera. Remets-toi en question."

"Tu ne t'es jamais posé la question de la futilité de tout ça ?"

"Non, parce que dès que je me mets à me poser des questions, je perds mon sang froid. Je fais ce que j'ai à faire, je rentre chez moi, je dors. Je ne reste pas éveillé à laisser ma conscience me ronger."

"Tu as de la chance. Je ne peux pas m'empêcher de penser à tous ceux qu'on laisse libres à cause de leurs relations, de qui ils sont, de leur richesse."

"On le fait tous. Sinon, aucun de nous ne pourrait survivre dans ce monde puant. Notre salaire est merdique, alors on prend ce qu'on peut. Des pots-de-vin. Tout le monde le fait."

"Oui, mais parfois, l'injustice, ça me reste en travers de la gorge, Miller."

"C'est possible, mais il n'y a pas d'injustice ou d'erreur dans cette affaire. C'est du solide. Ces deux salauds ont tué le vieux, point."

"Mais il nous faut des aveux, signés, scellés et livrés. C'est tout ce que nous sommes, aujourd'hui, des *secrétaires*. Ils auraient pu utiliser des androïdes pour faire ce genre de choses."

"Au moins, en tant que *secrétaires*, on peut voir le matin." Miller poussa un gros soupir. "C'est quand la dernière fois que tu es sorti dans la rue et que tu as fait du vrai travail de police, Bremen ? Quelle était ta dernière arrestation ?"

Bremen se redressa et se tourna pour faire face à son collègue. C'était peut-être le moment de tout révéler, ce qu'il avait vu dans le sous-sol de la caserne. Il regarda profondément le visage de Miller. Il savait que c'était un homme à qui il ne devait jamais rien dire. "Je ne sais pas. J'ai attrapé un pédé sous les ponts il y a quelques nuits. C'est important ?"

"Les directives stipulent maintenant que nous ne devons pas nous mettre en danger, donc nous nous asseyons derrière nos bureaux et remplissons les formulaires. Les droïdes font le reste. Un jour, les droïdes feront tout."

"Tu y crois ?"

"C'est inévitable. Nous sommes la dernière génération de flics au sang chaud, Bremen. Ce que nous faisons, ici et maintenant, ça ne fait pas une grande différence. On fait signer des aveux aux méchants, ça réduit le temps passé au tribunal, les avocats coûteux, toute cette merde. Pour ce boulot, rien ne compte vraiment, sauf comment on peut économiser de l'argent."

"Et les androïdes s'en chargeront, je suppose. Nous faire économiser de l'argent à tous."

"Que sais-tu des androïdes, Bremen ?"

Bien plus que tu ne le penses. "Pas grand chose."

"Eh bien, ce que nous faisons est mieux que d'esquiver les balles dans la ville. C'est ce que font les droïdes. Tu t'imagines faire ça pour vivre?. Ici, en banlieue, loin de la vraie puanteur, c'est bien plus sûr. On peut s'asseoir ici, dans cette petite salle d'escouade confortable et ne pas s'inquiéter de se faire raser les couilles par des pervers à City Central."

Bremen croisa les bras, estimant qu'il était temps d'apaiser la conversation avant qu'il ne révélât quelque chose qu'il pourrait regretter. "On ne m'a jamais rasé les couilles. C'est comment ?"

Miller ricana. "Exaltant."

La tension se relâcha et Bremen sourit, reconnaissant d'avoir paré à toute autre question plus approfondie. "J'ai toujours su que tu avais un cerveau malade. Ou une bite malade."

Miller acquiesça. "C'est à peu près la taille de celle-ci" Il fit un clin d'oeil. "Si tu vois ce que je veux dire. Maintenant, arrête de faire le malin ou je te casse la figure."

"Des promesses, des promesses." Bremen ajusta sa cravate et boutonna sa veste jusqu'au cou. Il jeta un oeil à son reflet dans la fenêtre panoramique et poussa un petit cri de satisfaction. Il se dirigea vers l'escalier de service qui menait aux cellules de détention.

Le garde en uniforme le reconnut à peine, il hôcha la tête tout en consultant l'écran. Bremen vérifia le numéro et se dirigea vers la première cellule identifiée. Elle s'ouvrit avec un léger sifflement.

Sheldon était allongé sur la couchette, les bras derrière la tête, l'air détendu. Le petit lit s'affaissait sous le poids de cet homme à la carrure imposante. Sur le seuil de la porte, Bremen l'observa, enfonça ses pouces dans sa ceinture et toussa. Sheldon ouvrit un œil et se redressa.

"Je m'étonne que tu puisses dormir après avoir fait ce que tu as fait".

Sheldon grimaça, fit pivoter ses jambes sur le côté du lit, posa ses bras sur ses genoux et poussa un petit rire. "J'ai seulement fait ce que je devais faire."

"Quoi, tuer un vieil homme qui pouvait à peine marcher ? Tu dois être un vrai dur à cuire, Sheldon."

"Va te faire foutre. Je n'ai tué personne."

"Alors, c'est sûr. Tu as bien tué quelqu'un."

"Hein ?"

"Je pensais que tu étais instruit, Sheldon. Deux négatifs égalent un positif ? Tu te souviens de ta scolarité, ou c'est aussi un peu flou ?" Bremen sortit son téléphone laser, passa son index et l'écran virtuel fut projeté à travers le mur de la cellule. On y voyait un clip d'un Sheldon beaucoup plus jeune fréquentant une université ordinaire et anonyme. Sheldon grogna, émit un cri et cracha sur le sol. Bremen poursuivit : "Tu vois, c'est toi là, Sheldon. Au centre de formation continue *Mason and Culpepper*. Tu suivais un cours de graphisme. Conception assistée par ordinateur, c'est ce qui est écrit. Que s'est-il passé ?"

"Je me suis ennuyé."

Les deux hommes regardèrent l'écran pendant un moment. L'image suivante révéla un Sheldon au milieu d'hommes durs à cuire attendant d'être jugés dans un grand complexe pénitentiaire lugubre."C'était ton troisième séjour en prison. L'ennui t'a poussé vers les petits larcins, Sheldon. Des cambriolages mineurs, comme les épiceries du coin, celles qui avait survécu. Après que tu en aies fait le tour, bien sûr, elles ont fermé. Pas le choix. Elles ne pouvaient pas se permettre de payer les taxes après que tu les aies vidées. Tu es un vrai pilier de la communauté, Sheldon."

"Ecoute, qu'est-ce que toute cette histoire ancienne a à voir ?"

"C'est de l'histoire ancienne, Sheldon. Ça prouve que je sais beaucoup de choses sur toi. Alors arrête tes conneries et dis-moi pourquoi tu as tué le vieux."

"Je ne l'ai pas tué."

"Oh, alors il s'est juste fait exploser la cervelle par qui ? Le métayer local."

"Hah-ha. Très drôle, putain."

"Pas aussi drôle que le maelström que tu as laissé derrière toi, gros bâtard. Avery Frement était l'homme le plus riche de la région. Plus d'argent que tout ce putain de pays. Il pouvait acheter et vendre chacun d'entre nous et il lui restait encore assez pour acheter toute la surface de la planète Mars. Le tuer t'a mis dans une position très dangereuse, Sheldon. Sa famille veut ta mort."

"Ben, ils ne peuvent pas avoir ma mort, *détective*. La loi dit que je reste en vie... Si t'arrives à faire tenir la condamnation."

"Oh, je peux très bien la faire tenir. Tes empreintes sont partout sur la porte où t'es entré par effraction. Ton ADN est partout sur le corps de ce pauvre homme. Nous avons la déclaration signée du domestique qui t'a attrapé, et cerise sur le gâteau, toute la maison était connectée en direct avec des câbles vidéo interactifs qui remontent jusqu'à ce poste de police. Autrement dit, Sheldon, nous avons tout."

"Je n'ai donc pas à te confirmer quoi que ce soit, alors ?"

Bremen se mordit la lèvre, retroussa son pantalon et fit un pas en avant. Il remarqua que Sheldon était tendu, mais il s'en fichait. Les gens comme Sheldon, des porteurs de merde, de voyou, lui donnaient la chair de poule. Il préférait tuer cet enfoiré sur-le-champ plutôt que de subir l'attitude moralisatrice de cet homme. "Je veux que tu signes la confession, Sheldon. Et, tu prends quinze ans. Si tu refuses, la famille Frement fera pression pour que tu sois éliminé."

"C'est un tas de conneries, et tu le sais."

"Ah bon ?" Bremen sourit.

"Ecoute, abruti, on y est allé pour suivre les ordres. Rien de plus. "

Bremen fronça les sourcils. "Les ordres ? Les ordres de qui ?"

Sheldon secoua la tête. "Va te faire foutre."

"Non, TU t'es fait enculer, Sheldon. Qui dirige cette putain de force de police, Sheldon ?"

Sheldon avait l'air perplexe. "Ouais, c'est ça. Les Frements nous possèdent. Ils possèdent le putain de palais de justice aussi. Le juge, le procureur. Ils possèdent tout ce qu'il y a à posséder, et s'ils veulent ta mort, Sheldon, tu vas mourir. A moins que," c'était au tour de Bremen de cracher, "tu signes la confession. »

Il se retourna et sortit avant que tout le poids de la révélation ne puisse se faire sentir à l'intérieur du corps massif de Sheldon.

L'autre cellule dégageait une atmosphère totalement différente.

Les yeux de Grant étaient cerclés de noir, larges et terrifiés. Lorsque Bremen entra, Grant se leva d'un bond, se pressant contre le coin, les mains en l'air, les paumes tendues vers l'extérieur. "Jésus", cria-t-il, "Jésus, que Dieu me vienne en aide, je ne le pensais pas, je le jure."

"C'est ce qu'ils disent tous."

Bremen ferma la porte derrière lui. Grant était mince, jeune, sans l'expérience de l'autre tueur. Bremen allait presque rire de l'apitoiement pathétique du jeune homme qui se recroquevillait sur lui-même."C'est vrai ! Il est tombé, s'est cogné la tête. Ce n'était pas censé se passer comme ça."

Bremen s'arrêta, réfléchit un moment, la deuxième fois en autant de minutes que des mots sur le meurtre le firent reculer et s'arrêter. "Qu'est-ce qui n'était pas censé se passer comme ça ?"

"Le marché. Il n'était pas censé mourir."

"Le marché ?" Bremen s'approcha et Grant se plaqua aussi loin que possible dans le coin, en gémissant. "Il faut que tu me parles. Le vieil homme est mort, Grant. Et vous l'avez tué, toi et Sheldon."

"Non, non, je le jure devant Dieu."

"Ecoute, tout ce que tu as à faire est de signer la confession. Tu prendras 15 ans. Je sais que c'est long, mais c'est mieux que d'être évaporé, et c'est ce que veut la famille du vieux. Ils veulent que tu sois mis sous les verrous, Grant."

Grant gémit, la voix tremblante. "Merde." Il se mit à danser le shuffle, sautant d'un côté à l'autre comme si le sol était devenu soudainement trop chaud. Son visage se transforma en un regard de gargouille sauvage. Il cria *Jésus-Christ* et fonça, les mains tendues, comme s'il s'apprêtait à saisir Bremen à la gorge.

Bremen fit un pas de côté, croyant qu'il allait être attaqué, et tapa Grant derrière l'oreille. Il sortit son arme, mais s'arrêta lorsque Grant tomba à genoux, s'agrippant aux jambes du détective, pressant contre son pantalon son visage baigné de larmes. Grant bêla comme une chèvre blessée, "Je suis désolé."

Sans hésiter, Bremen posa sa main sur la tête du jeune homme et caressa doucement ses cheveux hirsutes. "Très bien, oublie ça. Pourquoi tu ne me dis pas tout simplement, hein ? Raconte-moi toute l'histoire et je peux faire en sorte que tout se passe bien pour toi."

Les yeux de Grant s'ouvrirent en grand, pleins d'espoir. "Vous pouvez ?"

Bremen ignora les larmes, le jet de crachat. "Tu me dis ce qui s'est passé, et je parlerai aux Frements. Sheldon n'en a rien à faire. Il va être grillé."

"Oh merde." Le visage de Grant s'enfonça de nouveau dans le pantalon de Bremen. De gros sanglots le secouèrent.

"Je peux convaincre la famille. Leur dire que c'était un accident. Peut-être qu'ils me croiront."

Le visage de Grant s'éleva, les lèvres tremblantes. "Je le jure devant Dieu, il s'est cogné la tête. Le vieux, il était dur, il ne montrait aucune peur. Nous l'avons attaché à une chaise pour l'effrayer. On voulait la combinaison du coffre pour récupérer les titres, mais il ne nous a rien dit. Comme je l'ai dit, il était coriace, dur comme du bois. Sheldon l'a frappé, très fort, le vieux a volé et s'est fracassé la tête contre la table. Son crâne s'est ouvert comme un œuf de poule et j'ai su qu'il était mort. C'est tout, je vous le promets. Nous n'étions pas censés le tuer, juste prendre les titres. Se barrer de là, mais lui, ce vieux dur, il a pris tout ça et Sheldon, il..."

Bremen leva la main. "Ok, ok, ça fera l'affaire." Il sourit. "Je vais m'assurer que la famille l'accepte. Vous signez la confession, tout ira bien."

"Une confession ? Mais je vous ai dit ce qui s'est passé."

"Oui. Mais j'ai besoin de votre signature. C'est déjà enregistré." Bremen fit un geste en direction de la caméra située dans le coin supérieur de la pièce. "Tout ce dont j'ai besoin est ton petit monogramme."

Grant fronça les sourcils, Bremen sourit. Le souffle de Grant cliquetait au fond de sa gorge alors qu'il se levait, retournait à son lit et s'affalait. "Je n'aurais jamais dû écouter Sheldon. C'était son idée depuis le début, tout ça. Il a fait le plan, après la réunion."

Bremen se figea. "La réunion. Quelle réunion ?"

"Celle qu'il a eue avec le type. Sur ce que nous devions faire."

"Mais tu viens de dire que c'était à propos des titres."

"Ouais. C'est ce que Sheldon a dit, mais j'avais un pressentiment, c'est tout. Le pressentiment qu'on allait être embarqué dans quelque chose de bien plus sérieux. Chaque fois que je lui demandais des détails, il se taisait, me disait de ne pas m'inquiéter, que tout irait bien. Il savait tout, le plan de la maison, qui était là. La seule chose qu'il n'avait pas, c'était la combinaison du coffre."

"Comment il a su pour les titres dans le coffre ? Qui lui a dit ?"

"Je ne sais pas. Je viens de vous le dire, il ne m'a rien dit. Il a mis cinquante mille dollars sur mon compte en banque, m'a dit qu'il y avait cent autres qui m'attendaient à la fin du travail. Je ne me plaignais pas."

"Il t'a donné l'argent avant de t'introduire dans la maison ?"

"Oui. Il m'a prévenu que si je m'enfuyais, je serais mort."

"Il te tuerait ?"

"Pas lui. Il a dit qu'il y en avait d'autres, d'autres qui voulaient rester anonymes, que si jamais on découvrait qui ils étaient, ils nous tueraient. Y'avait beaucoup de menaces de mort et dès que j'ai accepté, je n'ai rien pu faire d'autre que d'aller jusqu'au bout. Je suis désolé que le vieil homme soit mort, je le suis vraiment. Si je pouvais revenir en arrière, je le ferais. Je te le jure."

Bremen fronça les sourcils, le nœud dans son estomac devenant perceptible. "Très bien, Grant. Écoute, je veux que tu me racontes toute l'histoire, surtout la partie concernant le type que Sheldon a rencontré. Tu crois que tu peux le faire ?"

Il acquiesça d'un signe de tête et se leva. "Oui, je peux le faire, si tu me prépares un petit-déjeuner."

"Grant, tu me dis tout ce que tu sais et je te le prépare moi-même. Jambon, oeufs, frites. Tout est pour toi."

"Je veux aussi des champignons." Il passa sa main sur ses yeux, renifla bruyamment, ayant déjà meilleure mine, le stress quittant son visage. "Tu ne te moques pas de moi, hein ?"

"Non. Je te cuisinerai tout ce que tu veux."

"Je parlais de l'accord. Avec les Frement."

Bremen hocha la tête. "Oui, je plaisantais, Grant." Le jeune homme resta bouche bée, son visage devint cendré. Bremen grimaça. "Détends-toi, Grant, je plaisante avec toi. Tu me dis ce que tu sais et je fais disparaître tout ça. Enfin, presque tout."

"Pitié, ne joue pas à ce jeu. Dis-moi juste que tu peux m'obtenir une réduction de peine."

"Je te le promets."

Grant s'autorisa un long soupir, et s'assit sur sa couchette, la tête appuyée contre le mur. "Et Sheldon ?"

"Sheldon est un homme mort. Les Frements vont vouloir se venger, Grant. Et si tu peux me raconter toute l'histoire, et ajouter que c'était l'idée de Sheldon..." Bremen fit une pause, "Seigneur, c'est un tas de merde de toute façon. Les types comme lui, on ne devrait pas les laisser vivre. "

"Et les gars comme moi ?"

"Les gars comme toi Grant, ils font des erreurs, c'est tout. Le secret, c'est d'apprendre d'elles."

"Oui." Grant se redressa vers l'avant, tout impatient. "Oui, je vais apprendre. Je ne referai pas cette connerie.

Bremen acquiesça de la tête. Bien sûr que tu ne le feras pas, espèce d'ordure. "Ok, Grant. Tu es un bon garçon, je peux le voir. Tu t'es mis en mauvaise compagnie, tu ne pouvais pas t'en séparer."

"Oui, c'est exactement comme ça que c'était ! Ma mère, elle m'a toujours dit que j'étais 'facile à diriger'."

"On dirait qu'elle avait raison. Ta mère est toujours en vie ?

"Oui, oui, elle est toujours en vie. Bien sûr. Elle n'a que 60 ans."

"Jeune. J'aimerais tant l'être." Bremen sourit. "Une autre blague, Grant. J'aime plaisanter."

"Mais pas sur l'affaire, hein ?"

"Mais pas sur l'affaire. Maintenant," Bremen sortit son téléphone laser, fit apparaître le clavier virtuel, le dirigea sur les genoux de Grant. "Vous l'écrivez, y compris tout ce que vous savez sur cette réunion, ce qui s'est passé à la maison, puis vous signez. Tout va bien se passer. Tu sais comment utiliser ce truc ?" Il fit un signe de tête vers le clavier.

Grant grogna.

"Tu peux utiliser l'activateur vocal, si tu veux. Mais la signature électronique, tu dois la taper."

Un autre grognement. Grant, se mordant la lèvre, rédigea lentement l'histoire. Bremen s'éloigna de la porte, croisa les bras et s'appuya contre le mur, l'étudiant. Le pauvre bougre. Les Frements auraient voulu les faire frire, tous les deux, sans aucun doute. Mais Bremen avait fait ce qu'on lui avait ordonné de faire, il avait obtenu la déposition, les aveux. Cela signifiait une belle petite prime à la fin du mois, et Miller pouvait lui se lécher le cul.

Dans l'ensemble, pas une mauvaise matinée de travail.

Alors pourquoi se sentait-il si mal ?

DE PETITES RÉVÉLATIONS

WILSON BUT UNE GORGÉE DE SON CAFÉ ET FIT UN SIGNE DE TÊTE à Gilbert lorsque le grand garde du corps apparut sur le seuil de la porte. "Alors ?"

Gilbert déplaça sa corpulence imposante, secoua la tête, la bouche renversée aux coins. "Il n'a pas dit un mot."

"Peu importe."

Wilson finit son verre et demanda à Gilbert d'avancer. Les deux hommes empruntèrent l'étroit couloir qui aboutissait à une série de marches, qui s'enfonçaient dans les entrailles du ministère de l'Intérieur. Un garde se tenait devant une des cellules de détention. Il se mit au garde-à-vous lorsque Wilson s'approcha. Wilson poussa la porte et jeta un coup d'oeil à l'intérieur. Lester Steinmann était assis sur un petit tabouret, ligoté avec une grosse corde attachée autour de son corps. Son torse nu, dont la peau pendait de sa fine carcasse, semblait meurtri et battu. Pas joli. Efficace.

"Allez vous chercher un café", dit Wilson au garde, puis il s'orienta vers Gilbert. "Vous aussi".

Les deux hommes se retirèrent sans dire un mot. Wilson attendit que le bruit de leurs bottes ne soit plus qu'un bruit sourd et doux, ouvrit la lourde porte de la cellule, entra, apporta un second tabouret et le posa face à Steinmann. Wilson s'assit. Steinmann ne leva pas son menton de sa poitrine. Dégonflé. Vaincu. Ça ne devrait pas être long.

Wilson étira ses jambes. "Je veux savoir pourquoi."

Steinmann ne broncha pas. Peut-être était-il mort. Wilson soupira, se pencha en avant, vit que l'homme respirait encore et esquissa un sourire de soulagement. Il scruta la pièce, avec le lait de chaux qui s'écaillait sur les vieilles briques ébréchées, le ventilateur de plafond cassé, la fenêtre à barreaux rouillés en haut du mur opposé. Il frissonna. Si leurs rôles étaient inversés, Wilson doutait qu'il tienne plus de cinq minutes dans un endroit comme celui-ci. Il regarda le vieil homme pendant quelques instants. Jusque-là, Steinmann avait résisté, malgré les coups portés à son corps décrépi. Les coups, les gifles, les coups de pied n'apportaient rien d'autre que des gémissements. Wilson envisagea de jouer les durs, de le rosser un peu plus. Resserrer les cordes autour de ses poignets, le pendre par les couilles, éclairer les poils de son cul avec une lampe à souder. Personne ne s'en soucierait, personne ne poserait de questions. Que la torture médiévale commençât ! Mais il décida de ne pas agir ainsi, doutant du résultat. Le vieil homme pouvait très bien mourir avant de révéler quoi que ce soit, s'évanouir, faire un arrêt cardiaque massif. Wilson ne voulait pas de ce résultat. Il avait des questions. De la curiosité. Ça l'intéressait, donc il choisit une autre approche.

"As-tu entendu la terrible nouvelle, Lester ?" Pas un geste. "Elle a été diffusée dans tout l'holo-gramme, ce matin. Les îles Maldives. Vous vous en souvenez ? Non ? Peu importe. Elles étaient comme des petites perles dans le bleu azur de l'océan Indien, Lester. Je dis "elles étaient" parce qu'elles ne le sont plus. La dernière d'entre elles a disparu sous la montée des eaux il y a à peine trois heures. Perdues. Disparues à jamais. Quel dommage. Je me souviens que mon père disait qu'il y était allé, bien avant que les calottes glaciaires ne commencent à fondre. Moi, je n'en aurai jamais l'occasion." Les lèvres bleues du vieil homme frémirent. Wilson continua. "Tu vois ? C'est ça. Les temps changent, le monde change. Rien ne reste pareil. On pourrait dire que tout est de notre faute, celle de l'humanité. Certains pourraient même dire que c'est ma faute. Qui sait ? Peut-être que ça l'est, peut-être que c'est la nature. Ce qui s'est passé, entre mon père et toi, n'avait rien à voir avec moi, Lester. Je n'étais pas responsable. C'était avant ma naissance, avant que sa vie ne change, merde."

"Tu étais la conséquence."

La voix de Steinmann n'était guère plus qu'un croassement.

Wilson, qui ne voulait pas laisser échapper cette petite victoire, se pencha en avant. "Comment ? Tu as dit quoi ?"

Steinmann releva enfin la tête. Son regard avait perdu son éclat, son visage était profondément sillonné, marqué par les années et la douleur. Il semblait plus vieux que ce dont Wilson se souvenait. Il avait changé, et en si peu de temps. Ces abrutis étaient allés trop loin avec leurs poings. Wilson se fit la remarque de les réprimander la prochaine fois qu'il les verrait.

Les yeux de Steinmann se rétrécirent. "Toi. Avery et ma femme. Tu étais la conséquence. Tout allait bien jusqu'à ce que tu arrives. C'était gérable."

"Gérable", comment-cà ? Sois plus clair !"

"Après ta naissance, tout a changé. La vie. Tout. Je t'en veux pour tout, tu ne vois pas, tu ne comprends pas ?"

"Mais tu as dit que tu me portais sur ton dos. Pourquoi tu ferais ça si tu me méprisais autant ?"

Steinmann ferma les yeux, comme si le souvenir se révélait trop douloureux. "Mon Dieu. Vous autres. Vous pensez que parce que vous êtes puissants, vous pouvez faire et dire ce que vous voulez." Ses yeux se rouvrirent brusquement. "Bien sûr que je t'ai porté sur mon dos. J'ai fait ça et plus encore. Pourquoi ? Pourquoi, parce que ton père me contrôlait et contrôlait tout ce que je possédais. Il m'a tout pris, ma femme, ma *vie*. J'ai dû me contenter de le regarder faire le jour où c'est arrivé, le jour de sa dernière visite pour la prendre... loin de moi.

Wilson se pencha en arrière, se mordillant les lèvres. "Mon père t'a rendu visite ?"

"Il ne te l'a jamais dit ?" Wilson secoua la tête. "Comme lui, il ne partage que les bons côtés, les plaisirs. Comme les Maldives."

"Comme je l'ai dit, elles sont parties. C'est moins agréable maintenant, hein ?"

Les yeux de Steinmann flambèrent tel un cobra prêt à attaquer. "Donc, il n'a jamais parlé de moi ? Ou de ma femme ?"

"Pas un mot."

"Très bien, alors je vais te le dire. On était partenaires, ton père et moi. Ou du moins, je le croyais. Rien n'a jamais été signé parce que j'avais confiance en lui, idiot que j'étais. Au début, on a bien travaillé ensemble, sans contact avec l'extérieur. On préférait tous les deux qu'il en soit ainsi, car on pensait que notre travail était trop précieux pour être partagé. On gardait tout pour nous, nos découvertes étaient aussi secrètes que possible. Et un après-midi, ma femme est venue au bureau pour m'annoncer qu'il y avait eu un incendie à notre domicile. Une chose terrible, la cuisine avait été ravagée et le feu s'était propagé dans toute la maison. Tout était devenu hors de contrôle à partir de là. Avery avait regardé et l'avait voulu, et ce qu'Avery voulait, Avery l'obtenait."

Wilson secoua la tête. "Tu dis que mon père a eu une liaison avec ta femme ?"

"Plus qu'une liaison. Il l'a *possédée*, lui a donné tout ce dont elle pouvait rêver - bijoux, vêtements élégants, chaussures de marque, tout."

"Il y a des choses plus importantes dans la vie que les possessions, Lester. Mon père a dû offrir plus. La stabilité, la sécurité... peut-être même l'amour."

"Tu n'en sais rien. Comment peux-tu le savoir ?"

"Oui, tu as raison, c'est tout nouveau pour moi, Lester."

"Eh oui, c'est bien le cas. Pourquoi Avery te dirait la vérité ?"

"La vérité ? D'accord, laisse-moi tenter le coup et disons que je crois à cette histoire que tu mijotes..."

"Tu dois me croire, Wilson. C'est la vérité."

"Alors, disons que c'est la vérité. Mon père s'empare de ta femme et ils tombent amoureux, c'est ça ? C'est ce que tu ne pouvais pas supporter. Mon père offrait à ta femme une meilleure vie, une vie plus aimante. Alors elle t'a quitté, elle l'a épousé, et tu as laissé cette pensée te ronger comme un cancer." Wilson prit de profondes respirations, lui donnant un moment pour se détendre. "Je comprends à quel point tu dois être blessé, à quel point tu as été trahi. Mais, tout bien considéré Lester, pourquoi essayer de me tuer ? Je n'avais aucun contrôle sur cette affaire."

"Non, mais pour en finir, avant de mourir. Pour mettre fin à toute cette misère, ces souvenirs. Les années."

"Tu penses vraiment qu'en me tuant, tout va disparaître, s'améliorer ?"

"Je te regarde mais c'est lui que je vois, bordel de merde. Je le vois avec ma femme, lui donnant la vie qu'elle a toujours voulue, la voyant sourire, si radieuse, si ...belle ..." Il secoua la tête. "Et toi, toujours aussi heureux, merde. Tu courrais vers moi, 'Oncle Lester, oncle Lester'. Tu sais à quel point ça m'a fait mal ? Tu le sais ? Bien sûr que non, parce que tu es immunisé. Tu es froid, distant. Tu te fous de tout le monde sauf de toi. Tu es Wilson Frement, Dieu tout puissant, putain. Si je te tue, je débarrasse le monde d'une peste, d'une maladie. Je serais déclaré un héros, un sauveur. Et je me sentirais tellement bien. C'est la vraie raison, Wilson. Je me sentirais bien."

"Mais tu échouerais, Lester, parce que tu ne ferais que remplacer une douleur par une autre. J'ai un fils aussi. Quoi que tu me fasses, tu devras le faire à lui, pour mettre fin à cette soi-disant maladie."

"Eh bien, peut-être que je le ferai. Peut-être que je le ferai."

"Non." Wilson se leva. "Non, tu ne le feras pas. Parce que je vais faire en sorte que tu grilles, Lester. Tu n'es rien d'autre qu'un vieil homme amer et desséché. La haine brûle au fond de toi, elle te maintient en vie. De la haine pour ce qui s'est passé, il y a si longtemps. Ce que j'ai vraiment besoin de savoir est: pourquoi maintenant ? Pourquoi cours-tu soudainement après moi ?"

"Il est mort."

"Oui. Il est mort. Qu'est-ce que ça a à voir avec le fait de vouloir me tuer ?"

"Tout. Le chapitre est clos, le livre est clos."

"Tu parles par énigmes. Tu veux clore le livre sur quoi ? Ta haine ?"

"Quelque chose dans ce genre, oui."

Wilson secoua la tête. "Ça t'a affecté, tout ça. Les années de haine, ça t'a transformé en un fou."

"Pas fou, vengeur. Deux choses différentes."

Wilson serra son poing, la pressant contre sa poitrine. "Ils sont tombés amoureux, bon sang ! Ton ami et ta femme - *ma mère* !"

"Tu commences peut-être à comprendre."

"Et les salauds qui ont tué mon père, qu'en est-il d'eux ? Je me souviens de tes paroles, Lester. Tu voulais qu'ils brûlent."

"Oui."

"Mais pourquoi ? Ça n'a pas de sens. Tu voulais les tuer pour ce qu'ils ont fait à mon père, et pourtant tu le détestais."

"Oui. Mais je les veux morts pour les erreurs qu'ils ont commises, ces idiots. Ils n'étaient pas censés le tuer."

Un énorme glaçon se forma dans les tripes de Wilson. Il dut s'accrocher au dossier de la chaise pour éviter de tomber. "Qu'est-ce que tu as dit ?"

"Je les ai envoyés, Wilson. Ces deux trous du cul. Je les ai envoyés au domicile de ton père."

"Tu les as envoyés ?"

Steinmann hocha la tête. "Tu te souviens de ce que je t'ai dit ? Il avait des documents secrets. Je les voulais. Pour compléter mes recherches."

"Attends." Wilson leva sa main. "Attends juste une minute." Il se redressa, parvint à tâtonner jusqu'au siège et s'y enfonça. "Tu es en train de me dire que tu as ordonné à ces deux types d'aller chez mon père ?"

"Je les ai engagés, oui."

"Où as-tu trouvé des hommes comme ça ? Des hommes désespérés ? Des tueurs ?"

"Je te l'ai dit, la partie meurtre n'était prévue."

"Quand bien même, où as-tu trouvé ces types ? De la racaille."

Steinmann s'agita, traîna les pieds, se débattit avec les cordes enroulées autour de sa poitrine. "Je ne sais pas. Ils ont appelé, appelé chez moi. Ils ont dit qu'ils vendaient des trucs et on a commencé à parler."

Wilson sourit. "Tu penses que je vais croire ça ?"

"Je me fous de ce que tu crois, c'est la vérité, merde."

"Très bien, suspendons la croyance et supposons que ces deux-là soient simplement arrivés, à l'improviste, et que tu les as persuadés de s'introduire chez Avery. Pourquoi ? Pourquoi leur demander de faire ça ?"

"Je vous l'ai dit. Il avait des papiers. Des documents de recherche. Je les voulais. Il avait aussi des titres d'État à haut rendement, qui valent une petite fortune. Ils étaient pour les deux voyous, comme paiement."

"Mais ça a mal tourné et ils l'ont tué ? Un accident ?"

"Oui."

Wilson fixa le regard du vieil homme, des orbes larmoyantes, des blancs teintés du vert d'une certaine maladie. Etait-ce la vraie raison ? Steinmann était en train de mourir ? "Tu leur as ordonné de le faire, n'est-ce pas ?" Wilson secoua la tête, se mordant la lèvre si fort que le sang commençait à percer la chair. "Tout cela n'est que mensonges, tu veux te faire passer pour un sacré saint. Espèce de vieux salaud, pourquoi diable..."

"Non. Je te le jure, c'était un accident, Wilson. Ça ne devait pas arriver. Ils étaient juste censés lui faire peur, prendre les papiers et partir. Tout a mal tourné et je n'ai rien pu faire. Je leur ai fait confiance pour faire le travail pour lequel je les ai payés et ils ont merdé. C'est tout."

"C'est tout ? Tu mens, espèce de merde. Ils s'introduisent dans la maison de mon père et le tuent, et tu dis 'c'est tout' ? Quel genre de putain de monstre es-tu, Steinmann ?"

Le vieil homme se débattit avec les cordes, secouant la tête, des larmes coulant sur ses joues. "C'est la vérité, Wilson, je te le jure. Après avoir appris le meurtre, j'ai pensé qu'il valait mieux essayer d'en finir, de tout boucler. Appelle ça une vengeance, ce que tu veux. Je n'avais rien à perdre alors je suis allé à son enterrement, j'ai attendu que tu sois seul, et j'ai essayé de te tuer mais j'ai échoué. Je suis vieux et je suis en train de mourir. Il est temps."

"Mourir ? Personne ne meurt maintenant, Steinmann. Pas nous. Pas les riches."

Un sourire en coin, suivi d'un fort reniflement. "Je ne suis pas riche, Wilson. Ton père l'était ... et il a pris tout ce que j'avais. Mes recherches, ma femme... Même toi."

"Moi ? Mais de quoi tu parles, maintenant ?"

"Tu m'as demandé pourquoi tu montais sur mon dos, pourquoi ton père venait me rendre visite ? La réponse est simple. Et ça a tout à voir avec le contrôle, Wilson. Il me contrôlait, et il n'y avait pas une seule chose que je pouvais faire à ce sujet. Pas tant qu'il t'avait. Parce que tu es mon fils, Wilson. Ma chair et mon sang."

Une question de trop.

Bʀᴇᴍᴇɴ ᴍᴀɴɪᴘᴜʟᴀ ʟᴇ ʀᴏʙɪɴᴇᴛ ᴇᴛ ʀÉᴜssɪᴛ ꜰɪɴᴀʟᴇᴍᴇɴᴛ À ʟᴇ faire fonctionner. Il remplit le gobelet d'eau de la fontaine, le vida et le posa soigneusement sur le plateau. Il se frotta la bouche, fixa ses mains et souhaita qu'elles cessèrent de trembler. Il avait besoin d'une cigarette, mais il savait qu'il devrait attendre d'être dehors, dans un endroit privé. Pour l'instant, il devait se préoccuper du présent. L'eau, la denrée la plus précieuse qui soit. Il se lécha les doigts, comme on le recommandait. Il ne fallait pas en renverser une goutte.

"Tu as bien travaillé."

Miller lui donna une tape sur l'épaule.

"Merci, patron."

"Tu n'as pas l'air content."

"Je devrais ?"

"Tu as eu le résultat, tu as l'argent sur ton compte."

Bremen passa devant son supérieur et se dirigea vers son bureau. Il jeta sa veste sur sa chaise, se pencha sur le bureau et fixa le désordre des papiers qui y étaient éparpillés. "Il ne s'agit pas seulement d'argent, Miller."

"Tu as l'air sérieux, alors je vais l'être aussi. C'est le *détective* Miller. Bremen. Je suis le supérieur. Souviens-toi de ça."

"Oh, je m'en souviens. Chaque putain de minute de travail où je suis coincé dans ce trou à rats avec toi." Bremen se redressa. "Comment se fait-il que tu n'aies pas à faire toute cette merde, hein ? Comment se fait-il que tu n'aies jamais à t'inquiéter pour ton compte en banque, tes cibles ?"

"Tu es contrarié, Bremen. Je ne sais pas pourquoi, parce que tu viens de..."

"Je suis contrarié parce que c'est des conneries, Miller. Tout ça. Tout ce qu'on fait, c'est enfermer les gens et jeter la clé. On ne s'arrête jamais pour réfléchir, pour comprendre *pourquoi*."

"C'est quoi tout ça, Bremen ? Ta conscience te pique tout d'un coup ? Fais juste ton boulot, puis rentre chez toi et baise ta femme. On est vingt-cinq heures sur vingt-quatre, pas au Moyen Âge. On ne se soucie plus de ces choses-là."

Miller s'en alla en sautillant et Bremen regarda son dos qui s'éloignait. Un jour, il le frapperait, très fort. Lui casserait le nez, ou la mâchoire. Peut-être les deux. Mais pas aujourd'hui. Aujourd'hui, il était malade et fatigué de tout ça. Il demeura assis, regardant les papiers pendant un long moment.

Une ombre apparut sur le bureau. Bremen leva la tête. Le sergent de service le regardait fixement, les lèvres serrées.

"Qu'est-ce qui te prend, bordel ?"

"C'est toi, espèce d'idiot." Le sergent jeta un œil autour de lui, s'assurant que Miller était bien parti, et s'affala sur son siège. "Tu y es retourné."

Bremen figea le regard, sans sourciller. "Où ?"

"Tu sais où, espèce d'idiot. La caserne de Manchester. J'ai vérifié l'enregistrement dans l'ordinateur de ta voiture. Ces choses restent intactes, Bremen. Si je peux le trouver, n'importe qui d'autres le peut aussi. Putain, mais qu'est-ce que tu préparais ?"

La poitrine de Bremen se resserra. Il fouilla dans sa poche intérieure. Au diable les amendes et le protocole. Au diable tout ça. "Tu as une cigarette ?"

Le sergent secoua la tête et se rassit. "Je ne suis pas sûr de pouvoir garder ça pour moi, mais il le faut. Ils vont penser que j'étais dans le coup. Quand ils en auront fini avec toi, tu leur diras que ta propre putain de grand-mère t'a dit d'y retourner."

"Ecoute, il ne s'est rien passé, d'accord ? Il n'y avait personne là-bas. Personne. Juste un immeuble vide."

"Tu es sûr ?"

"J'en suis certain. L'endroit était vide et dès que j'ai jeté un coup d'oeil, je suis parti. Je n'y retournerai pas."

Mais ce n'était pas vrai. Il espérait qu'il était convaincant, car au fond de lui, c'était loin d'être le cas.

Il se souvenait du moment où la porte de l'ascenseur s'était ouverte avec un sifflement et d'où les deux hommes en combinaison noire étaient sortis, s'échangeant des blagues. Bremen n'avait pas hésité. Il avait franchi la porte en aluminium, les yeux complètement ahuris.

La pièce qui s'étendait devant lui était plus grande que l'un de ces anciens stades de football prévus pour la démolition dans toute la ville. D'énormes éclairages artificiels fixés au plafond illuminaient tout l'espace, rangée après rangée de bancs de travail, jonchés de câbles, de puces électroniques, de tableaux perforés, de touches en plastique, d'interrupteurs, d'un million et une minuscules vis. Des postes d'assemblage, mais pour assembler quoi, il ne pouvait le dire.

Alors que les voix provenant d'au-delà de la porte en aluminium se rapprochaient, il s'était glissé sur sa gauche et caché derrière l'un des postes. Les hommes étaient entrés, leurs rires remplissant l'espace, résonnant dans chaque coin, perdus dans les profondeurs.

"Tu as mis des gants ?"

Bremen sursauta, la voix du sergent le ramenant au temps présent. "Quoi ?"

"C'est une putain de question simple, Bremen - est-ce que tu as porté des gants ?"

"Je..." Bremen réfléchit, mais avant qu'il ne puisse se souvenir, le sergent de service se leva d'un bond.

"Tu es un homme mort, Bremen. Quel putain de trou du cul."

"Je pense que la bombe était un piège, pour m'attirer là-bas."

"Pourquoi, Dieu, quelqu'un voudrait-il t'attirer là-bas ?"

"Pour me piéger, détourner l'attention. C'était la même chose au kiosque. J'ai tout vu, la femme emmenée après qu'ils aient tué le gros type. Le jour suivant, on a informé les gens d'un attentat terroriste et le pauvre bougre de propriétaire du kiosque est mort lui aussi. Ils m'ont piégé, pour détourner l'attention de ce qui se passe réellement."

"Je n'en crois pas mes oreilles. Tu as une haute opinion de

toi-même, tu ne trouves pas ? Mais, qu'est-ce que tu es, Bremen, rien qu'un clown lessivé." Le sergent de service se pencha vers lui, pointant son doigt sur le visage du détective. "Tu dis un seul putain de mot sur tout ça, et je brûle ta maison, tu comprends ? Avec toi et ta putain de femme dedans."

"Ne me menace pas, espèce de merde."

"Ou tu feras quoi ?" Il ricana. "Tu es un sac de merde, Bremen, en surpoids, aussi lent qu'un putain de train à vapeur. Je vais te faire rebondir jusqu'au bout de cette putain de rue, alors agis en adulte et fais attention à ce que je dis." Il frappa Bremen à la poitrine. "Ferme ta putain de gueule."

Il sortit précipitamment, laissant Bremen là, luttant pour respirer, essayant d'avaler mais trouvant sa gorge trop comprimée. Il toussa et se dirigea vers la fontaine d'eau et but encore plus d'eau. Sa main trembla de façon incontrôlable, bien pire qu'avant, et il se plaqua contre le mur, essayant de se calmer. Le sergent avait raison, le salaud. Il s'était laissé aller.

S'il avait pris un coup, il l'aurait encaissé. Il prit une grande inspiration et retourna à son bureau. L'affichage numérique était sur le point d'atteindre six. Il saisit sa veste et prit les escaliers.

L'air empestait, comme toujours, la crasse de la ville remontant des égouts pour se mêler à l'air épais et pollué. Il aurait dû porter son masque, mais il ne s'en souciait pas. A quoi bon de toute façon, ça lui piquerait toujours les yeux. Toute cette crasse. La pourriture. Le désespoir.

Comme le sergent avait mis son véhicule à la fourrière, Bremen prit la seule voiture de métro disponible et la conduisit lentement dans le matin gris et morne. Le moteur vrombissait à peine alors qu'il se glissait dans le flot des milliers d'autres véhicules et laissait l'ordinateur de bord le guider vers son domicile.

D'on ne sait où, un léger pincement du à la culpabilité le saisit. Il sortit son téléphone laser, vérifia les messages et jura.

Cinq messages. Tous de Suzanne, dont le visage apparaissait à l'écran, les yeux écarquillés de colère, la bouche figée dans une grimace de haine pure. Bremen grimaça, se forçant à l'écouter. La même diatribe. "Où es-tu, bordel ? Tu as dit que tu serais là à quatre heures, et tu sais très bien que je dois être à la morgue à six heures. Putain de maison de merde, Bremen. Tu fais toujours ça. Tu ne m'appelles jamais, putain !"

Chaque message était progressivement pire, la méchanceté, les accusations. Il savait qu'il aurait dû lui téléphoner, lui expliquer. La nuit précédente, il avait dormi dans la salle de l'équipe et lui avait envoyé un message. S'il avait décidé de rentrer chez lui, cela aurait-il fait une différence ? Il en doutait.

Les rues étaient pleines de gens, même à cette heure matinale. La masse abrutie, la presse puante et bouillonnante de l'humanité. Comme des rats, tous ces gens qui s'agglutinaient à tous les coins de rue, les trafiquants de drogue en force, fournissant à la population les moyens de survivre un jour de plus.

Si tu faisais la queue assez vite, tu pouvais avoir la meilleure dose. Sinon, tu pouvais juste trouver du crack. Ou rien du tout. Ensuite, il y avait la bouteille. Bremen les regardait en expirant. Jésus, c'était donc ça, désormais. Tout ça. Le monde ? Une population bourrée, sans emploi, sans espoir, respirant la pollution. Il avait entendu dire que les Maldives avaient été submergées, les Seychelles aussi, la côte est du sous-continent indien. Des millions de morts. Noyés. Et tout le monde s'en moquait, certainement pas la foule entassée dans les immeubles puants et délabrés. La nouvelle Rome.

Ce vieux garçon, Frement. Il avait tout. L'argent, le pouvoir, l'influence. Il avait choisi de s'enfermer dans son manoir sur la rive nord. Comme un ermite. On n'est pas au Moyen Âge. Eh bien, ça pourrait bien pu l'être. Les riches vivaient leur vie à part, à l'abri des misères du monde. A l'abri de la virulence. La masse du peuple. Comment les Romains les appelaient-ils ? La plèbe ? Quelque chose comme ça. Ils avaient raison, ces Romains. Leur donner du pain, leur donner des jeux et beaucoup de sang. Ça les faisait taire. Ce que ces gens avaient, c'était quelque chose de similaire : des drogues et l'holovision. C'était peut-être la même chose, ou peut-être pas. Le taux de criminalité continuait à augmenter, le désespoir des masses atteignait son point culminant. Bientôt, des armées de droïdes devront être déployées, elles devront répandre la mort, les renvoyer en hurlant dans leurs maisons pourries et infestées de rats. C'était la même chose dans le monde entier. Des villes grouillant de gens sans éducation, inemployables, tous à la recherche de quelque chose qui n'existe pas, une échappatoire au cloaque de l'existence. Et pendant ce temps, ils se reproduisaient comme des lapins, absorbant de plus en plus de ressources. Les experts ont dit que les technologies renouvelables étaient la solution - panneaux solaires, énergie éolienne, etc. Mais les riches s'enrichissaient toujours plus et les pauvres étaient de plus en plus désespérés. Il n'y avait plus de réponse et les énergies renouvelables ne pouvaient pas faire face à l'augmentation de la population mondiale. Les gens avaient froid et faim. Sauf les riches. Ils ne s'étaient jamais privés.

Il se rappela s'être recroquevillé derrière le poste d'assemblage lorsque les deux hommes en bleu de travail étaient passés devant lui. Quand ils étaient assez loin, il voulait tenter sa chance et avait balayé du regard le plan de travail le plus proche. Pour son esprit peu instruit, il lui semblait qu'il y avait quelque chose à faire avec les ordinateurs. Une boîte noire, suffisamment de bornes pour brancher au moins une douzaine de pièces supplémentaires à l'arrière. Il avait tendu le bras pour saisir une feuille de papier, couverte de diagrammes et d'instructions. Sans réfléchir, il l'avait plié et fourré dans sa poche. Il avait jeté un dernier coup d'oeil dans la pièce, les deux hommes ressemblant maintenant à de minuscules silhouettes noires, et il était parti, se faufilant par la porte, en essayant de ne pas faire de bruit. Il ne s'était pas retourné, ni arrêté pour autre chose. La station l'accueillit comme un vieil ami et il se laissa tomber dans son fauteuil, ferma les yeux et essaya de se reposer.

L'ordinateur de bord sonnait : "Le voyage est terminé, détective Bremen." Il se frotta les yeux et regarda à travers la vitre. Il s'était arrêté devant son immeuble. Il prit les commandes, fit entrer la voiture sur l'aire de recharge et resta assis pendant que l'électricité alimentait le moteur. La batterie était d'un nouveau type, elle se rechargeait en quinze minutes. Cinq cents kilomètres de voyage. Aucune émission.

Tout cela trop tard.

Le niveau de la mer montait. Les Maldives l'avaient prouvé, faisant taire les sceptiques. Bientôt, la moitié du monde serait sous l'eau. Et ensuite quoi.

Il sortit, essayant de ne pas respirer trop profondément. L'air vicié frappait le fond de sa gorge et le faisait s'étouffer. Il aurait dû porter son masque. Il courut jusqu'à l'entrée principale, plaça son œil sur le lecteur qui scanna son iris et ouvrit la porte.

A l'intérieur, il prit une profonde inspiration. L'air était doux et frais. Il ferma les yeux, se permettant de s'adosser à la porte, se donnant quelques instants. Une petite pause avant que l'enfer ne se déchaînât et que Suzanne ne se mît à hurler. Et merde, pourquoi s'était-il donné la peine de rentrer à la maison ?

Il repensa au vieux type. Frement. Il avait vécu une vie, fait fortune. Plus de quatre-vingts ans de vie dans ce cloaque qu'on appelle le monde. Comment avait-il réussi à faire ça ? L'argent. C'était la réponse ? Mais tout l'argent du monde n'avait pas empêché ces deux imbéciles de le tuer. Même si c'était un accident. Vivre une vie, faire tout ça, s'établir en tant qu'homme puissant, et puis tout perdre en un clin d'oeil. Ne s'était-il jamais arrêté pour penser à la façon dont tout cela pouvait se terminer, et, s'il l'avait fait, aurait-il pu imaginer que cela se terminerait de cette façon ?

Les yeux de Bremen s'ouvrirent. Il se souvint de la

confession de Grant. Tout était là, rien n'avait été oublié... ou du moins c'était ce qu'il semblait. Mais bien sûr, quelque chose *avait été* ignoré.

On a pris une direction détournée, pour éviter les routes principales, et on est arrivés à la maison de l'autre côté. On a été prudents et discrets. On s'est cachés derrière des arbres quand c'était possible. Il y avait des arbres dans son jardin, et ils n'étaient pas malades, vous pouvez le croire ça, vous ? Ils nous ont permis de nous abriter et on a attendu là, on guettait. Pendant près de deux heures. Quand les lumières se sont enfin éteintes, on a traversé la pelouse et on s'est glissés par l'arrière. Sheldon avait un truc électronique, ne me demandez pas comment ça marchait, mais il a pu désactiver toutes les alarmes. Ça semblait facile. Peut-être trop facile, je ne sais pas. On était censés obtenir la combinaison du coffre, trouver des titres et c'est tout, mais quand on a trouvé le vieux, Frement, il n'était pas d'humeur à coopérer. Il y a eu une bagarre. Sheldon l'a poussé et le vieux s'est cogné la tête. Tout s'est passé très vite. Puis Sheldon, il a mis son arme sur ma tête et j'ai su qu'il allait me tuer. Sheldon avait tout organisé, pris les contacts, pas moi. Bref, c'est là que le domestique est arrivé, avec un putain de fusil à éléphant. On n'a pas discuté et il nous a gardés là jusqu'à ce que la police arrive. Et c'est tout, je le jure. Sur la vie de ma mère. Mon nom est Grant Richards. C'est ma confession. Je suis désolé que ça soit arrivé, je le suis vraiment.

Des titres. Comment diable savaient-ils su qu'il y avait des titres dans le coffre ? Et comment un idiot comme Sheldon avait-il pu mettre la main sur un dispositif de désactivation capable de neutraliser un système d'alarme sophistiqué comme celui que possédait Frement ?

Il avança dans le couloir, s'attendant à moitié à voir Suzanne surgir d'une des chambres, le visage comme un démon, les griffes sorties, prête à lui griffer le visage, à lui faire payer. Mais elle n'était pas là et quand il est allé dans le salon, il n'y avait aucun signe. Pas de mot, rien. Alors il demanda à haute voix : "Où est ma femme ?"

"Madame était censée sortir il y a une quarantaine de minutes. Voulez-vous du café, Monsieur ?"

Bremen fronça les sourcils. Elle était censée ou était-elle déjà partie ? Plus rien n'avait de sens. Si elle était partie, elle l'avait probablement fait avec une grande rage, alors mieux valait ne pas s'attarder sur ce point. "Noir et très fort."

Il se laissa tomber dans le canapé, enleva ses chaussures et s'étira. Au bout de quelques secondes, la femme de ménage s'approcha de lui, tendant un petit plateau avec une tasse de café chaud. Il la prit et regarda le robot qui retournait vers la cuisine. Un jour, il s'offrirait une promotion.

Bremen visionna les séquences enregistrées de la maison d'Avery, parcourut le schéma, vérifia les alarmes. Chaque porte, fenêtre, plancher était relié au système de contrôle central, connecté par des optiques ultra-rapides au poste de police le plus proche. Quiconque entrait par effraction serait submergé par des drones et des agents d'attaque androïdes en moins de deux minutes. Sheldon avait réussi à désactiver le tout. Ou quelqu'un lui avait fourni les outils pour le faire. Il y avait évidemment quelqu'un de très intelligent et très puissant derrière tout ça. Qui était-ce ?

Et pourquoi ? Bremen ne s'était-il pas posé toutes ces questions avant ?

Il glissa son téléphone dans sa poche et souffla un grand coup. L'idée de retourner dans la puanteur lui donnait la nausée, mais il savait que c'était ce qu'il devait faire. Ensuite, il se doucha, se changea. Présenta ses excuses.

Son téléphone sonna et il l'ouvrit instinctivement.

"Putain, t'es où ?"

"Je suis au bureau", mentit-il. "Je vais rentrer."

"Tu es au ..." Il remarqua son souffle irrégulier. "Tu ramènes ton cul ici maintenant, Bremen. Je veux te parler de tout ça."

"Suzie, j'ai vraiment besoin..."

"Non ! Ce dont tu as vraiment besoin, c'est de comprendre

que tu m'as mis en retard pour mon service. Tu sais combien de corps on a à traiter dans la matinée ? *Tu le sais ?*

"Je pense que je le sais, oui. Tu me l'as dit assez souvent."

"Eh bien, je te le répète, Bremen. J'en ai marre de t'attendre. Petie doit se préparer pour l'école, et tu me dis que tu es au bureau ? Qu'est-ce que tu fais ?"

"Je réfléchis, Suzie. Je réfléchis."

"Ouais, eh bien, je réfléchis aussi. J'en ai marre de tout ça. De tout ça. Je n'en peux plus."

"Qu'est-ce que ça veut dire ?"

"Ça veut dire... Arh, et puis merde. Viens ici tout de suite."

Le téléphone s'éteignit, Bremen ferma les yeux et souhaita être ailleurs. Pendant tout ce temps, elle était à l'étage, somnolant au moment de son arrivée. Cherchant désespérément une cigarette, il fouilla une fois de plus dans ses poches, vides. De plus, les pouvoirs invisibles interdisaient de fumer dans l'immeuble, n'importe quel immeuble. Cela ne rendait pas l'envie moins douloureuse pour autant.

Il gravit les escaliers à grands pas, redoutant de la voir, sachant qu'elle lui lancerait toutes les accusations possibles et imaginables. Il aurait peut-être dû vérifier la chambre, interroger la servante, faire un million et une autre chose, mais il n'en avait plus l'énergie. Alors il posa une main sur la poignée de la porte de la chambre et la poussa. Elle passa en trombe devant lui avant qu'il n'eût eu le temps d'ouvrir la bouche, le visage rouge de fureur. Il l'attrapa par le bras et la ramena face à lui. "Je pensais que tu voulais parler."

"Je suis en retard. Ils ne sont pas heureux, Bremen. C'est la quatrième fois en moins d'un mois. Tu sais combien de personnes aimeraient faire mon travail ?"

"Compter les corps ?"

"Les traiter. Ce n'est pas juste un comptage, t'es bête. Putain, tu es tellement stupide parfois."

"Oui, mais c'est pour ça que tu m'aimes."

Elle fit la grimace. "On en parlera quand je rentrerai. Tu seras là ?"

Il haussa les épaules. "J'ai une affaire à régler."

"Une *affaire* ? Putain, Bremen, c'était quand la dernière fois que tu en avais eu une ?"

"Celle-ci est différente. Quelque chose de louche, de pas normal. Ça risque de prendre pas mal de temps."

"Pourquoi ne pas simplement tabasser les suspects, comme vous le faites toujours, toi et tes potes ?"

Il relâcha son bras et se détourna, ses commentaires acérés lui faisant remonter la bile. Il s'efforça de se calmer. "Je viens de te le dire, celui-ci est différent. Il va falloir mener une enquête approfondie."

"Seigneur, écoute-toi. Bremen, le grand détective. Je ne peux pas dire que je suis ravie, parce que je ne le suis pas. Que vas-tu faire de Petie ? Le confier à ma mère ?"

"Quoi ? Comme tu le fais toujours pour pouvoir passer tes précieuses soirées avec tes amis ?"

Elle le frappa, fort, sur le visage. Il tomba contre le chambranle de la porte, mit une main contre sa bouche. Il y avait des taches de sang.

"Espèce de salaud, Bremen. Si tu étais un homme, je n'aurais pas besoin de mes amis. Mais regarde-toi," sa bouche se recourbait en signe de dégoût, "tu n'es qu'un bon à rien. Je me souviens quand tu faisais de l'exercice, que tu prenais soin de toi." Elle secoua la tête. "Je te verrai plus tard. Laisse un mot si tu n'es pas là."

Elle s'envola. Sa jupe était courte, mettant ses jambes en valeur. Elle avait de belles jambes. Longues, minces, et bronzées grâce aux heures passées sous les lampes. La plupart de l'argent qu'elle gagnait était consacré à ce genre de luxe. Il se renfrogna et toucha à nouveau sa bouche. Sa lèvre fendue l'avait plus fait réagir que la vue de ses membres. Tout s'était envolé, tout son désir pour elle. Si, il le ressentait toujours en lui. Qu'est-ce qu'il avait fait ? Il s'était engagé avec une prostituée. Sa mère lui avait dit : "*La charge sera sur toi, chéri. Fais-moi confiance*". Dieu merci, elle était morte dans un attentat à la bombe il y a quinze ans. Si elle était vivante maintenant, qu'aurait-elle dit de tout ça ?

"Papa ?"

Il se retourna brusquement, surpris par la petite voix. Son fils, Petie, âgé de onze ans, se tenait là, les yeux ronds pleins de sommeil. Bremen ébouriffa les cheveux du garçon, et ferma la porte de la chambre.

"Où est maman ?"

"Au travail."

"Si tôt ? Oh non, papa. Elle ne m'a rien préparé à manger !"

Avant que Bremen ait pu dire qu'il serait heureux de préparer un petit déjeuner, Petie était retourné dans sa chambre, claquant la porte avec un bruit furieux.

En fait, il était tôt pour que Suzanne parte au travail. Et dans cette jupe en plus... Bremen se frotta les yeux, essayant d'évacuer le mal de tête qui montait. Foutue femme. Il devrait partir, il le savait. Partir, laisser tout ça derrière lui. Mais il savait aussi qu'il ne pouvait pas. Petie le retenait. La responsabilité, l'amour. Comment pouvait-il simplement s'en aller et laisser son fils seul... avec elle ?

Il était trop tôt pour téléphoner à la mère de Suzanne, alors Bremen se mis à faire du café. L'holo-vision était en marche dans la pièce. Un vol régulier à destination de Mars s'était écrasé, tuant tout le monde à bord. Les images jaillissaient dans la pièce, le submergeant de leur immédiateté, de leur réalité. L'explosion qui l'accompagnait jaillit de l'écran et traversa l'appartement. Bremen s'accrochait au comptoir du bar du petit-déjeuner alors que l'impact de l'explosion le frappait, faisant cliqueter la vaisselle et trembler les armoires.

Le visage de la présentatrice remplit la pièce. D'une beauté saisissante, ses yeux étaient comme des soucoupes, ses lèvres étaient pulpeuses et rouges. Bremen souhaitait un instant partager sa vie avec elle, ou avec quelqu'un d'aussi merveilleusement beau qu'elle. Quel rêve ce serait, d'avoir une femme pareil. Réussie, intelligente, très belle. Seigneur, pourquoi la vie était-elle si injuste ?

Ils repassaient les informations sur Avery Frement, montrant des extraits de ses funérailles. Bremen prit une gorgée de son café et contourna le bar du petit déjeuner pour regarder de plus près. Wilson Frement passait devant lui, et Bremen put voir les yeux de l'homme. Il ne semblait pas si triste.

Bremen vit ensuite Melinda Frement, et toutes les pensées de la présentatrice disparurent en un instant.

Melinda Frement était éblouissante. Mince, grande, sa robe de deuil noire accentuait les courbes de son corps. Elle portait un bandana, également noir, autour de ses courts cheveux blonds, montrant un visage qui pourrait orner les salles voûtées de l'Olympe. Une déesse.

Puis, une autre scène apparut, celle avec des images d'émeutiers en maraude dans les rues, lançant des Molotovs, tuant des passants à coups de pied dans les caniveaux. Il regarda la scène pendant quelques instants, mais malgré tous ses efforts, Bremen n'arrivait pas à chasser l'image de Melinda Frement de sa tête. Il jura, vida son café et s'en servit un autre.

Ils avaient tué le vieil Avery, ces deux ordures sans valeur. Et ils allaient payer. Wilson Frement, il allait faire pression pour ça, et ce que les Frement voulaient, ils l'obtenaient généralement. Y compris cette belle femme... Melinda. Elle doit tout avoir. Des bijoux coûteux, des vêtements, des yachts en haute mer, des amants. Oui, beaucoup d'amants, ils doivent faire la queue. Mais pas Bremen. Elle ne le regarderait pas deux fois.

Il posa sa tasse de café sur la barre du petit-déjeuner, jeta son manteau à travers la pièce et commença à tirer sur sa chemise et sa cravate. Il avait besoin d'une douche, pour se débarrasser de la saleté des rues, essayer d'en enlever le goût, qui était épais dans sa bouche.

Petie criait. Dans trente minutes, il devrait être prêt pour l'école. Bremen se mit sous la douche et laissa l'eau le heurter, comme des aiguilles. Il soupirait mais il resta sous le jet.

Wilson Frement. Héritier de l'empire Avery Frement. Que fesait-il en ce moment, se demanda Bremen. Mener ses propres enquêtes, peut-être, passer au crible les débris des derniers instants de son père. L'homme le plus puissant du monde, ou du moins l'un d'entre eux. Mais les informations étaient rares depuis qu'Avery Frement était devenu un reclus, fuyant les feux de la rampe. Deux ans plus tôt, il avait décidé de vivre seul, oublié. Enfin, jusqu'à maintenant. Dans la mort, il était à nouveau une célébrité. Quelqu'un se souvenait de lui. Quelqu'un voulait mettre la main sur ces titres. Pourquoi ? Des titres ? Bremen avait écouté les deux hommes. Si ces bouts de papier valaient quelque chose, ce n'était sûrement pas assez pour risquer l'incinération. Donc, il y avait autre chose, que quelqu'un voulait. Ce quelqu'un était prêt à tuer pour ce qui était caché dans la maison d'Avery, quelqu'un d'assez capable et débrouillard pour trouver et envoyer ces deux abrutis tuer à sa place.

Bremen sortit du jet d'eau et se pressa le visage dans une serviette. Les séchoirs à air étaient en marche, mais Bremen préférait la sensation d'une serviette sur sa peau. La sensation réconfortante d'une matière douce, l'enveloppant en toute sécurité, le protégeant des rigueurs du monde, ne serait-ce que pour quelques brefs instants.

Pourquoi.

Pourquoi quelqu'un aurait-il engagé deux voyous pour aller jusqu'à ce manoir juste pour des titres de sécurité ? Ça ne collait pas. Bremen le savait maintenant, mais personne d'autre ne semblait le savoir. Tout ce que Miller et le reste du département voulaient, c'était que le crime fût passé par pertes et profits, les aveux enregistrés, les portes des cellules fermement verrouillées. Quinze ans. Plus de questions à poser.

Sauf que Bremen n'accepta rien de tout ça. Il voulait savoir pourquoi ces deux-là étaient allés là-bas, avaient fait tant d'efforts. Le soupçon tenace que le cambriolage avait beaucoup plus à voir avec les titres de propriété ne le quittait pas. Il décida donc, à ce moment-là, de commencer une véritable enquête. Il devait être prudent, le faire discrètement. Miller n'aimerait pas ça. Mais bon, depuis quand se souciait-il de ce que Miller pensait ?

Au moment où il enfilait sa chemise et son pantalon propres, il savait exactement ce qu'il devait faire ensuite.

SCÈNE DE CRIME

Il se tint dans le hall ouvert et regarda autour de lui, la bouche béante. Il n'avait jamais rien vu de tel, à part dans les vieux livres d'histoire. Une énorme et vieille maison, figée dans le temps. L'escalier devant lui, assez large pour accueillir deux aéroglisseurs côte à côte. Des piliers blancs, un plafond voûté qui lui fit penser à une cathédrale, par son énormité. Comment tout cela pouvait-il être destiné à un seul vieil homme ?

Il faisait froid, Bremen frissonna. Sur la route, il s'était arrêté pour rencontrer son dealer. Deux cents cigarettes, "*le plus raffiné des tabacs chinois*", lui dit le dealer. Bremen s'en fichait, il avait juste besoin de nicotine qui lui coûta cinq cents crédits. C'était presque cent de plus que le mois dernier. '*C'est de plus en plus difficile de les faire passer*", lui dit le dealer en souriant entre ses dents noircies et ébréchées, "*Tu n'as vraiment pas idée, mec*". Mais Bremen en avait une très bonne idée. Il côtoyait la crasse de la société tous les jours, écoutait leurs coeurs blessés et s'en prenait aux vendeurs de sexe et de drogue de tout son secteur. Tout se faisait rare maintenant, seules les rumeurs devenaient de plus en plus insistantes, de plus en plus effroyables. En Chine, ils alignaient des milliers de personnes, après les avoir regroupées sur les places des villes, pour ensuite les tuer au napalm. Qui, au nom de Dieu, avait pu penser à de telles choses ? Bremen connaissait un peu l'histoire, savait le traumatisme que les meurtres constants apportaient à leurs auteurs. Pour napalmiser des milliers de personnes ? Non, rien de tout cela ne pouvait être vrai.

"C'est des conneries", dit-il à son dealer en allumant une des cigarettes et en aspirant la fumée. "Comment tu arrives à avoir toutes ces informations, Alvin ?"

"J'écoute. Beaucoup de gens passent par ici, Détective. Presque tous ont une histoire à raconter."

"Mmm," Bremen grogna et étudia le bout brûlant de sa cigarette. "Je n'y crois pas. Et ces cigarettes sont de la merde aussi. Combien de cigarettes y a-t-il réellement ici ?"

"Assez."

"Ça a le goût de copeaux de bois."

"Nous vivons dans un monde désespéré, Détective. "

C'était sacrément vrai. Tellement désespéré qu'il était obligé d'acheter du tabac de mauvaise qualité, tellement mauvais qu'il en fallait trois pour lui donner l'effet de nicotine d'une cigarette normale. Il s'alluma une autre cigarette en contemplant l'énorme et large hall d'entrée. Il jura. Non seulement il ne tirait aucun profit de cette triste excuse pour une cigarette, mais en plus il continuait à frissonner de plus en plus. "Au diable tout ça", dit-il à voix haute, il jeta sa cigarette et monta l'escalier massif.

A l'étage, les couloirs bifurquaient dans des directions opposées. Il inspecta les premières pièces du couloir de gauche, puis il se lassa. Pas la peine d'aller de l'autre côté, pensa-t-il. Toutes les pièces étaient les mêmes : solitaires, abandonnées, les installations et les meubles recouverts de draps, épais de poussière accumulée. Il se demanda où se trouvait la chambre d'Avery Frement, puis il décida de retourner en bas, au rez-de-chaussée. La scène des meurtres.

Les corps avaient été enlevés, bien sûr, mais le sang était resté, éclaboussant les murs. Des rappels sinistres de la violence qui avait eu lieu. Bremen resta figé, le regard fixe. Il avait déjà vu du sang auparavant, évidemment, mais la reconstitution de la scène dans sa tête le faisait frémir. Il alluma son téléphone laser et projeta une image holographique de ce que Clément s'était fait à lui-même, dans cette même pièce.

Assis, le regard dans le vide, il semblait attendre, mais quoi, Bremen ne pouvait pas le dire. Puis la détermination soudaine. Le fusil à pompe qui tourna dans ses mains, le bang. Rapide, abrupte. Brutal.

Bremen ferma le téléphone et l'image mourut, tout comme Clément et Avery étaient morts. Ici même, dans la cuisine, parmi les aliments préparés pour le petit déjeuner, les dîners. Mais plus maintenant. Rien n'allait plus vivre dans cet endroit. Il avait lu ou entendu que Wilson Frement voulait que l'endroit entier soit démoli. Et ce que Wilson Frement voulait, Wilson Frement l'obtenait. Mais un tel acte serait criminel à l'extrême, de détruire un bâtiment aussi magnifique. Cela ne semblait pas juste.

Bremen s'approcha de la table où la tête d'Avery s'était ouverte comme un œuf. Il passa le dos de son doigt sur le bord, se demandant quelles avaient pu être les dernières pensées du vieil homme. Ces deux bâtards, ils voulaient la combinaison du coffre, et Avery n'allait pas la leur donner. Donc il est mort. Accident ou pas, ils étaient responsables.

"Qu'est-ce que tu fous ici, Bremen ?"

Il se retourna, se figeant dans l'action de dégainer son arme. "Putain, Miller. Tu m'as foutu la trouille."

Miller s'était approché de lui si silencieusement que la première indication que Bremen avait eue de la présence de son patron avait été lorsqu'il avait parlé. Maintenant, le cœur tambourinant dans sa poitrine, Bremen se laissa tomber sur une chaise et chercha une cigarette à tâtons.

"Je vais te le redemander", dit Miller, le visage comme un orage sur le point d'éclater, "Que fais-tu ici ?"

"Je réfléchis." Bremen alluma sa cigarette, prenant son temps. Que devait-il dire, qu'il avait des soupçons qu'il y avait quelque chose de plus dans tout ça qu'un simple cambriolage ? Il ne pouvait pas dire ça à Miller, on se moquerait de lui jusqu'à une suspension de deux semaines.

"Ça ne fait pas partie de tes points forts, Bremen." Miller fit le tour de la table, regarda Bremen, la bouche comme un trait de crayon dans un visage de craie. Il était furieux. "Tu as fait des choses assez dingues, Bremen, mais venir ici, c'est dépasser les bornes."

"J'avais juste besoin de le voir par moi-même, c'est tout."

"Le voir, ou le sentir ? L'holovision est bonne pour voir n'importe quoi de nos jours. Tu as une curiosité morbide pour les meurtres, Bremen ? Ça t'excite ?

"Tu es sérieux ?

"Je veux savoir.

"Je te l'ai dit, je voulais juste le voir."

"*Besoin*", tu as dit. Comme si tu avais besoin de ces maudites choses." Miller inclina son menton vers la cigarette de Bremen. "Qu'est-ce que tu avais besoin de voir ?"

"Je ne sais pas, juste quelque chose." Bremen aspira la fumée, la laisse s'échapper en un filet et regarda autour de lui pour trouver un endroit où éteindre sa cigarette. Comme il ne voyait rien, il posa le mégot avec précaution, comme une petite tour, sur la table et la regarda se consumer jusqu'au filtre, tout en continuant à parler : "Ça ne va pas, c'est tout. Ces deux-là, ils ont fait tout ce chemin jusqu'ici. Ils ont dit qu'ils avaient été embauchés, ou du moins Grant a *dit* que Sheldon lui avait dit ça. Engagés par qui ? Et pour quoi, les titres ?" Bremen secoua la tête. Il n'avait pas voulu s'engager dans cette voie, mais Miller n'était pas prêt à accepter autre chose que la vérité. "Non, il y a quelque chose d'autre. Je le sens."

"Tu le *sens* ?" Miller émit un petit rire. "Qu'est-ce que tu es devenu tout à coup, Bremen, une sorte de Sherlock Holmes ? Tu ne pourrais pas enquêter sur un crottin dans une cuvette de toilettes."

"Je suis flic, Miller."

"Tu es une piètre excuse pour en être un et ce, depuis une dizaine d'années. Je sais ce que tu es, Bremen. Tu es une merde qui attend de flotter avec le reste des eaux usées, attendant le jour de la retraite."

Les yeux de Bremen se rétrécirent. Il fut un temps où il aurait fait décoller Miller d'un seul coup de poing à la mâchoire. Mais pas maintenant. Les années ne furent pas tendres. S'il s'en prenait à lui, Miller lui ferait probablement des nœuds en deux ou trois mouvements et lui coincerait le bras dans le dos en moins d'un clin d'œil. "Je sais toujours comment enquêter."

"Ah bon ? J'en doute. Pourquoi n'admets-tu pas que tu es venu ici pour chercher les titres toi-même ?"

C'est étrange que Miller dise cela, parce que les mêmes pensées exactement tournaient dans la tête de Bremen concernant la motivation de son patron à venir dans cette maison. Mais il gardait tout cela pour lui, ainsi que l'envie de le frapper.

"Tu rentres chez toi, Bremen, tu vas dormir. C'est le meilleur endroit pour toi, bien bordé et en sécurité. Laisse le travail de détective à ceux qui peuvent le faire."

Bremen comprit le message, se leva et sortit directement de la maison sans un regard en arrière.

Il ne rentra pas chez lui.

Plutôt, il s'arrêta au Crone's Bar et commanda un malt à la framboise, avec en plus une collation vitaminée. Il prit place au bar, fit jouer ses doigts sur le bord de son verre tandis que la musique de fond se mêlait aux conversations étouffées. L'endroit était assez fréquenté, le brassage habituel de la classe ouvrière et des solitaires. L'odeur de cigarette se mêlait à la puanteur des corps non lavés. Les contrôles de qualité de l'air n'avaient pas leur place dans des bars comme celui-ci. Bremen inspira la fumée et scruta les visages, essayant de repérer un visage qu'il connaissait.

La dernière fois qu'il était venu ici, c'était il y a plus de deux ans. À l'époque, les choses étaient à peu près les mêmes. Des gens sans âme traversant les jours comme s'ils étaient déjà morts. Comptant les minutes jusqu'à l'oubli. Trouvant du réconfort au fond d'un verre. Personne ne se souciant du cauchemar quotidien qu'étaient les actualités. Une population hors de contrôle, des émeutes de la faim, des niveaux de carbone et de méthane atteignant des niveaux dangereux, des rumeurs de départ des riches vers Mars, pour vivre dans le luxe des coupoles. Déserter le navire en perdition. Mais pas les rats. Les bénis. Ceux qui restaient derrière, les Bremen de ce monde malade et vieilli, pourraient mourir avec lui, abandonnés et bientôt oubliés. Il demanda un autre verre.

En prenant une gorgée, Bremen l'aperçut dans le coin. Stowell. Vieux, noueux, les mains comme des griffes, enroulées autour d'un gobelet rempli d'un truc dégoûtant. Il remarqua l'approche de Bremen au dernier moment. Son visage prit un air de chasseur, ses yeux se baladant dans tous les sens. Bremen sourit et s'installa sur le siège d'en face. "Bonjour Billy."

Billy Stowell ne répondit pas, ses yeux parcoururent le bar avant de se focaliser sur son verre. "M. Bremen."

"Je ne vous ai pas vu depuis un moment."

"J'étais en déplacement, M. Bremen." Il but sa boisson et se leva. Bremen tendit une main, serra l'avant-bras de l'homme qui ressemblait à une baguette. Avec une pression plus forte, le membre aurait pu se casser. Billy Stowell grimaça. "Je vous en prie, M. Bremen. Je n'ai rien à vous dire."

"Je veux juste des informations, Billy. C'est tout. Je vous paierai généreusement." Sans un mot de plus, Bremen fit glisser une petite feuille d'aluminium bien enveloppée. Billy Stowell regarda le paquet et vit qu'il n'y avait rien d'autre à faire. Billy Stowell regarda le paquet et s'enfonça dans son siège. "Ce n'est pas juste, M. Bremen."

"Passe quelques nuits au paradis, Billy. Échappe-toi de ce trou à rats."

Billy Stowell ferma les yeux, puis il saisit le paquet et le glissa dans sa poche. Il haussa les épaules. "Alors, M. Bremen. Que puis-je faire pour vous ?"

Bremen se pencha en avant et répondit à voix basse. "Il y a eu un meurtre il y a quelques jours. L'homme tué était Avery Frement. J'ai besoin de savoir si vous avez entendu quelque chose, quelqu'elle soit."

Billy Stowell passa sa langue sur la lèvre inférieure. "C'est une grande question, M. Bremen."

Il le sentit alors, un filet d'eau froide coulant dans son dos. Bremen jeta instinctivement un oeil autour du bar. Personne n'était à portée de voix, la plupart étant blottis en petits groupes compacts à des tables malpropres, se gavant de diverses concoctions alcoolisées, ou au comptoir en train d'injurier le barman. Bremen étudia longuement le visage de Billy Stowell. "Pourquoi est-ce une grande question, Billy ?"

"Beaucoup d'argent, M. Bremen. Ces Frements", il secoua la tête. "Ils ont des gens partout. Des gens méchants, du genre à pouvoir tout détruire en un clin d'œil."

"Pourquoi cela vous dérangerait-il, Billy ? Personne ne s'en prend à vous."

"Ouais, mais ils pourraient si jamais ils soupçonnent que vous avez reçu quelque chose de moi."

"Ils ne le feront pas." Il tapota le bras de Billy. "Ne vous inquiétez pas, Billy. Personne ne le saura jamais."

Une ombre tomba sur eux et Bremen se redressa tandis qu'une barmaid passa un coup de chiffon humide pour nettoyer la table. Sans même regarder Bremen, elle souffla : "Nous avons une petite visite."

Puis elle s'en alla. Bremen la suivit des yeux, appréciant ce qu'il voyait. Le galbe de son derrière dans une jupe en PVC rouge. Rétro. Bremen aimait ça. Il prit note de lui demander son nom plus tard.

Billy Stowell se leva. "Je dois y aller, M. Bremen. Les visites, ce n'est pas quelque chose que je savoure."

"Vous ne pouvez rien me donner, Billy ? N'importe quoi, même si ça semble insignifiant. Juste un indice."

Billy Stowell réfléchit, fit la grimace puis hocha la tête. " Seigneur, M. Bremen, s'ils en ont la moindre idée .. Bon... Un des hommes impliqués. Il s'appelle Sheldon." Bremen approuva de la tête, sentant son cœur battre la chamade. "Il a un frère. Il vit dans le domaine de Fuscha. Il en sait probablement plus qu'il ne le dira jamais. C'est un sale type, mais intelligent aussi. Il a sécurisé cet endroit comme le fessier d'un pasteur. Faites attention, M. Bremen. C'est un autre monde là-bas."

Bremen hocha de nouveau la tête. Il but son verre. "Son nom ?"

"Murray."

Bremen allait rajouter quelque chose mais déjà Billy avait disparu dans la foule. Laissant tomber, Bremen se rassit, regardant la table désormais propre. Le domaine Fuscha. Des urbanistes reprenant les théories sociales erronées d'il y a presque cent ans, entassant les individus dans des labyrinthes de béton pleins de vice et de corruption. C'était une zone interdite à toute personne non connue des résidents. Il devait être prudent, comme Billy l'avait dit. Il savait aussi qu'il n'avait pas d'autre choix que d'aller rendre visite à ce Murray. Aussi méchant pouvait-il être.

Un fort bourdonnement, comme une décharge électrique, parcourut le bar. L'air s'épaissit de menace tandis qu'un silence pesant s'installait. Bremen retourna sur son siège en tordant son cou et grogna. Ils étaient deux. Grands, vêtus de noir, casques fermés, des matraques tournoyant dans des mains protégées par des gantelets. Autour de leur taille, un arsenal de gadgets électroniques, connectés à des systèmes centraux de communication. Sur leurs épaules, leurs armes, lourdes, silencieuses et maléfiques, pendantes, d'énormes fusils à impulsion, dont une seule attaque était capable de couper un homme en deux, à mille mètres.

Ils s'atardèrent sur Bremen. Tout le bar les regardait, un public en attente, espérant une action pour alléger l'ennui de la vie.

"Je ne vous ai jamais vu ici auparavant", dit le premier, le numéro 357 inscrit sur sa poitrine.

"Je suis juste passé prendre un verre", dit Bremen, en forçant un sourire.

"Personne ne passe par hasard", dit le second, numéro 45a/16.

Bremen n'avait aucune idée de la signification des numéros de série. Les deux patrouilleurs étaient identiques. Tous deux respiraient la menace. Il étendit ses mains, essayant de gagner du temps, même s'il savait qu'il allait finalement devoir tout leur dire. Enfin, presque tout.

"Identité", dit le 357, en tendant sa main gantée.

C'était le moment. Il fallait que ça arrivât dans un endroit comme celui-ci, rempli de voyous, de mouchards, de la lie de la société. Ce fut le moment de s'en moquer, où même poser des questions sur l'heure représentait un effort inutile. Les circonstances, cependant, avaient changé. Maintenant plus âgé, un peu plus sage - mais pas assez - il avait commencé à regarder les choses sous un angle différent. Peut-être était-ce sa femme, la façon dont elle le traitait. Peut-être qu'était-ce son fils, le regard sur un avenir gris et sombre. La vérité était probablement quelque part entre les deux. Il devait avoir un motif pour se lever. C'était arrivé avec la mort d'Avery Frement. Et il savait que dès qu'il commencerait à chercher plus profondément, les autorités en auraient connaissance. Les patrouilleurs viendraient et lui demanderaient son identité. Comme ils le faisaient maintenant. Quelqu'un les avait-il envoyés pour le suivre jusqu'ici ? Étaient-ils déjà sur lui ? Une fois qu'ils auraient découvert qu'il n'était qu'un simple soldat, un détective à l'abandon qui aurait dû être au lit chez lui, ils auraient ses couilles. Certainement son travail.

"Je ne le répèterai pas une deuxième fois."

Bremen soupira. Il pourrait sortir son arme. Il pourrait essayer de s'en sortir en se tirant dessus. Et que deviendrait Petie ? Ce n'était pas une façon de mettre fin à l'existence de quelqu'un. Petie avait le droit de vivre sa vie. Bremen n'avait pas le droit de lui enlever cette opportunité, aussi horrible que pouvait en être l'issue. Il leva donc lentement ses mains, paumes vers l'extérieur, et se décida à parler. Il pouvait parler pour s'en sortir. Ils pourraient le croire.

D'une certaine façon, il en doutait, mais ça valait le coup d'essayer. Il ouvrit la bouche pour parler...

Des coups de feu explosèrent à l'extérieur et tout le monde se mit instinctivement à l'abri.

En un instant, toute la pièce plongea dans la cacophonie de l'alarme et de la peur.

Bremen s'écrasa le visage contre le plateau de la table, les mains serrées autour de ses oreilles. Il leva légèrement le regard, hésitant à regarder. Les patrouilleurs s'étaient déjà éloignés, balançant leurs fusils à impulsion. Tout le monde criait, certains hurlaient. Un bruit de panique, la ruée d'une centaine de pieds, des tables renversées, des chaises écartées, des verres brisés. Bremen vit tout ce désordre autour de lui, et il vit aussi les patrouilleurs se précipiter vers l'extérieur.

Les gens se dirigèrent vers la porte de sortie. Bremen saisit sa chance et les rejoignit, s'immergeant délibérément dans la masse des corps qui cherchaient désespérément à s'échapper. Dehors, c'était pire. Les sirènes résonnaient dans l'air, la cohue des motos volantes et des véhicules de patrouille, le tir des pulsars, le grondement des armes conventionnelles. Les flashs d'une série de déflagrations et d'explosions illuminaient le ciel, plongeant les gens dans la panique, désorientés par la terreur. Bremen baissa la tête et courut dans la direction opposée.

Il ne s'arrêta que lorsque le bruit de la fusillade ne fut plus qu'un bruit sourd.

PENSÉES DANS LA NUIT

Il se tenait debout et observait les éclats de lumière qui traversaient le ciel nocturne, comme un orage dans des chaînes de montagnes lointaines, étrangement réconfortant, spectaculaire. Lointain et sûr.

"J'avais l'habitude de regarder ce genre de choses dans les Apennins. Ma mère me tenait dans ses bras et nous le regardions, comme un feu d'artifice. La façon dont les éclairs jouaient avec les sommets des montagnes." Wilson se retourna vers Lester Steinmann. Maintenant libéré de ses souvenirs, il s'installa dans un grand fauteuil, se penchant en avant, se frottant les poignets meurtris, poussant de petits gémissements. "Tu es déjà allé en Italie, Steinmann ?"

"Une ou deux fois." Steinmann eut un petit rire. "Ta mère. C'est drôle de t'entendre dire ça. Ta mère, étant ma femme."

Wilson ignora cette remarque. "La seule raison pour laquelle tu n'es pas mort en ce moment est que je dois découvrir la vérité. Si je découvre des mensonges, tu seras pulvérisé en moins d'une seconde."

"Tu dois être fier d'avoir autant de pouvoir."

"Oh, que oui Crois-moi." Wilson s'approcha du vieil homme.

À la porte, Gilbert se crispa. Wilson lui jeta un regard, secoua légèrement la tête. "Pourquoi voulais-tu me tuer, Steinmann ? *Si je suis ton fils.*"

"Tu es mon fils. Si tu as des doutes, tu peux faire tous les tests et découvrir la vérité. Mon ADN est le tien, Wilson. Seuls nos noms sont différents."

"Réponds-moi."

"Parce que... je ne sais pas. Je suis confus." Steinmann se redressa. "Je suis fatigué. J'ai besoin de repos. Tu m'as bombardé de questions toute la nuit."

"Il me faut des réponses, Steinmann. Tu dormiras un peu quand tu me les auras données."

Un lourd soupir, un vieil homme fatigué admettant sa défaite, se rendant à l'inévitable. "Très bien. Je voulais que tu sois mort, à cause d'Avery. Ce qu'il a fait. Ce qu'il allait faire. J'ai donc engagé ces deux types pour récupérer les papiers dans le coffre, mais tout a mal tourné et maintenant Avery est mort. Avec ces papiers dans tes mains, Wilson...", laissa-t-il échapper.

"Quels papiers ?"

"Les papiers sur lesquels Avery et moi avons travaillé pendant un quart de siècle."

Wilson sourcilla. "Je ne savais pas que tous les deux étiez encore amis."

"Amis" ? C'est mettre un peu trop de fioritures sur notre relation, Wilson. Nous n'étions pas amis. Des collègues, si tu veux. Réunis par la nécessité. Notre travail, la recherche. Nous devions le faire aboutir."

"Mais tu le détestais."

"Je le détestais pour ce qu'il a fait."

"Prendre ta femme."

"Et toi, aussi. Il a pris ma vie, Wilson. Tout ce qui a toujours compté pour moi. Il vous a pris, toi et elle, parce qu'il le pouvait. Avery Frement. Il pouvait faire tout ce qu'il voulait, avait tout ce dont il avait besoin ou envie... sauf la seule chose que je pouvais lui donner."

Wilson secoua la tête. "Tu me perds, Lester. La seule chose que tu pouvais lui donner ?"

"Oui. La clé pour sauver la planète."

Wilson ferma les yeux un instant, puis se tourna vers Gilbert. "Apporte-nous deux whiskys, s'il te plaît."

Le grand garde du corps quitta la pièce sans hésiter. Wilson s'assit dans l'autre fauteuil et se pencha vers le vieil homme. " Dis-moi ce que cela signifie, Lester. "

"Tout comme toi, et un millier d'autres ministres du gouvernement, Avery était préoccupé par la planète. Comment elle mourrait. La pollution croissante, l'explosion de la population, le niveau des mers. Tout ce désordre. Et qui en est la cause, Wilson. Qui en est la cause ? ˝

"Les affaires. Les grandes entreprises, les usines, la technologie, la lutte pour le développement industriel. La richesse."

"Les gens, Wilson. Ton père a eu une idée, dans les années 20. Pourquoi ne pas diminuer la population. Ainsi il y aurait moins de pollution, moins de déchets... moins de gens qui polluent l'air que nous respirons."

"Quoi ? Tu veux dire l'extermination massive ? On y a songé, on a rejeté cette idée. D'autres pays se sont lancés, mais nous avons choisi de ne pas le faire. C'est absurde de croire que mon... " Il se crispa, il leva les poings, la colère hors de contrôle. "Mon père n'y aurait jamais consenti ! C'était un humaniste, un homme qui croyait en la bonté inhérente de l'âme humaine. Tu es un maudit menteur, Lester ! Un maudit, satané menteur..."

"Non, pas l'extermination, Wilson. Tâches d'écouter et garde ton vitriol pathétique et mensonger pour tes réunions gouvernementales. Ton *père*..." Il ferma les yeux un instant avant de poursuivre, la voix quelque peu tremblante, "Avery n'était pas un monstre. Loin de là. Il s'est battu avec sa conscience vingt-quatre heures sur vingt-quatre après que je lui ai montré ce qui pouvait être fait."

"Ce que tu lui as *montré*. Tes recherches ?"

"Oui. Et ton... l'argent d'Avery rendrait cela possible. Avec son soutien financier, ça aurait pu devenir une réalité. Et à ce moment, nous le savions tous les deux. Nous détenions le secret, ou la solution si tu préfères, pour un monde meilleur, plus propre, moins surpeuplé. Tout ce qu'il fallait, c'était les installations pour faire fonctionner tout le processus. Et les moyens de les faire fonctionner."

"Quelles installations ? Je ne connais pas de telles *installations*, elles n'existent pas."

Lester secoua la tête, un mince sourire se dessinant sur son visage à l'air fatigué et usé. "C'est là que tu te trompes, Wilson. Ces installations existent. Ton père les a construites et, en utilisant ma technologie, tout était en place, prêt à fonctionner."

Wilson bascula en arrière sur sa chaise, comme si un train à grande vitesse l'avait frappé en pleine poitrine. Un vide immense se forma en lui, son corps implosant. Il dévisagea Lester, sa voix croassant à peine lorsqu'il parvint à former des mots. "Mais je l'aurais su. On m'aurait consulté."

"Non." Lester secoua à nouveau la tête. "Tout a été fait en secret. Leur localisation surtout."

"Explique-moi ce qu'il y avait dans ces installations, ces lieux secrets dont je ne sais rien."

"Tu as raison quand tu dis qu'Avery était un humaniste. Il l'était. Il s'est battu avec mon idée, mais quand il a réalisé que la solution n'impliquait pas la mort, il en a perçu le sens. J'ai constaté qu'une flamme brillait dans son cerveau, son visage devenant celui d'un petit garçon le matin de son anniversaire, animé d'une joie pure et incontrôlée. Ce que je lui avais proposé était une porte de sortie, une porte que sa conscience pouvait accepter. Alors il est allé de l'avant, a donné les ordres, mais il savait qu'il devait être prudent. Le peuple, Wilson, pas seulement toi, ne devait jamais savoir."

"Du temps s'est écoulé depuis, Steinmann, alors dis-moi ce que c'était, cette découverte que vous avez faite."

"Pas une découverte. Le produit d'années et d'années de dur labeur, d'expérimentations, de tests."

"Un médicament ? Un produit chimique ou autre, peut-être un moyen de stériliser la population, à son insu, en le glissant dans son thé ? Nous avons pensé à ça aussi, mais finalement nous..."

"Non. Un moyen de réduire la population, mais en pensant à l'avenir, quand Mars sera colonisée et que ce monde sera à nouveau propre."

"Je ne te suis plus. Comment sommes-nous censés rendre cette planète propre à nouveau ? Tu es un scientifique, pour l'amour de Dieu, Tu es conscient de la charge qui nous attend. Alors qu'est-ce que c'était, espèce de bâtard arrogant ? Quel est ce merveilleux produit que tu as mis au point, que mon père a accepté et que vous vouliez garder pour vous ?"

"Pas pour moi, Wilson ! Jésus, tu ne comprends tout simplement pas, à mon avis. Ça n'a rien à voir avec moi, mais tout à voir avec toi, et la monstruosité que tu appelles un gouvernement ! Je sais quels sont tes plans pour ce monde et ton père aussi savait. C'est pour ça qu'il a gardé ces papiers sous clé, parce qu'il savait que si tu mettais la main dessus, tu utiliserais notre travail à tes propres fins égoïstes."

"Je viens de te le dire. Nous avons rejeté toute mesure qui entraînerait l'extermination totale du peuple."

"Je ne te crois pas. Et d'ailleurs, comme je l'ai dit, notre plan ne prévoyait pas l'extermination. Nous l'avons vu comme une réponse limitée, mais toi, Wilson, tu serais passé au niveau supérieur. L'élimination totale de tout le monde sur la Terre."

"C'est absurde."

"Tu trouves ? Ton père, Avery, ne le pensait pas. Il savait de quoi tu étais capable, alors il a gardé nos découvertes sous clé et a travaillé en secret pour commencer le projet que nous savions tous les deux d'une importance vitale pour la survie de ce monde. Pas seulement pour maintenant, mais pour toujours. Et pour tout le monde."

"Tu parles comme Dieu, Steinmann."

"Si je suis Dieu, ça doit faire de toi le Diable en personne."

La porte s'ouvrit doucement et Gilbert entra, toussota et apporta un plateau de boissons. Il posa soigneusement les deux gobelets de whisky sur la petite table basse voisine, puis fit un pas en arrière. "Autre chose, Monsieur ?"

Lester sauta sur l'occasion avant que Wilson ne pût répondre. "Ce sera tout, Gilbert, pour le moment. Je pense que M. Wilson a besoin de temps pour reprendre ses esprits."

Le garde du corps fronça légèrement les sourcils et jeta un coup d'oeil vers Wilson qui secoua la tête. "Illusions de grandeur". Gilbert se détourna sans un mot et reprit sa position près de la porte.

Lester se pencha, prit le gobelet, renifla le liquide ambré et le but d'un trait. "Certaines choses sont tout simplement trop bonnes pour être perdues", dit-il doucement, puis il s'adossa à sa chaise, ferma les yeux et attendit.

Wilson considéra le vieil homme pendant quelques instants, réfléchissant à la suite de son interrogatoire. Mais avant même qu'il ne pût reprendre, son téléphone laser s'activa et l'image du visage d'un homme fut projetée sur le mur du fond. Wilson sursauta, se retourna et resta bouche bée devant l'image.

"Je l'ai", dit l'appelant.

"Bien. Reste là. Je vais envoyer quelqu'un." Wilson attrapa le téléphone et le referma. Pendant un long moment, il fixa la boîte noire, plate et silencieuse d'où l'image était apparue. Elle était si petite qu'elle pouvait être dissimulée dans la paume de sa main. Il leva la tête vers Lester. Les yeux du vieil homme le transperçaient. "Comment ces choses, tous ces plans, ont-ils pu être tenus secrets ?"

"Avery avait le pouvoir, assez pour faire ce qu'il voulait."

"Mais je suis le chef du gouvernement, merde !" La colère lui montait au visage, il pouvait sentir la chaleur. Cette réaction était tellement semblable à celle de son père, usurpant son autorité à chaque étape, ne lui faisant jamais totalement confiance. Frappant du poing sur la table, Wilson se leva. "Il n'avait pas le droit de me faire ça. Aucun droit. J'ai le droit de savoir *tout* ce qui se passe."

"Eh bien, il n'y a pas grand-chose que tu puisses faire à ce sujet, maintenant."

"Bien sûr que si. Dis-moi où se trouvent ces *installations*."

Lester changea de position dans son fauteuil. "Pourquoi tu as besoin de le savoir ?"

"J'ai besoin de tout savoir. Mon père... Écoute, j'en ai assez de ces conneries. Je veux que tu me dis où sont les installations."

"Je ne peux pas faire ça, Wilson. C'était la responsabilité de ton père."

Un sourire. "Exactement, c'est pourquoi *tu* vas me le dire."

La prise de conscience émergea sur le visage de Lester. Wilson aimait voir le vieil homme se décomposer. "Ah."

"Oui. *Tu es* mon père. Ne joues pas avec moi, je t'ai posé une question, maintenant tu me réponds."

Un moment ou deux d'indécision. La lèvre qui se mordilla, l'expression douloureuse. Le conflit intérieur. Finalement, Lester Steinmann secoua la tête. "Je ne peux pas."

Wilson ferma les yeux un instant, le poids lourd de la décision pesant sur lui. Il était fatigué de la conversation, fatigué de la confrontation avec cet homme. Il avait besoin que tout soit soigneusement en ordre dans sa tête pour poursuivre sa tâche. Les révélations de Steinmann l'avaient autant irrité que choqué, c'était indéniable, mais à présent, il avait le contrôle. Après une pression non négligeable, il saurait où se situaient les installations en moins d'une heure. Il pourrait alors commencer à enquêter plus en profondeur, tout en lisant les documents que son père avait enfermés dans le coffre. Car il les avait aussi, maintenant, grâce aux informations qu'il venait de recevoir. Il ouvrit les yeux, se résignant à ce qui devait être fait, et se dirigea vers le garde du corps. "Veillez à ce qu'il vous dise tout, Gilbert, c'est un bon gars."

Gilbert acquiesça et se dirigea vers Lester Steinmann, qui réagit en se levant d'un bond et en tendant les mains, la terreur se lisant sur son visage. "Wilson, pour l'amour de Dieu ! Tu n'es pas obligé de faire ça."

"Non, mais bon, ça va être amusant", dit Wilson avec un sourire et sortit.

Il referma la porte derrière lui et s'adossa à la charpente, inspirant profondément, lorsqu'il entendit un cri provenant du vieil homme au moment du premier coup porté. Le sourire de Wilson s'élargit et il se sentit à nouveau en paix avec lui-même.

DES PULSARS DANS LA NUIT

MILLER RANGEA SON TÉLÉPHONE ET RETOURNA DANS LE "SALON". Il se tint dans l'embrasure de la porte et fronça les sourcils. *Le salon*, se dit-il en gloussant. Nommer les pièces de cette façon le troublait. Cette pièce n'avait rien à voir avec un salon de quelque nature que ce soit. Une cheminée ajourée, Une cheminée ouverte, dont le manteau blanc ivoire, avec ses colonnes finement sculptées de chaque côté, soutenait une étagère ornée de photographies de famille. Au-dessus, une immense peinture d'un lac, devenu argenté par un soleil froid d'hiver, de grandes montagnes au sommet enneigé se profilant de tous côtés, et d'un petit skiff près d'un hangar à bateaux, d'un personnage se préparant à larguer les amarres. Il étudia le tableau de près, souhaitant en savoir plus sur cette forme d'art archaïque, avant de se retourner pour examiner le mobilier. Deux grands fauteuils encadraient la cheminée. Pas de table à dessin, pas de crayons ni de papier. Pendant un instant, Miller permit à son cerveau de s'imprégner d'images de longues soirées passées devant un feu ardent. Une vie qu'il n'avait jamais connue, telle qu'elle ressortait de vieilles photos dans des journaux oubliés. Une vie qu'il ne voulait pas connaître. Lire, apprendre sur le passé, rien de tout cela ne lui convenait, le présent lui causait suffisamment de soucis. Repoussant ces pensées, il se dirigea vers le meuble à boissons et choisit un gobelet en verre taillé. C'était le récipient le plus lourd qu'il eût jamais manipulé. Il retira le bouchon d'une carafe, qui était posée à côté d'une horrible glacière à ananas en plastique. Rétro. Il sourit et porta la carafe à son nez pour en respirer l'arôme, fermant les yeux pour savourer le moment.

Brandy. Français, probablement le meilleur disponible. C'était plutôt ça, un aspect de l'histoire qu'il pouvait certainement apprécier. Il se servit une généreuse dose, remit le bouchon en place, referma le couvercle du meuble et s'assit dans l'un des fauteuils à dossier de cuir.

Le fauteuil grinça bruyamment lorsqu'il s'y enfonça. Il croisa une jambe sur l'autre et prit une gorgée du brandy. Il se lécha les lèvres, mit sa tête en arrière et passa en revue les détails dans sa tête.

Il avait les papiers, les titres aussi. Les "secrets" pour lesquels le vieil homme Frement avait perdu la vie. Les titres valaient plus d'un million de crédits, une somme énorme, mais Miller avait le sentiment que les documents techniques valaient bien plus. Celui qui avait envoyé les deux crétins les chercher connaissait certainement leur valeur. Il y avait peut-être une possibilité de les vendre, mais le chemin pouvait s'avérer dangereux.

Il regarda le brandy et pensa aux papiers. Il n'y comprenait rien, mais ils semblaient importants, bien détaillés. Wilson paierait cher pour les informations qu'ils contenaient. Miller poussa un soupir en se rappelant la réunion.

Wilson avait débarqué dans la salle de la brigade quelques jours après l'enterrement de son père. L'homme le plus puissant du gouvernement était entré à grands pas dans le bureau de Miller comme s'il en était le propriétaire, s'était assis en face de lui et avait souri, tandis qu'un garde du corps de la taille d'une maison bloquait la porte. "Je veux que tu retournes à la maison de mon père et que tu prennes ce qui est dans le coffre." Il n'y avait pas de préambule, pas de négociation. C'était comme ça, l'ordre. Miller avait essayé de parler, mais Wilson avait levé la main pour l'arrêter. "Tu peux avoir les titres. Je ne veux que les papiers. Tu les reconnaîtras quand tu les verras. Des calculs, beaucoup de calculs. Mais je ne veux pas que tu t'inquiètes de toute cette affaire." Il avait souri, s'était penché en avant et avait joint les mains. "Tu pourras prendre ta retraite grâce à ces titres, inspecteur Miller."

"Pourquoi moi ?"

"Parce que tu es l'enquêteur. Tu connais l'endroit, tu peux y accéder. Je veux que ce soit fait proprement et rapidement, sans poser de questions."

"Bremen est le responsable de l'enquête."

Wilson fronça les sourcils. "Mais tu es le supérieur, non ?" Miller hocha la tête et Wilson sourit. "Personne d'autre ne doit être impliqué. Mon père s'est retiré de la vie publique il y a quelques années, inspecteur, et pourtant il a gardé ces papiers sous clé. Il était prêt à mourir plutôt que de les rendre. Je les veux, je veux savoir *pourquoi*. Que cachait mon père, inspecteur ?" Il se leva, ajusta sa veste, lissa les plis, "Quand tu les auras, contacte-moi. Je veux que ce soit fait dans les prochaines vingt-quatre heures."

Il partit et Miller s'assit, observant la porte fermée, se demandant quel était le secret du vieil homme Avery. Celui qu'il gardait dans le coffre.

N'étant pas du genre à faire une auto-analyse approfondie, Miller vida son verre et se leva. Quels que soient les droits et les torts, Wilson allait le payer grassement pour ce qu'il avait trouvé. Il sortit à nouveau les papiers, les passa au crible. Rien qu'un fouillis de faits et de chiffres qui n'avaient aucun sens pour lui. Il jeta un coup d'oeil aux titres. De grands certificats, gravés de façon élaborée, déclarant des parts dans diverses sociétés. Miller reconnut un ou deux noms, sourit en comptant les millions imaginaires et se figea sur place lorsqu'il entendit l'aéroglisseur s'arrêter à l'extérieur...

Il fourra les papiers dans sa ceinture, se précipita vers le mur et s'y plaqua en sifflant : "Extinction des feux". Sans hésiter, l'ordinateur obtempéra et plongea la maison dans l'obscurité.

Miller attendit, respirant par la bouche, s'efforçant d'entendre. Il sortit lentement son pistolet à impulsion et vérifia qu'il était bien chargé. Une pause, pour écouter. Il n'y avait rien, alors il tâtonna le long du mur, s'aidant de sa main libre, trouva la porte et se glissa dans le couloir. Il posa un genou à terre, dressant son arme à deux mains devant lui.

Ils essayaient d'être silencieux, mais le bruit de leurs bottes sur le gravier était indéniable. Miller fit le calcul. Au moins trois d'entre eux, contournant l'extérieur, prévoyant sans doute de traverser la maison sous différents angles.

Miller se fichait de savoir qui ils étaient, mais il pensait le savoir.

C'étaient les hommes de Wilson. Et ils étaient là pour le tuer.

Miller mit sa tête en arrière et regarda vers le plafond sombre. Il avait le choix. S'enfuir, se précipiter vers l'extérieur, essayer d'atteindre son véhicule avant que les lasers ne le transpercent et le coupent en deux. En fermant les yeux, il rejeta l'idée, sachant qu'ils le tueraient avant qu'il ne fasse dix mètres. Alors, que faire - rester ici, dans le noir, et attendre. Il pourrait être capable d'en repérer un, mais s'ils avaient une vision nocturne ? Il était agenouillé dans un bâtiment sombre, qu'il ne connaissait pas, et eux, avec tous les éléments technologiques nécessaires pour le repérer aussi facilement qu'en plein jour.

Alors il attendit, respirant lentement par la bouche. S'ils le voulaient, ils devaient venir à lui.

Il se faufila à nouveau dans le salon, en faisant profil bas. Il renversa le fauteuil et le plaça en face de la porte. Puis il se dirigea vers le meuble à boissons. La lumière du ciel étoilé éclairait suffisamment la pièce pour qu'il pût trouver des verres. Il les rassembla dans ses bras et se mit à quatre pattes, plaçant les gobelets et les flûtes à champagne assortis en une ligne irrégulière dans l'entrée. Il se dirigea ensuite vers le coin, s'arrêta pour se verser un cognac, le but et s'assit derrière le fauteuil. Il leva le pistolet à la lumière argentée de la fenêtre principale et le vérifia à nouveau.

Une idée lui vint, une idée qu'il ne pouvait pas écarter. Il ouvrit son téléphone laser et appela Bremen. Son collègue répondit presque immédiatement.

"J'ai un problème."

"On en a tous."

"Ecoute, je suis retourné chez le vieux Frement."

"Qu'est-ce que tu fais là-bas à cette heure-ci ? La dernière fois qu'on s'est vus, tu étais fou de rage que je sois là. Dans quel pétrin t'es-tu fourré ?"

"Ton problème, mon vieil ami, était de venir ici par curiosité, le mien était de venir ici parce qu'on me l'avait demandé."

"Je ne comprends pas. On m'a dit ? Qui te l'a dit ?"

"Ça n'a pas d'importance. Ce qui compte, c'est qu'ils viennent pour moi. Je peux m'en sortir, ou pas." Le bruit de la porte principale qui s'ouvrait lui parvint, amplifié au centuple par l'immobilité de la maison vide. Miller respira dans le téléphone. "Ecoute. J'ai les titres, et j'ai les documents techniques."

"Les documents *techniques* ? Qu'est-ce que tu racontes ?"

"Tais-toi et écoute, espèce de branleur ! Je vais les mettre dans un endroit sûr. Je veux que tu viennes les chercher quand ce sera fini. Tu comprends ?"

"Non. Miller, ça n'a aucun sens."

"Fais-le, Bremen. Pour l'amour de Dieu. Je vais cacher les papiers, les titres aussi. Tu peux les avoir, les utiliser comme moyen de conclure un marché."

"Un accord avec qui ?"

"Wilson. L'homme qui va me faire tuer."

Le léger bruit de pas de quelqu'un tout près.

Le crissement du verre.

Miller se lèva de derrière la chaise, vit la silhouette et lui tira une balle dans la poitrine. L'homme tomba en arrière et resta immobile, le trou béant dans sa poitrine rempli de fumée noire et ondulante. Miller se replaça derrière la chaise et prit quelques respirations. "Je vais te dire où sont les papiers", dit-il au téléphone.

"Ok, je suis tout ouïe."

Miller se lèva, indiqua à Bremen où il allait cacher les papiers, puis traversa la pièce à tâtons et les cacha à l'endroit indiqué. Il les dissimula du mieux qu'il put. Il savait que ce n'était pas parfait, mais il pensait que personne ne penserait à regarder là.

Il se retourna et regarda vers la porte. Il était sûr que l'ombre de quelqu'un était passée par là. Il se mit sur un genou, prit une perle à l'entrée. "Bonne chance, Bremen."

"On dirait que tu en auras plus besoin que moi."

"Oh, j'ai oublié de te dire."

"Quoi ? Quelque chose d'un peu plus joyeux, j'espère."

"On peut dire ça. Je ne t'ai jamais aimé Bremen."

"Ça va dans les deux sens, patron. Je te méprise."

"Merci. En fait, ça me fait me sentir mieux. Parce que, le truc c'est que..."

"Oui ?"

"Ces six derniers mois... j'ai baisé ta femme."

L'ombre bougea à nouveau et Miller sut qu'il était temps de mettre fin à l'appel téléphonique.

EMPLOI DOUTEUX

Ils le déposèrent devant son appartement. Lester regarda l'hover-car s'éloigner dans la nuit. Il faisait froid. Il remonta son col. Quelqu'un, quelque part, criait, lui rappelant ses propres cris lorsque Gilbert exerçait la pression. Lester grimaça en repensant à ce souvenir. Il leur avait dit tout ce qu'il savait, l'emplacement du coffre, la combinaison. Il n'y avait rien d'autre qu'il aurait pu faire. Gilbert ... cette pensée le fit frémir.

Il plaça son visage contre le portail de reconnaissance. Les capteurs reconnurent ses traits et les portes s'ouvrirent en sifflant. Le garde à l'accueil leva à peine les yeux.

"Ça va, Harry ?"

Le garde grommela. Il regardait l'holo-vision. Lester s'arrêta et remarqua les quatre ou cinq corps nus qui se tordaient ensemble à une largeur de main devant lui. Les gémissements étaient forts et constants.

"Il y a eu une sorte de coup d'État en Asie du Sud-Est, dit Harry, sans changer de position.

"Oh ? Où ça ?"

"Sais pas. La Chine, je suppose. Selon les journaux, il y aurait des milliers de morts. Des centaines de milliers. Des villes en flammes. Ils parlent de frappes nucléaires."

"C'est de mieux en mieux.

"C'est sûr. Je suis content de ne pas avoir d'enfants." Harry leva les yeux pour la première fois et reprit son souffle. " Vous allez bien M. Steinmann ? Vous vous êtes battu ou quoi ?"

Steinmann toucha instinctivement les ecchymoses sur son visage. Le souvenir du poing de Gilbert le fit frissonner plus que la douleur. "Je me suis heurté à un obstacle." D'après l'expression de son visage, il était clair qu'Harry n'était pas convaincu. "Je vais bien, Harry. Merci de t'en soucier."

Lester se dirigea vers les escaliers et décida de monter à pied jusqu'à son appartement. Il était encore plein d'entrain puisqu'il franchit les marches deux par deux. Cependant, arrivé au deuxième étage, il était soufflé. Il s'accrocha à la balustrade, la tête en bas, aspirant de l'air. Un signe inquiétant, l'agression de Gilbert lui causant peut-être plus de dommages qu'il n'osait l'imaginer.

La montée du dégoût de soi lui fit monter les larmes aux yeux.

Il ne s'était jamais considéré comme faible, ni dans sa tête ni dans son corps. Mais Gilbert, avec l'avalanche de coups de poing, de torsions et de pincements des parties vitales, révéla la vérité, et la façon dont Lester se plia, bêlant comme un nouveau-né, fut difficile à supporter. Lorsque le troisième coup lui transperça les côtes, il abandonna tout, l'emplacement des installations, les plans, les calculs. Alors que des doigts d'acier fixaient des points de pression, il révéla les heures des réunions, des discussions, la manière dont tout cela fonctionnait. Peu importe ses efforts, la douleur était trop forte. L'humiliation était totale.

Il entra dans son appartement lumineux et aéré, la climatisation ronronnant doucement, l'ordinateur de la maison le saluant et lui apportant un whisky et un soda au gingembre sur un plateau flottant sur des courants d'air dirigés. Lester prit une gorgée, alla à la fenêtre et regarda la ville. L'horizon était embrasé par les flammes rouge vif d'un millier de bâtiments en feu, les émeutiers s'étant emparés de la nuit, la rendant leur propriété, la police et les autres forces de l'ordre étant impuissantes face à une telle agression concertée. Il se souvint que Wilson ne se souciait pas du cauchemar qui les attendait et Lester s'interrogeait à ce sujet. La société s'effondrait autour d'eux. Une sous-classe massive de personnes sans emploi et, pour la plupart, inemployables, un vaste essaim d'humanité, cherchant désespérément de la nourriture et de l'eau. Leurs maisons s'effondraient, la maladie sévissait. L'espoir avait disparu, remplacé par le désespoir et la colère. Combien de temps encore l'humanité pouvait-elle survivre ?

Lester ferma les yeux, demanda à l'ordinateur domestique de fermer les stores et de lui préparer quelque chose à manger. Il se dirigea vers son fauteuil, s'installa et fit signe à l'holo-écran de s'allumer. Il s'installa et assista à des scènes qui reflétaient le chaos de l'extérieur. Des émeutes en Chine. Des troupes et des citoyens se battant dans les rues, des corps s'empilant, du sang coulant sur le macadam. Une pandémie de violence, des citoyens ordinaires qui ne faisaient plus confiance à leur gouvernement, trop d'années d'oppression qui s'étaient soldées par une orgie de destruction et de mort.

Il fit un geste de la main et la chaîne changea. Des centaines de milliers de réfugiés suite aux inondations changeant la géographie physique de l'Inde qui se déplaçait de plus en plus vers l'ouest. Les guerres avaient tendance à forcer de telles migrations, désormais, c'était la nature. Ou, plus précisément, ce que l'humanité faisait à la nature. Les aveugles, les ignorants, qui enterraient leur tête, ne voulant pas faire face à la vérité. Il ferma les yeux un instant avant de finir son verre. "Changement", dit-il à voix haute.

L'écran clignota et les images de mort et de destruction

s'estompèrent, pour faire place à des variétés joyeuses. Une jeune fille aux cheveux blonds, aux lèvres énormes et aux yeux écarquillés, s'exprimait sur les dernières drogues de synthèse qui éliminaient l'anxiété et procuraient un immense sentiment de bien-être. « Une valeur sûre, à un prix réduit, alors achetez maintenant, pendant que l'offre est en cours. Jusqu'à lundi. »

Lester ferma les yeux et s'endormit avant que le robot domestique n'arrivât avec son repas...

Le téléphone était à plat dans la main de Bremen. Pendant un long moment, il ne bougea pas. Les sons distants des coups de feu pénétraient à peine ses pensées. La pièce, sombre et immobile. Petie qui dort.

Sa femme quelque part.

Il alla à la cuisine en traînant les pieds, ignorant les messages de l'ordinateur. Il parvint à trouver le café et en mit deux cuillerées dans une tasse.

"Tout ce dont vous avez besoin, Monsieur, ne sera pas un problème."

Bremen bougea à peine, fixant la femme de ménage qui flottait à moins d'un demi-mètre de lui. "Je vais le faire moi-même."

La femme de ménage fredonna et vacilla. "Tant que vous êtes sûr, Monsieur."

"Je suis plus que sûr."

La gouvernante s'éloigna en flottant. Bremen versa l'eau sur le café moulu dans la cafetière, appuya fermement sur le piston et attendit qu'il infuse. L'arôme du café frais envahit ses narines et lui fit se souvenir de moments plus heureux à la maison, bien des années auparavant. Ses parents. Brian, son frère, leur annonçant que chaque maison avait désormais la possibilité de posséder un robot qui cuisinait et nettoyait. Plus besoin de préparer les repas. Plus besoin de se soucier d'empiler les plats dans le lave-vaisselle.

Tout se faisait automatiquement, sans aucun souci. La vie serait plus simple, donnant à chacun plus de temps pour se détendre, profiter des moments ensemble, sans stress, heureux. La maman avait préparé un ultime café, refusant l'aide de la femme de chambre robotisée, en guise d'adieu aux vieilles méthodes.

Quelques jours plus tard, Brian fut battu à mort lors d'une attaque injustifiée alors qu'il rentrait du travail. Le père de Bremen était tombé malade et mourut deux semaines plus tard. Tout le monde disait qu'un cœur brisé avait causé sa mort. Bremen n'avait jamais cru à cette histoire et s'était engagé dans la police afin de rendre quelque chose à la communauté.

Donner en retour.

Il secoua la tête, abattu. S'il pouvait remonter le temps, changer les choses... Le service de police, dans lequel Bremen avait mis tant de foi, s'avéra menotté par la bureaucratie et la complaisance. Trop d'heures passées à remplir des rapports et des fiches d'objectifs au lieu de lutter contre le crime. Il était de plus en plus désabusé, sa motivation et son sens du devoir étaient érodés par un système gouvernemental qui ne se souciait tout simplement pas de lui. Tant que les riches et les puissants restaient en sécurité et protégés dans leurs enclaves surveillées, personne ne se souciait des citoyens ordinaires. Le monde gémissait sous les guerres, les réfugiés, la drogue, la pauvreté, la discorde. Bremen voyait absolument tout mais refusait d'accepter la réalité.

Il but son café et vérifia que Petie dormait. Il n'avait que dix ans et réussissait bien à l'école. Branché sur l'ordinateur central de l'éducation, sa chambre était une enclave, qu'il n'aurait jamais besoin de quitter. Bremen croisa les bras et s'appuya contre le battant de la porte et regarda son fils dormir. Bien à l'abri du danger, Petie menait une vie aussi sûre que possible. Aucun doute là-dessus. Les rues grouillaient de jeunes mécontents, ceux qui ne pouvaient pas s'offrir le luxe d'une éducation virtuelle. Échouants et échoués ; la masse de la société dans un monde devenu complètement fou.

Bremen ferma les yeux et pensa à ce que Miller avait dit avant de raccrocher son téléphone. Ses mots, prononcés presque en aparté, *'Je baise ta femme...'*. Tout prenait sens. Suzanne toujours dehors, sans explication, juste le regard de braise et la jupe courte. Il l'avait aperçue la première fois que c'était arrivé. Pas de culotte, son cul nu dépassant de sa petite robe. Scandaleux, mais tellement excitant. Bremen enfonça ses doigts dans les yeux. Elle avait un si beau cul, ferme, bien rebondi, bronzé. Mais où avait-il bien pu déraper ?

Le téléphone laser jaillit et Bremen revint à la réalité. Il ferma la porte de Petie, entra dans le salon, le visage de Wilson lui faisant face à travers le mur. Bremen ricana.

"Inspecteur Bremen. Je suis heureux de vous avoir trouvé chez vous. J'espère que je ne vous dérange pas."

Bremen savait qu'il allait devoir faire preuve de prudence, surtout après avoir écouté les paroles de Miller. Il haussa les épaules, "Pas du tout. Y a-t-il quelque chose qui ne va pas, Monsieur ?"

"Pas vraiment. J'ai réfléchi. Je ne suis pas sûr de ce que Miller vous a dit sur les problèmes que j'ai eus."

"Pas grand-chose, Monsieur. Pas en détail."

"Eh bien, les choses ont... évolué. J'ai besoin que vous fassiez quelque chose pour moi."

"*Moi* ? Faire quelque chose pour *vous* ?" gloussa-t-il. "Je pense qu'il serait préférable que vous vous adressiez au détective Miller, Monsieur. C'est mon supérieur."

"Oui, je comprends, mais vous m'êtes fortement recommandé."

Bremen eut l'envie de ricaner, ne croyant rien de tout cela, mais il s'efforça de garder l'incrédulité sur son visage. Il se leva et alla dans la cuisine se servir un autre café. L'image granuleuse de Wilson le suivit, s'installant en face de la hotte aspirante. "On arrête l'alcool, Bremen. C'est une bonne chose."

Bremen soupira, se demandant d'où Wilson tenait ses informations. "Je n'ai jamais bu d'alcool."

"Ah non, c'est vrai, bien sûr. Pas d'alcool, vous avez une habitude un peu plus ... *désagréable*."

Bremen jeta un œil à l'image holographique, tapotant instinctivement la poche de sa veste, sentant le contour rassurant de ses cigarettes. Comment ce putain de Wilson en savait-il autant ? Il entendit le petit ricanement, et regretta d'avoir baissé sa garde. Maudit Wilson, maudite soit son arrogance, son maudit sentiment de supériorité. Bremen s'essuya la bouche, posa la tasse de café sur une petite table et soupira. "Pourquoi ne me dites-vous pas ce que vous voulez ?"

"Je veux que vous parliez à Lester Steinmann."

"Steinmann ? Ce nom me dit quelque chose... Qui est-ce ?"

"Un scientifique. Très important. Il a travaillé avec mon père. Je veux que vous lui parliez, Bremen, parce qu'il sait des choses. Des choses qui pourraient nous aider tous."

"Pourquoi ne demandez-vous pas à Miller de lui parler ?" Bremen attendit, se demandant s'il n'était pas allé trop loin. Il remarqua que Wilson se mordillait la lèvre, réfléchissant à ce qu'il allait dire ensuite. Alors, Bremen lui donna une bouée de sauvetage. "Pourquoi vous ne lui parlez pas ?"

"Je l'ai déjà fait."

"Ah." Bremen entra dans le salon et s'installa sur le canapé. "Je crois que je sais comment vous fonctionnez, M. Wilson."

"Oh, vraiment ? Eclairez-moi, donc."

"Vos hommes de main ont dû extraire tout ce que ce Steinmann sait. Je ne suis pas dans le domaine de la torture, M. Frement. Il ne me révélera rien de plus."

"Non. Il y a des choses qu'il ne m'a pas dites, parce qu'on ne lui a pas posé les bonnes questions."

"Je vois. Et que pensez-vous que je puisse faire ?"

"Devenez son ami. Racontez-lui des histoires à dormir debout sur vos désillusions, votre famille qui s'effondre, votre vie, votre travail, moi." Bremen tourna son visage vers l'image et arqua un seul sourcil. " Dites ce que vous voulez, Bremen, mais gagnez sa confiance. J'ai besoin de vous pour recueillir ses secrets. Je sais que vous pouvez le faire ; vous êtes un détective qualifié."

Bremen nota le ton sarcastique, mais laissa faire. Wilson Frement n'était pas un homme à refuser, ni à défier. "Il faudrait d'abord que je sois libéré de mes fonctions. Je ne peux pas tout laisser tomber pour aller interroger n'importe quel vieux charlatan."

"J'en ai déjà parlé à votre chef, inspecteur Ricardt."

"Comment, nom de Dieu ?"

"Il vous donnera les détails demain, Bremen. Je veux que ce soit fait rapidement et sans incident. Pas de ... questions en suspens."

"Pourquoi n'avez-vous pas demandé à Miller ? Je croyais que c'était votre pote ?"

Y avait-il une légère perte de couleur sur le visage de Wilson ? Bremen se pencha en avant, attendant la réponse. Wilson mit un moment avant de retrouver son sang-froid. "Ricardt vous donnera les détails."

"Vous l'avez dit."

"Juste pour que vous sachiez."

"Je crois que je le sais."

Le mur devint blanc, le téléphone-laser venait de se déconnecter.

Le coup de fil de Miller avait été curieux, mais celui-ci... Les révélations sur Suzanne, c'était dur, mais pas si surprenant vu ses agissements ces derniers temps ; pas aussi surprenant que ce que Miller avait dit, comment il avait découvert un élément d'une importance vitale dans la maison du vieux Frement, et son emplacement. Maintenant, l'ordre qui lui avait été donné d'interroger ce personnage de Lester Steinmann. De quoi s'agissait-il ? Wilson savait-il ce que Miller avait découvert, son coup de fil à Bremen ? Est-ce que tout cela était un immense filet, lancé pour ramener le plus de poissons pourris possibles, avec Wilson embarquant tout le monde ?

Avant qu'il n'eût eu le temps de formuler une quelconque réponse, une explosion massive secoua l'ensemble de l'immeuble, faisant tomber des photographies du mur, des bibelots sur le sol. Les lumières clignotèrent, les ordinateurs s'éteignirent et Bremen se précipita dans la chambre de Petie. Son fils dormait profondément. Bremen se dirigea vers les fenêtres et réussit à ouvrir les volets. Il scruta la rue. Il aperçut un énorme panache de fumée grise s'élevant en spirale dans le ciel, mais ne put en déterminer l'emplacement. Les lumières clignotèrent et se rallumèrent, les ordinateurs reprenant vie. "Ouvre ces volets", ordonna-t-il au système de contrôle automatisé.

"Ce n'est pas conseillé, Monsieur. Il semble y avoir de la violence à l'extérieur. Il serait préférable de..."

"Ouvre juste ces putains de volets."

L'ordinateur acquiesca et Bremen fixa du regard la nuit. En bas, ils étaient comme des fourmis. Des foules, brandissant des armes de toutes formes et tailles, se déchaînant dans les rues. Les voitures étaient en feu et, au loin, les flammes léchaient les fenêtres des étages supérieurs d'un immeuble de bureaux du gouvernement que Bremen reconnut. Du ciel noir surgit un essaim de véhicules de patrouille, des pulsars traversant l'obscurité. Les gens mouraient alors qu'ils couraient.

Bremen se retourna et haleta.

Elle était entrée sans un bruit et se tenait là, bouche ouverte, respirant difficilement.

Suzanne était dans un sale état, les cheveux pendaient en longues mèches humides, ses yeux étaient cernés de noir, la sueur coulait sur son visage.

"Oh, putain."

Il alla vers elle sans réfléchir, la prit dans ses bras alors que son corps s'affaissait, toute sa force la quittant en un instant. Il la transporta, soutenant son poids, et la conduisit doucement jusqu'à la chambre principale et l'allongea sur le lit.

Ses bras étaient autour de son cou. Il essaya de se dégager. "S'il te plaît", a-t-elle dit, la voix minuscule et effrayée. "Ne pars pas."

Il s'allongea à côté d'elle, la résistance le quittant. Son chemisier était déchiré, la chair brune exposée. Des taches noires sur les manches et le col. Sa jupe courte remontée exposait ses longues jambes, minces, aux muscles ondulants. Sa peau brillait. Il sentit l'excitation brûler dans ses reins.

"Fais-le partir, Bremen", murmura-t-elle à l'oreille. Ses yeux restèrent fermés alors qu'il retirait son pantalon. Sa main se tendit et saisit sa dureté, le rapprocha et il glissa en elle, englouti par une chair douce et humide.

Elle gémit, lui haletant.

Cela ne dura pas longtemps. Et quand ce fut fini, ils dormirent.

LA VÉRITÉ FAIT MAL

WILSON RESTA LONGTEMPS ASSIS, LE VISAGE DANS SES MAINS. La nuit avait été longue, pleine de bruits et de violences. Ces séjours nocturnes dans les fosses de l'enfer devenaient plus fréquents et plus intenses. Il était persuadé que les récentes lois de son gouvernement allaient réprimer les dissidents et rendre les protestations moins probables. Des événements comme la nuit dernière mirent un terme à cet optimisme.

Et maintenant Lester Steinmann et ses révélations.

Souvent, quand il était jeune, il se tenait devant le miroir et se demandait pourquoi il ne portait pas les traits de son père. Il y voyait clairement sa mère, surtout autour des yeux. De son père, il ne voyait aucun signe partagé. Il ne réfléchit pas trop à la question jusqu'à ce qu'un ami lui fasse la remarque suivante : "*Tu as vraiment le physique de ta mère. Rien de ton père, Dieu merci*". Il s'était posé la question. Les années passèrent et cette réflexion s'estompa. Maintenant, elle ressurgit, mais avec un nouveau degré de vérité. Une vérité absolue.

Avery Frement n'était pas son père.

Les liens émotionnels avaient toujours été fragiles entre eux. Parfois inexistants. Aucun partage, aucun jeu de société. Jamais un baiser, ou une pression sur l'épaule. Pas de sentiment d'affection. Tout cela venait de sa mère. Avery était aussi froid et distant qu'un grain de sable dans la steppe.

"Monsieur ?"

Wilson leva les yeux. Gilbert était là. Il avait l'air épuisé, presque hagard. Wilson sentit un nœud se resserrer au plus profond de lui. "Oui?"

"C'est fini, Monsieur."

Wilson poussa un soupir. "Merci, mon Dieu."

"Mais nous avons un problème."

Wilson se figea. Son regard se durcit et s'enfonça dans celui de son garde du corps qui tremblait et détournait les yeux. "Dis-moi."

"Les papiers, Monsieur. Nous ne les avons pas récupérés."

Wilson retint sa respiration. "Il ne les avait pas sur lui ?" Gilbert secoua la tête. "Le coffre-fort ?"

"Vide."

Wilson resta un long moment le regard fixe, confus, l'indécision lui glaçant le cerveau.

"Je vais me débarrasser du corps, Monsieur."

Wilson ne l'entendit pas, l'esprit embrumé. Que faire ? Lester Steinmann, son seul espoir maintenant. Dieu merci, il avait employé Bremen…

IL AVAIT OUBLIÉ DE DIRE À L'ORDINATEUR DE FERMER LES VOLETS. Le soleil du matin percuta son visage. Il se redressa en sursaut. Suzanne était allongée à côté de lui, respirant de façon rythmée, toujours perdue dans son sommeil. Bremen se regarda et jura. Il était si faible. Cela le dégoûtait.

Petie était dans la cuisine en train de prendre son petit-déjeuner. La femme de chambre rôdait près de lui et versait déjà un café à Bremen.

Bremen rentra sa chemise, et se rappela mentalement de

prendre une douche plus tard. Laver le souvenir de la nuit. Comment ils avaient fait l'amour. *Fait l'amour*. Cette expression le fit sourire. Quelques élans. Elle s'était endormie avant même qu'il eut fini. *Fait l'amour...*

"Votre bureau a été prévenu, Monsieur. Je n'ai pas pu vous réveiller."

Bremen se dirigea vers le bar du petit déjeuner, ébouriffa les cheveux de Petie et prit une gorgée de café. Il était parfait. "Tu n'as pas pu me réveiller ?"

Des lumières colorées parcoururent la surface de la servante. "J'ai essayé trois fois, Monsieur. Comme je suis programmée. Une fois à sept heures quinze, à l'heure prévue..."

"Très bien", grogna Bremen. "Je ne veux pas d'un foutu discours de Gettysburg. Qu'a dit le secrétariat ?"

"Le commandant Ricardt veut vous voir dans son bureau dès que vous arrivez."

"Super." Il regarda Petie, qui était occupé avec une montagne de céréales. Un souvenir surgit à l'improviste. Lui-même. Assis à une table semblable à celle-ci, avec sa mère à ses côtés. Pas de robots domestiques à l'époque. Cinquante ans et plus.

"Je l'ai contacté, je lui ai dit que vous seriez bientôt là."

"Très aimable."

"Monsieur ?"

"Oublie ça. Va nettoyer la chambre."

"La maîtresse dort encore, Monsieur."

"Faites-le, c'est tout."

La bonne s'éloigna en flottant, des lumières virulentes jaillissant de la façade. Il l'avait bouleversée, si c'était possible. Des machines. Parfois, Bremen s'interrogeait à ce sujet. Des rumeurs circulaient qu'ils avaient développé un ordinateur de cinquième génération. Et si elle était déjà en train d'infiltrer les systèmes de contrôle, créant le genre de monde qu'on n'imagine que dans les cauchemars? Un monde où les machines contrôlent tout...

"Papa ?"

Bremen leva les yeux. Petie jouait avec les dernières cuillerées de céréales. "Tu ne devrais pas être à l'école ?"

"Papa, la nuit dernière. J'ai entendu des choses."

Bremen sentit son estomac se retourner complètement. La gorge serrée. "Ah bon ?"

"Oui. Des coups violents. Des cris. Des explosions."

Bremen ne put dissimuler son soulagement et gonfla ses joues. "Oh ça..."

"Quoi d'autre ?"

"Non, rien. Je suis désolé. Des explosions ?

"Oui." Petie repoussa son bol. "Pourquoi je ne vais jamais dehors ? Certains de mes camarades de classe m'ont dit que leurs parents les emmenaient parfois au bord de la mer."

"Au bord de la mer ? Bon sang, Petie, je ne sais même pas où se trouve le bord de mer."

"Tu n'y es jamais allé ?"

Bremen fit un flashback mais ne trouva pas grand-chose sur la mer. Il était un enfant de la ville, il n'avait jamais quitté la périphérie, pas même quand de telles choses étaient possibles. Avant la montée des gangs. Avant la mafia. "Non. Pas que je m'en souvienne."

"On a fait un truc à l'école. Le prof appelait ça des études sur l'environnement. Sur comment le monde a changé, est en train de changer. Comment ces choses étaient naturelles avant ; tu sais, c'était comme ça à cause de la nature, ça a changé tout seul. Mais maintenant, on la fait changer trop rapidement. Trop de gens, trop de pollution."

"On vous apprend tout ça à l'école ?"

"Ce n'était qu'un chapitre, papa. Rien d'important. J'ai pensé que tu pourrais savoir quelque chose à ce sujet."

Bremen secoua la tête. " On n'a jamais fait quelque chose comme ça à mon époque. "

"Mon professeur a dit ça aussi. Qu'à ton époque, on ne disait rien aux élèves. C'était le seul moyen de garder les gens calmes."

"Vraiment ?" Bremen passa une main sur son visage. Il avait besoin de cette douche. "Tout ce que je sais, c'est le changement, c'est arrivé d'un coup, une énorme surprise. Les masques, je suppose que c'est le premier indice que nous avons eu que quelque chose n'allait pas."

"Les masques, oui. C'est pour ça que tu ne me laisses pas sortir ? A cause de la pollution ?

"En partie. Mais aussi à cause de la violence. Ce que tu as entendu hier soir. C'est dangereux dehors, trop dangereux."

"Mais tu sors, toi."

"C'est mon travail."

"De protéger ?"

Bremen ne pu s'empêcher de sourire. "Oui. Pour protéger." Il se leva, ébouriffa à nouveau les cheveux de son fils. "Tu apprends beaucoup de choses à l'école. C'est bien. La seule façon de se sortir de ce pétrin, c'est l'éducation. Trouver un bon travail, assurer. Pas comme la populace d'en bas." Il fit un geste du pouce dans la direction générale de la fenêtre panoramique. "Perdus, sans espoir. En colère. Ils accusent tout le monde sauf eux-mêmes."

"Mais il n'y a pas de travail, papa. Même pas pour les gens instruits."

"Nous devons essayer de nous améliorer, Petie. On ne peut rien faire d'autre, pour être honnête. Il me reste quoi, encore 50 ans ? Soixante-dix si j'ai de la chance. Que feras-tu alors ?"

"Je n'en ai aucune idée, papa. Je ne suis qu'un enfant."

Bremen rit. "Oui, mais tu parles comme un adulte."

"Ben, je ne suis pas un adulte".

"Ouais. J'oublie parfois. L'apprentissage intrinsèque obligatoire te rend plus vieux que la normale."

"Je veux être un maître d'échecs virtuel. Ils gagnent bien leur vie, papa. Tu as déjà vu les finales du championnat ? C'est génial."

Bremen secoua la tête et se leva, prenant une dernière gorgée de café. "Dis à ton professeur de continuer à faire du bon travail. Je suis content de tes progrès, Petie."

"C'est un ordinateur, papa. Il n'en a rien à faire."

Bremen fronça les sourcils. "Ne sois pas cynique, Petie. Pas maintenant."

Il se dirigea vers la salle de douche, retirant sa chemise au passage. Il se sentait sale, ayant dormi toute la nuit tout habillé. Et il avait envie d'une cigarette. Quand le robot de la maison passa près de lui, il l'appela et lui demanda de s'assurer que son hovercar était prêt. Il n'était pas sûr que la violence eûtt atteint son appartement, mais quand il se souvint des vêtements sales de Suzanne, il se dit que c'était peut-être le cas. Le robot parcourut ses fichiers en ronronnant. "Il semble que votre intuition se soit avérée correcte une fois de plus, Monsieur. Votre hovercar est hors service. Le garage a été bombardé d'essence dans la nuit." Bremen soupira et retira le reste de ses vêtements.

La douche le revigora quelque peu. Alors qu'il s'habillait avec une chemise et un pantalon propres, il jeta un coup d'oeil à Suzanne. Son visage d'elfe semblait si paisible. Comme elle était différente quand elle dormait, tous les démons rangés à l'abri des regards. Quand elle était comme ça, il réalisa pourquoi il l'avait épousée. Cela n'avait rien à voir avec le fait qu'elle était enceinte, bien sûr. Les mères célibataires étaient désapprouvées par le gouvernement et cela lui aurait rendu la vie très difficile. Ils s'étaient donc mariés, le bébé né était mort quelques semaines plus tard. À peine le temps de lui donner un nom. James. Ils sont devenus proches à ce moment-là. Plus proches qu'à aucun autre moment. Comme il avait envie que ces jours revinrent, ce sentiment.

La façon dont son coeur aurait fait un bond à la simple pensée d'elle. La mort les avait réunis, maintenant la mort les séparait. La mort du monde.

Au moment où il était prêt, elle s'était réveillée. Elle était assise sur le lit, le visage enfoncé dans ses mains. "Mon Dieu, je me sens comme une merde."

Bremen s'assit sur le bord du lit, le regard perdu, se tordant les mains. "Écoute, à propos d'hier soir..."

"La nuit dernière ?" Elle relâcha ses mains, ses ongles faisant de petites traces blanches sur la peau tendue de ses joues. "Je ne me souviens de rien du tout, Bremen. J'étais complètement défoncée."

"Je vois." Il poussa un soupir de soulagement et se leva.

"Il s'est passé quelque chose ?"

"Non. Juste des problèmes dehors. Des voitures explosées, les conneries habituelles. Tu es rentrée tard, comme si tu avais été poussée dans une haie.

"Je ne me souviens de rien. Il y avait une fête, je m'en souviens bien, et un type... Mais..." Elle secoua la tête et bailla bruyamment. "Je suis crevée. Tu reviens quand ? Je prends ma journée."

"Tu as de la chance."

"Ne commence pas avec cette merde, Bremen. Tu reviens quand ?"

Il haussa les épaules. "Je ne sais pas. Le patron veut me voir."

Elle pâlit à la mention de ce mot. "*Le patron* ? Tu veux dire Miller ?"

Son nom lui rappela la conversation téléphonique. Bremen se mordit la lèvre. "Non. Ricardt. Je ne sais pas où est Miller."

Elle acquiesça puis elle reposa sa tête contre l'oreiller.

"Petie doit être dans sa chambre, en train d'étudier. Veux-tu que je demande à la servante de te faire du café ?"

Elle ne répondit pas. Elle était déjà endormie.

Bremen la laissa ainsi et sortit de l'appartement sans ajouter un mot.

Les ordres étaient donnés.

Bremen appela un véhicule d'urgence de la réserve de la police. Il l'attendit dehors, fumant sa première cigarette de la journée. Les vestiges des désordres de la nuit dernière étaient partout. Verre brisé, portes cassées, traces d'explosion sur la route, fumée s'échappant d'une centaine d'incendies. Il ne se souvenait pas de la dernière fois où la violence avait été si proche de sa propre maison. Il devrait peut-être partir, quitter la ville. C'était un souhait sincère. Il jeta sa cigarette alors que l'hovercar s'approchait en sifflant et grimpa à l'intérieur. L'ordinateur de bord le salua, d'une voix douce et mélodieuse, bien plus enfumée et sexy que celle de son propre véhicule. Il s'assit et l'informa de la destination.

Le trajet jusqu'au quartier général de la police était inhabituellement calme. La banlieue était vide de toute personne en mouvement. Tout au long des rues, parmi les tas d'ordures non ramassées, des cadavres gisaient affalés dans des attitudes impossibles tandis que les rats rongeaient la chair blanche et putride. Bremen fut reconnaissant que sa voiture vole au-dessus du niveau de la rue ; la puanteur devait être accablante. Il s'arrêta sur le parking de la police, brancha le chargeur de la voiture et sortit. Ses pas résonnèrent dans l'immensité du terrain vide et immobile. Son véhicule était le seul. Il s'interrogea sur ce point. En entrant dans le bâtiment, il s'interrogea à nouveau.

Les couloirs et les bureaux étaient vides. Les postes de travail abandonnés. Le seul son était le bourdonnement du plafonnier, le ronronnement des ordinateurs, invisibles, qui enregistraient tout.

Non pas qu'il y eut beaucoup à enregistrer.

Bremen longea le couloir jusqu'à ce qu'il arrivât au bureau de Ricardt. Le commandant des forces de police de la ville était affalé sur son bureau, une cigarette éteinte jusqu'au bout dans un cendrier. Preuve que l'homme était endormi depuis un moment. Si, en effet, il était endormi. Bremen toussa, mais comme aucun mouvement ne suivit de la masse gonflée du corps de son chef, il s'approcha et toucha Ricardt au bras.

Le commandant en chef se réveilla d'un coup, les yeux écarquillés, les bras levés. Il sursauta "C'est quoi ce bordel ! Bremen ?"

"Vous vouliez me voir."

Le visage du chef était inondé de sueur. Il apparaissait comme un animal effrayé, surpris par les projecteurs. Ses yeux se posèrent sur sa cigarette éteinte. Bremen lui offrit la sienne, s'assit de l'autre côté du bureau et s'alluma une cigarette, sa deuxième de la journée. Il se surprenait souvent à retarder cette première cigarette, sachant qu'une seule conduirait inévitablement à une autre, puis à une autre. Eh bien, il avait dépassé ce stade, maintenant. Il regarda Ricardt à travers la traînée de fumée et attendit.

Ricardt s'adossa à sa chaise, les yeux fermés, respirant profondément. "Une sacrée nuit, Bremen. Où étais-tu, putain ?"

" Je me suis fait enculer, Monsieur. "

"C'est bien ça ? Avec qui, toi ?"

"Ma femme, pour être exact."

"Ca doit être une première."

"J'ai un fils, Monsieur. Donc, ça fait au moins deux fois."

Ricardt se força à ouvrir les yeux. "C'est bien que tu puisses en plaisanter, Bremen. Ça montre à quel point ta femme est libre et facile."

"Si vous le dites, Monsieur."

"Je le dis. Tout le monde le sait, Bremen. Tu es ce que l'on appelle un cocu, Bremen. Et tout le monde se moque de toi."

"Je n'entends personne rire. En fait, en ce moment, je ne vois même personne."

"Tu es un bâtard sans coeur, Bremen. Comment se fait-il que

Wilson Frement se soit pris d'affection pour toi ? C'est peut-être lui que tu baises ?"

"Qui sait ? Peut-être que c'est vous, puisque vous semblez tout savoir sur ma vie privée."

"Pour qui tu te prends, à me parler comme ça, espèce de merde."

"Mais c'est normal que vous me parliez comme vous le faites ?" Bremen secoua la tête et souffla un jet de fumée. La rareté du tabac l'ébranla et il se pencha pour le jeter dans le cendrier, puis, d'un seul geste fluide et continu, il se servit dans le carton ouvert à côté de Ricardt. Ricardt resta bouche bée devant son audace. "Je vais t'écorcher les couilles si tu ne fais pas attention."

Bremen sourit, tira largement sur sa cigarette et acquiesça. "C'est lui qui vous a parlé, non ? C'est lui qui vous a ordonné de me parler de son plan ?"

Ricardt bougea sur son siège, grimaçant. Bremen aimait le voir se tortiller.

"Si j'étais vous, Monsieur, j'arrêterais de faire le malin et je me dirais ce qu'il veut que je fasse, bordel."

La couleur monta aux joues de Ricardt qui sembla lutter quelques instants contre sa propre maîtrise de soi. Il écrasa sa cigarette avec colère. "Je te pendrai quand ce sera fini."

"Oui, mais en attendant, vous n'êtes que le coursier. Alors donnez-moi le message, et arrêtez avec toutes ces conneries."

"Bâtard arrogant."

"C'est un bâtard arrogant protégé. Monsieur."

Ricardt se leva, tirant sa veste sur sa bedaine. Il fut un temps où Ricardt aurait pu jouer le rôle d'un homme de poids, mais les années avaient pris le dessus. Les excès d'alcools et de cigarettes, les montées de stress anéantirent tous ses efforts. Aujourd'hui, il n'était plus qu'une loque et Bremen doutait qu'il parvînt à terminer l'année. Quel âge avait-il maintenant, au début de ses soixante-dix ans ? Il devrait avoir encore cinquante ans devant lui, étant donné les progrès de la médecine qui remplaçait les organes usés et remplissait les corps de produits chimiques qui s'écoulaient dans l'intestin comme l'eau de cale d'une carcasse pourrie. Quelle vie.

"M. Frement veut que tu ailles interviewer un homme appelé Lester Steinmann. Tu dois devenir le confident de cet homme, lui faire croire que tu es de son côté, qu'il peut te faire confiance."

"Il m'a dit à peu près la même chose."

"Ouais. Eh bien, il y a eu des évolutions. Il semble que Steinmann ait dit certaines choses à M. Frement, mais pas assez. M. Frement pense que si on lui met encore la pression, il se taira complètement. Tu dois te renseigner sur certains papiers. Des trucs techniques. Ce que ça veut dire.

"Vous ne savez pas ?"

"Moi ? Comment le saurais-je, Bremen ? Je suis dans la désobéissance civile jusqu'aux yeux ! Où diable pensez-vous que tout le monde est, en ce moment ?"

"Je n'en ai aucune idée, Monsieur. Peut-être pourriez-vous me le dire."

"Tout est parti en fumée. Tout. La mafia est sortie hier soir, tuant tous ceux qui se trouvaient sur leur chemin. Ils ont fait exploser des immeubles de bureaux, des véhicules, tout. Et ça continue. Nous les avons chassés de la ville, maintenant ils sont à la périphérie. Ils sont des milliers, Bremen. Plus de gens que vous n'en avez jamais vu, armés jusqu'aux dents, en colère comme le diable. Et tous les officiers de patrouille disponibles sont dehors, risquant leur vie pour protéger les gens comme toi."

"Des gens comme moi ?"

"Oui. Comme toi. Des sangsues sans cervelle et inutiles. Je te déteste, Bremen. Tu es un flic inutile, tu l'as toujours été. Si ça ne tenait qu'à moi, tu aurais été privé de ton badge il y a des années. Qu'est-ce que tu fais ici, en fait ?"

"La plupart du temps ?" Bremen haussa les épaules. "Donner

les avis d'expulsion. Faire le ménage dans les maisons. S'assurer que les ordures sont évacuées. Les trucs habituels d'expansion de l'esprit. Ça me rend heureux d'être en vie, Monsieur. La satisfaction du travail."

"Tu es un crétin, Bremen, tu le sais ? Un crétin inutile. Tu as raté tes objectifs depuis six mois, peut-être plus. Ton salaire ne vaut rien."

"J'ai résolu l'affaire Avery Frement."

"C'est vrai ? Alors pourquoi tournais-tu autour de Mark Stowell pour lui poser des questions ?"

Bremen tressaillit. " Moi ? "

"Tu le sais très bien ! Les rapports me reviennent, Bremen. Je suis peut-être fatigué, mais pas moribond. Tu lui as posé des questions. C'est pour ça que M. Frement veut que tu lui en poses d'autres ? Tu es sur une piste, Bremen ? Un gros coup ?

"Je n'en sais rien. Peut-être. Je ne sais pas. Miller semblait se poser le même genre de questions."

"Miller ? C'est un vaurien, pire que toi, Bremen. Mais au moins, il a un *cerveau*."

"Bon," Bremen éteignit sa cigarette. "Je n'ai aucune idée du lien entre tout ça, mais je vais vous dire une chose, commandant Ricardt : M. Wilson Frement est au courant. Et ce qu'il ne sait pas, il le découvrira. C'est pour ça qu'il me veut sur cette affaire. Aucune autre raison."

"Et la raison pour laquelle vous posiez des questions ?"

"Par curiosité. Tout était trop parfait. La mort d'Avery Frement. Ces deux idiots qui se sont introduits chez lui, ils cherchaient ces papiers. C'est évident."

"Ils ont dit que c'était des titres."

"Oui. Ce devait être leur paiement. Mais Wilson Frement voulait les papiers."

"Frement" ? Vous pensez que c'est lui qui les a envoyés ?", Bremen haussa les épaules. "Eh bien, c'est à toi de t'en assurer.

Ils t'ont dit dans leurs aveux que c'est ce Lester Steinmann qui les a payés pour se rendre au domicile."

"Oui, ça pourrait bien être vrai. Je pense qu'il voulait les papiers, pour les cacher à Wilson. Ils doivent être très importants, quoiqu'ils contiennent."

"Je ne pense pas que le gouvernement puisse s'impliquer dans un meurtre, Bremen."

Bremen fit un sourire en coin. "Eh bien, vous croyez ce que vous voulez, moi pas."

Ricardt secoua la tête. "Tu devrais t'en tenir aux activités ménagères, Bremen. Tu dois rester au fond de la cuvette, parce que c'est là que se trouve ta cervelle."

"Et c'est là que vous avez tort, Commandant Ricardt, Monsieur." Bremen se leva. "C'est étrange, n'est-ce pas, que dès que je me mets à poser des questions, tout ça... se *produit*. Les émeutes, les officiers droïdes qui me suivent..." Il soutint le regard de Ricardt.

"Tu ne crois pas sérieusement que Wilson Frement est derrière tout ça ? Si c'est le cas, tu es fou, et tu es aussi un homme mort."

"Je crois que notre M. Frement sait ce qui se passe, qu'il l'a toujours su. Mais maintenant, les papiers ont disparu, et il les veut. Ils sont la clé de tout ça."

"Comment diable sais-tu ça ?"

Bremen haussa les épaules. "Hé, comment le saurais-je ? Vous l'avez dit vous-même, je suis inutile. Une sangsue sans esprit, inutile. Qu'est-ce que j'en sais ?"

Ricardt fulmina. Il se frotta le visage, ses grosses bajoues vibrant. "Tiens-moi au courant, Bremen. A chaque étape, tu comprends. Va chez Steinmann, l'itinéraire est déjà programmé dans ton véhicule. Tu y rencontreras le sergent Cerys Hamon. Elle sera votre co-équipière sur cette affaire."

"Je ne pense pas la connaître."

"Elle vient d'être mutée de North Central. Elle est brillante, jeune et enthousiaste, Bremen. Je ne veux pas que tu la salisses avec toutes tes conneries fatigantes et désabusées, tu comprends ? Demande juste ce dont tu as besoin à Steinmann, puis fais un rapport à M. Frement. Après, nous parlerons de ta prochaine mission."

"Et les émeutes ?"

"Les émeutes sont le début d'une guerre civile, Bremen. Ce n'est pas le genre d'émeutes habituelles, crois-moi. Rien à voir avec la faim, ça c'est sûr. Je pense que c'est plutôt une question de religion. Nous demandons des troupes de la zone de défense de l'Est."

"C'est dangereux, non, de laisser nos frontières sans protection ?"

"Ouais, et bien, ces putains de Chinois sont plongés jusqu'au cou dans leur propre effondrement social. Ils ne vont pas faire défiler leur armée à travers l'Europe de sitôt. Les médias disent que les forces rebelles sont sur le point de prendre Pékin. Le monde entier s'écroule autour de nous, Bremen. Tu ferais mieux de t'habituer à ce fait."

Les pensées de Bremen se tournèrent alors aussitôt vers Petie. Dans quel genre de monde vivait-il, un monde où tout ce qui était sain et bon était en train de sombrer sous une vague de corruption, de vice et de dégradation de l'environnement. Pourquoi l'avait-il embarqué dans un tel monde ? "C'est très inquiétant, n'est-ce pas ?"

"Que pouvons-nous faire, Bremen ? Nous retirer sur Mars ? Ils ont balancé tous les fonds pour cette aventure dans les toilettes. Il n'y a aucune solution à tout ça, Bremen, mis à part rester à l'intérieur, respirer de l'air pur et climatisé, et laisser le reste du monde flotter sur une rivière de merde."

"Belle philosophie."

"Tu en as une meilleure ?"

"Pas vraiment."

"Alors sors de mon bureau et va chez Steinmann. M. Frement veut des résultats, et il les veut rapidement."

"Et ce que M. Frement veut, il l'obtient. Pas vrai ?"

"Tu as *foutrement* raison, Bremen."

"J'aurai probablement raison." Ricardt fit une grimace. " Foutu, je veux dire. "

"Nous sommes tous foutus, Bremen. Et c'est la vérité." Ricardt ramassa le paquet de cigarettes, vit qu'il était vide et le jeta dans une poubelle voisine. Il jura. Bremen déposa très soigneusement une autre de ses cigarettes sur le bureau de son chef et partit.

NOUVELLE COÉQUIPIÈRE, NOUVEAUX DÉVELOPPEMENTS

ELLE ÉTAIT PLUTÔT PETITE, LES CHEVEUX NOIRS, SES VÊTEMENTS À la mode sans être envahissants. Une femme dévouée, professionnelle. Séduisante, mais un peu distante. Ses yeux, d'un bleu perçant, l'observèrent lorsqu'il sortit de sa voiture et s'approcha d'elle. Il lui sourit. Elle ne lui rendit pas la pareille.

"Vous êtes sûrement Hamon."

"Vous êtes sûrement Bremen."

Elle lui serra la main. Une main douce et ferme. Douce, mais sa poigne était forte. Bremen leva les yeux vers la maison. Celle-ci était imposante, située à l'écart des rues principales. Il venait de franchir une entrée gardée. Les vigiles, lourdement armés, le laissèrent passer. Il était attendu.

"Belle maison. M. Frement sait vraiment comment vivre la belle vie."

Elle se détourna, "Faisons le travail, Bremen. On n'a pas le temps pour les subtilités."

Ils trouvèrent Steinmann dans sa bibliothèque. Elle était meublée dans le style du vingtième siècle, avec de grandes tables en pin jonchées de papiers, d'ordinateurs silencieux, des chaises à dossier en plastique et d'étagères le long de chaque mur, emplies de tracts anciens. Bremen, qui n'avait pas vu beaucoup de livres dans sa vie, contemplait les rangées de volumes reliés en cuir tandis que Hamon se dirigea vers le vieil homme et s'assit à côté de lui dans un grand canapé en similicuir.

Bremen, jetant un coup d'œil aux étagères supérieures, demanda : "Vous avez déjà lu tous ces livres, M. Steinmann ?"

Steinmann rit. "Bien sûr. Ça ne sert à rien d'avoir des livres si on ne les lit pas."

Bremen se retourna et regarda le vieil homme en face. "C'est votre maison ?" Steinmann acquiesça de la tête. "Je pensais que c'était celle de M. Frement."

"Wilson ou Avery ?"

Bremen haussa les épaules. "Est-ce que ça a de l'importance ?"

"Eh bien, non. Elle est à moi, même si je n'en ai plus l'impression, surtout avec les gardes et tout."

Hamon tapait du pied avec impatience. Il semblait que Wilson avait déjà donné ses instructions et elle était impatiente d'en finir avec tout ça. Le travail devait être fait, et rapidement. Gagner la confiance de l'homme. Mais comment le faire et accélérer le processus, voilà le problème. Bremen posa son regard sur elle. "Pouvez-vous nous excuser ?"

Hamon tourna son regard vers son nouveau partenaire. "Qu'est-ce que vous avez dit ?"

"J'ai dit, pouvez-vous nous excuser ? J'ai besoin de parler à M. Steinmann seul."

Il soutint ses yeux. Des yeux en colère. Elle n'aimait pas qu'on lui dise ce qu'elle devait faire.

"S'il vous plaît ?"

Elle se leva, rabaissa le devant de sa jupe. "Je serai dehors." En se rapprochant de lui, elle s'arrêta. "Ne soyez pas long."

Il la suivit des yeux, observant le galbe de ses fesses qui se frottaient contre le tissu de ses vêtements. "Jolie fille."

La porte se referma derrière elle et Bremen sourit, sortant ses cigarettes. "Ça vous dérange si je fume ?"

Steinmann plongea la main dans un des tiroirs de son bureau et en sortit un cendrier. Il le posa sur le bureau. "J'avais l'habitude de fumer des cigares, avant qu'ils ne soient interdits. Où trouvez-vous les vôtres ?"

"Des contacts. " Bremen s'approcha, alluma sa cigarette et prit place sur l'une des chaises en plastique. "Wilson m'a envoyé."

"Je sais. Je lui ai dit tout ce que je savais."

"Wilson est un fumier", dit Bremen. Steinmann sembla surpris, il jeta un coup d'œil dans la pièce.

"Vous devriez être prudent, dire des choses pareilles. Les murs ont des oreilles."

"J'ai déjà entendu cette expression." Bremen rejeta de la fumée par la bouche. " Ça a un rapport avec une guerre. Une guerre ancestrale. *Ne le répète pas à Maman, elle n'est pas si abattue.*"

"Je suis impressionné. Un étudiant en histoire. C'est rare pour un policier, rare pour n'importe qui de nos jours. Comment avez-vous dit que vous vous appeliez ?"

"Bremen. " Il détourna les yeux. "J'en ai rien à foutre que Wilson puisse nous entendre ou pas. Mais je ne pense pas qu'il le puisse. Sinon, je ne serais pas ici."

"Pourquoi êtes-vous ici, M. Bremen ? Vous n'avez pas l'air d'un drone comme les autres."

"Je ne suis ni un drone, ni un droïde, ni rien d'autre, M. Steinmann, je peux vous l'assurer. Je suis en chair et en os. Un flic proche de la retraite et ils m'ont donné ce travail parce qu'ils croient que je suis nul dans ce que je fais."

"Vraiment ?" Steinmann se rassit, croisant une jambe sur l'autre. "J'aime votre attitude, M. Bremen. C'est plutôt agréable. Êtes-vous un homme de famille ?"

"J'ai une femme et un fils. Il travaille bien à l'école, et nous avons de beaux projets."

"Ça aussi c'est rare... Le projet. "

"Pourquoi avez-vous tué Avery Frement ?"

La question de Bremen le prit par surprise et pendant un instant, Steinmann perdit son air détendu. "Je ne l'ai pas tué. C'était un accident."

"Mais vous avez envoyé ces deux voyous pour aller le malmener. Pour l'effrayer. Vous deviez vous douter que quelque chose pouvait mal tourner."

"Peut-être, mais je n'ai jamais pensé qu'il finirait mort."

"Vous travailliez ensemble. Vous étiez amis. Puis il y a eu un problème, un problème qui vous a poussé à vous retourner contre lui, vous laissant rempli de haine."

"Tout ceci est très fastidieux - Wilson sait tout cela, M. Bremen. Pas besoin de revenir dessus."

"J'ai téléchargé les fichiers sur le chemin. J'ai visionné ce que Wilson et son gorille t'ont fait." Il s'arrêta quand Steinmann devint blême en repensant à ce souvenir. Il se retourna sur son siège et jeta un coup d'oeil au mur du fond. Il se leva, se dirigea vers l'ensemble de bouteilles et de carafes dans un meuble vitré, choisit un brandy, en versa deux mesures. Il les ramena, en posa une devant le vieil homme et prit une gorgée avant de s'asseoir à nouveau. "C'est bon. Français ?"

"Hennessy. Très vieux." Steinmann huma l'arôme, fit tourner la boisson dans la coupe en verre. "Ils ne produisent plus ce genre de choses. Une fois qu'il n'y en aura plus..." Il but un verre, se lécha les lèvres et fixa le fond du verre. "Beaucoup de choses arrivent à leur fin, M. Bremen."

"La violence a éclaté dans toute la ville. Des milliers de mafieux, dans les rues. Se confrontant à la police. L'armée entre en action, pour renforcer le combat. Je pense que c'est le début d'une guerre civile."

"Cela vous effraie ?"

"Ça m'inquiète, M. Steinmann. Ça me fait penser à ce qui va arriver. Surtout à mon fils."

Les yeux de Steinmann devinrent vitreux, comme s'il songeait au passé. "J'avais l'habitude de penser qu'il y avait un avenir, que tout serait comme avant. C'est étrange. Se réjouir d'un temps où les choses seraient comme elles étaient. Pas un désir d'avenir, mais un besoin du passé. Vous comprenez ce que je veux dire, M. Bremen ?"

"Le bon vieux temps ?" Il prit un verre. "Je crois que je comprends. Nous regardons tous en arrière. Le bon vieux temps, quand tout était bon, propre et sûr. Quand on pouvait aller à la campagne, étendre une couverture, manger des sandwichs, regarder le ciel bleu. Peut-être pêcher dans une rivière."

"Vous l'avez fait ?"

"Une fois. Il y a de nombreuses années, avec mon père. Je devais avoir une dizaine d'années. Je me souviens de joncs, d'un martin-pêcheur qui nous regardait de l'autre côté du champ où nous étions assis. Des demoiselles jouant à la surface de l'eau." Il prit une bouffée de sa cigarette. "Mon père en savait beaucoup sur la nature. Il pouvait nommer tous les oiseaux, les insectes, les plantes. Je l'enviais, j'ai essayé d'en apprendre autant que lui. Cela s'est avéré impossible à la fin."

"Il est mort, maintenant ?"

"Mon frère a perdu la vie lors des premières émeutes de désobéissance civile dans les années 20. Il rentrait du travail quand ça a commencé. Ils l'ont vu dans son costume, pensant qu'il était économiste. Alors ils l'ont traîné sur la place, l'ont tabassé et l'ont pendu à un lampadaire. Quand mon père a appris la nouvelle, il a capitulé. Je me souviens l'avoir regardé, s'effondrant de l'intérieur. Il est mort quelques semaines plus tard. "Il éteignit sa cigarette, le souvenir lui tiraillant le cœur, la main tremblante.

"Mais votre frère, il n'était pas économiste ?"

"Non. Il était assistant social. Il essayait chaque jour, du mieux qu'il pouvait, de trouver des logements pour les pauvres.

Il rentrait à la maison, épuisé, et ma mère lui faisait couler son bain. Il s'allongeait dans ce bain pendant une heure ou plus tous les soirs, pour enlever la merde qui le collait comme une seconde peau. Mon père lui était dévoué. Il était dévoué à nous deux. Mais moi, je suppose qu'il me voyait comme une brebis galeuse. Je n'ai jamais été aussi intelligent que Brian, vous voyez."

"Vous étiez jaloux ? "

"De Brian ? Non. Je l'aimais. Je l'idolâtrais."

"Je parlais de l'amour de votre père pour lui ?"

"Non. Pas vraiment. Je n'y ai jamais vraiment pensé. En fait, j'y pense plus maintenant. C'est étrange, n'est-ce pas ? Comme vous. Le passé. Il semble plus important maintenant. Maintenant que tout s'écroule."

Un silence s'installa entre eux. Bremen considéra son verre, n'ayant conscience de rien d'autre que des images d'une époque où la vie était plus simple et pourtant, de façon inquiétante, tout aussi dangereuse. Y a-t-il jamais eu une époque où la vie n'était pas aussi dangereuse, se demande-t-il. "Quand je suis allé à l'école pour la première fois, je me souviens d'une assemblée et du directeur qui nous a dit que dorénavant, nous n'étions plus autorisés à sortir pendant la pause. On nous a distribué des masques, des lunettes noires et des casquettes avec des rabats au niveau du cou. Le mien était bleu. Je m'en souviens encore. Bleu ciel, disait-on."

"Je pense que c'était vers 2045 que les premiers ordres ont été donnés."

"C'était il y a longtemps."

"Oui. Beaucoup de choses se sont passées depuis. Nous avons perdu de vue notre objectif, plus préoccupés par les menaces des fanatiques religieux, les guerres, la famine et la soif que par le véritable danger."

"La destruction de notre environnement."

"Oui. Mais vous avez réussi à survivre, pas vrai, M. Bremen ?" Bremen esquissa un sourire. "Vous êtes devenu policier."

"Pour mes péchés." Bremen inspecta le brandy, le levant pour contempler le liquide ambré, observant la façon dont la lumière jouait avec ses profondeurs. "Je pensais que peut-être je pourrais faire la différence. Tout comme mon père le faisait. Maintenant, je n'en suis plus si sûr."

"Alors, ils vous ont pendu aussi ? Métaphoriquement."

"Ils essaient." Bremen sourit, vida son verre, ferma les yeux tandis que l'eau-de-vie coulait au fond de son estomac où elle se déposait, le réchauffant. "Les gens comme Wilson, ils croient que tout est bien ficelé. Contrôlé. Mais quand un phénomène vient menacer ce contrôle, ils se désagrègent. En apparence, toujours calmes, détendus. Ensuite, il suffit d'une petite embrouille pour qu'ils entrent dans une colère noire. Ils prennent des décisions hâtives, irréfléchies, nées de la peur et de la panique. Puis ils regrettent."

"Je ne crois pas que Wilson regrette quoi que ce soit. Pas maintenant. Un jour peut-être, mais pas maintenant."

"Oui, vous avez peut-être raison." Bremen ouvrit les yeux et sourit. "Pourquoi avez-vous demandé à ces hommes de se rendre chez Avery Frement au milieu de la nuit ? Pourquoi à ce moment-là, après si longtemps ? Pourquoi n'avez-vous pas pris les papiers dès que vous en aviez la possibilité ?"

"Vous en savez long, M. Bremen ?"

"Je vous l'ai dit, je suis policier."

"Oui, mais vous avez aussi dit que vous étiez nul dans ce que vous faites."

Bremen sourit. "Non, j'ai dit qu'ils pensent que je suis nul dans ce que je fais. Comme la plupart des gens, je joue un petit jeu, M. Steinmann. Ça me permet d'éviter les ennuis."

"Jusqu'à aujourd'hui."

"Jusqu'à aujourd'hui. Donc, si la mort d'Avery était un accident, et que vous ne vouliez que les papiers, pourquoi ne pas lui avoir demandé ? Pourquoi envoyer ces deux idiots faire le sale boulot pour vous ?"

"Il ne m'aurait jamais rien donné, certainement pas les papiers."

"Alors, je vous le redemande. Pourquoi maintenant, M. Steinmann ?"

"Avery". Il voulait garder le contrôle. Tout comme son fils. Ils sont dans le même moule."

"Mais Wilson n'est pas le fils d'Avery."

Une fois de plus, le silence s'abattit sur eux et pendant un instant, il sembla que même la lumière du soleil qui se répandait par les grandes baies vitrées ne pouvait pénétrer cette soudaine humeur noire.

"Mais il lui a appris tout ce qu'il savait."

"Oui. Oui, je suppose."

"Je suis en train de mourir."

Bremen se redressa, comme si quelque chose d'invisible le saisissait, lui serrant la poitrine. "Je vous demande pardon ?"

"C'est pourquoi, M. Bremen, pour répondre à votre question. Pourquoi maintenant. Nous pensons tous que nous pouvons vivre éternellement, et beaucoup d'entre nous le peuvent. Quand mon cœur a commencé à faiblir sérieusement, les médecins m'ont réservé le traitement habituel, une transplantation ou un traitement mécanique. Ils m'ont dit que je pourrais vivre encore cinquante ans, peut-être plus. Mais j'ai changé d'avis. J'ai rejeté les traitements, la procédure. Je suis fatigué de vivre une existence sans but. Il me reste peut-être trois mois, tout au plus."

Bremen relâcha sa mâchoire. Il n'avait jamais entendu parler d'une telle chose. Quelqu'un qui meurt, à cause d'un arrêt cardiaque ?

"Peut-être que c'est la proximité de ma perte, M. Bremen, qui m'a fait réévaluer toute ma vie. Les affaires que j'ai menées, les affaires qu'Avery et moi avions planifiées. Je ne veux plus faire partie de tout ça, plus maintenant. Nous sommes ce que nous sommes, et nous avons détruit tout ce qui était bon dans ce monde. Nous devrions vivre avec les conséquences. Le monde serait meilleur sans les êtres humains, M. Bremen. Bien sûr, certains d'entre nous font du mieux qu'ils peuvent, ceux d'entre nous qui se soucient encore. Mais ils mènent une bataille perdue d'avance, et les grandes entreprises gagneront. Elles gagneront toujours. Alors..." Il sourit. Bremen le vit alors, comme si c'était la première fois, un vieil homme triste et ridé, regardant dans le bol de cristal d'un avenir sinistre et sombre. Plus sombre encore que le présent, si toutefois c'était encore possible. "Et j'ai commis des erreurs, M. Bremen, des erreurs dont j'ai honte. Des choses horribles."

De nulle part, une horloge sonna l'heure. Une vieille horloge dans une vieille maison, prise dans une époque où la vie était plus simple, où les individus travaillaient pour un avenir meilleur, plus propre, plus brillant - un avenir qui était bon. Plus maintenant. Le monde mourait, la population augmentait de façon effrayante. La société était déjà en plein chaos, les pays de l'Est étaient dévastés, déchirés par les conflits et les catastrophes environnementales. L'horloge sonnait le glas de la race humaine.

Bremen frissonna, sortit une autre cigarette et l'alluma. "Mais vous aviez un plan, non ? Avec Avery Frement. Pour tout renverser ? Vous aviez mené des expériences, des expériences réussies."

"Oui, c'est vrai. Mais ce qu'Avery envisageait, c'était un cauchemar, M. Bremen. Au début, j'étais d'accord avec lui. Je n'avais pas le choix. Il avait ma femme, mon fils. Je n'étais pas en mesure de m'opposer à lui."

"Alors, c'était quoi, il assurait le financement et vous, vous apportiez votre expertise ?"

"Quelque chose dans ce genre."

"Alors pourquoi n'est-il pas allé de l'avant ? Pourquoi ces plans n'ont-ils jamais été mis en oeuvre ?"

"Parce que j'ai repris ma femme, M. Bremen. J'ai retourné la situation contre lui et il a dû arrêter."

Bremen sourcilla. "Vous avez repris votre femme ? Je ne comprends pas. Pourquoi reviendrait-elle vers vous, pourquoi même la reprendriez-vous ?"

"Le cœur humain est une chose étrange, M. Bremen, même au vingt-deuxième siècle. Je l'aimais, et elle m'aimait. Avery lui a fourni tout ce dont elle avait besoin, sauf une relation émotionnelle. Il n'y avait pas d'amour entre eux, vous voyez. Elle était un trophée, rien de plus. J'aurais voulu que Wilson revienne avec nous aussi, mais Avery l'a gardé, comme objet de troc, je suppose.

Nous avons passé un accord, un accord très simple. Toute production devait cesser. Ma femme me reviendrait et il garderait Wilson. Nous avons tous les deux consenti, malgré la douleur, et Avery a rangé les plans, les idées, et les a enfermés. Nous n'en avons plus jamais parlé."

"Et où est votre femme maintenant, M. Steinmann ? Cette femme que vous aimez ? Comment se retrouve-t-elle encore dans tout ça ?"

"Vous aimeriez la rencontrer ?"

"Beaucoup."

"Alors, c'est d'accord. Revenez dans quelques jours, Monsieur Bremen et si vous êtes celui que je crois être, un homme perdu dans un monde obscur, luttant pour trouver la lumière, j'essaierai de vous éclairer."

DEHORS, HAMON ÉTAIT APPUYÉ CONTRE LA VOITURE, LES BRAS croisés, l'air furieux.

"Je pensais que nous étions censés être partenaires."

Bremen se rapprocha d'elle et regarda en arrière vers la

maison. "C'est un type intéressant. Il m'a demandé de revenir dans quelques jours. Il a quelque chose à me montrer."

"C'est reparti. Moi. Ricardt ne vous a pas dit qu'on était censés être dans le même bateau ?"

"Il m'a aussi dit que Wilson voulait que je gagne la confiance de ce type. Vous connaissez Wilson, non ?"

Elle fronça les sourcils. "Qu'est-ce que ça veut dire ?"

"Miller est mon partenaire, Hamon. C'est tout ce que je veux dire."

"Oui, mais Miller a disparu. Vous n'êtes qu'un salaud, Bremen. Tout le monde le sait. Je suis là pour m'assurer que vous ne merdez pas. Et ça veut dire qu'on reste ensemble, et que je vérifie chacun de vos mouvements. Compris ?

"Clair et net."

"Alors ne me mettez plus jamais dans ce genre de situation, d'accord ? Nous travaillons en équipe, et cela signifie que vous partagez tout avec moi."

"Est-ce une proposition, Détective Hamon ?"

"Murissez, Bremen. Je ne suis pas Miller. Vous ne pouvez pas badiner avec moi. Je suis ici pour faire ce travail, et je suis ici pour le faire bien. En ce qui concerne ce travail, vous et moi, on travaille juste pour le même but. Je ne suis pas votre ami, et je ne le serai jamais. Je me fiche de vous, de ce que vous pensez, de ce que vous faites. Si ça n'a rien à voir avec cette affaire, vous pouvez faire ce que vous voulez. Mais dans cette affaire, Bremen, nous faisons les choses de la bonne manière. Donc, à l'avenir, plus de discussions intimes avec les témoins. Vous avez compris ?

"Oui, Madame l'Inspectrice."

"Et maintenant ?"

Bremen sourit. "Nous allons trouver mon partenaire. Miller."

"Vous savez où il est ?"

"J'ai une petite idée, mais elle peut s'avérer fausse. Mais au moins, nous le ferons ensemble, si vous me pardonnez l'expression."

"Comme je l'ai dit, Bremen - vous êtes un imbécile." Elle se retourna et monta dans la voiture. Bremen jeta un coup d'oeil à ses jambes, souhaita être ailleurs et monta à côté d'elle.

Devant les portes du manoir d'Avery Frement, l'ordinateur ne permit pas à Bremen d'entrer, même lorsqu'il utilisa le code de neutralisation réservé aux officiers de police. Il retourna à la voiture, quelque peu décontenancé.

Hamon fronça les sourcils. "Pourquoi elle ne s'ouvre pas ?"

"Je ne sais pas." Il se frotta le menton. "Écoutez, on a fait à peu près tout ce qu'on pouvait faire aujourd'hui. Prenons un peu de repos, regardons encore une fois les transcriptions de ces confessions. Je ne sais pas." Il regarda de nouveau le manoir. "C'est étrange que nous ne puissions pas entrer. Qui voudrait trafiquer les codes ?"

"Peut-être qu'ils sont sur une sorte de verrouillage temporel ou quelque chose comme ça. Qui sait ? Vous pensez que Miller est venu ici ?"

"Je l'ai rencontré ici. Il m'a dit de partir, mais lui est resté."

"Et il ne vous a pas dit ce qu'il cherchait ?"

"Non. Il pensait que je cherchais les titres."

"Et c'est vrai ?"

Bremen sourit à cette idée.

"Oh oui, c'est vrai. Je prends les titres pour moi, je les encaisse et je m'enfuis à la campagne."

"Ça pourrait arriver."

"Merci pour le vote de confiance, Hamon. Combien de temps pensez-vous que j'aurais avant qu'ils me traquent ? Une semaine, un jour ? Une heure ?" Il secoua la tête. " Non. Je cherchais des indices, car quelque chose ne tourne pas rond. Steinmann envoie deux gars ici pour récupérer quelque chose dans le coffre. Et dans le processus, Avery Frement meurt."

"Un accident."

"Ouais. C'est facile. Et maintenant notre ami Wilson, il veut aussi les documents, mais il ne les trouve pas."

"Vous pensez que Miller les a ?"

"Peut-être, peut-être pas. Je n'ai pas eu de ses nouvelles depuis qu'on s'est croisés ici. Je pense qu'il s'est mis dans un tas d'ennuis et qu'il fait profil bas."

"Jusqu'à ce que quoi ?"

"Jusqu'à ce que la situation se calme." Il haussa les épaules. "Je ne sais pas. Et maintenant ça, avec le verrouillage. C'est étrange."

Elle soupira et il l'observa alors qu'elle étirait ses jambes. De longues jambes, minces. Elle attira son attention et il détourna le regard, un peu trop rapidement.

"Je suis mariée, Bremen."

"Moi aussi."

"Oui, mais vous n'êtes pas aussi heureux que l'histoire le dit."

"Oui, eh bien..." Il s'appuya contre le capot de la voiture. " Vous l'êtes, je suppose ? "

"Très. Mon mari Steven est avocat dans la rue du Maine. Il travaille quinze heures par jour pour étendre le droit au logement pour les chômeurs. Il fait son job."

"Et vous faites le vôtre, en faisant respecter la loi grâce à votre badge."

"Je suis officier depuis trois mois, Bremen. Je suis ce qu'on pourrait appeler, 'inspirée'."

"Ah." Il hocha la tête et eut un petit rire. "On se demande pourquoi ils vous ont mis avec moi. Vu que je suis un tel imbécile."

"Je pense, en fait, que la motivation est à l'opposé. Vous êtes tombé sur cette affaire par hasard, et ils ne veulent pas que vous en fassiez un plat. Donc je suis là, pour m'assurer qu'on règle tout ça, aussi vite que possible. Je suis intelligente, Bremen. Première de ma classe. Ma demande pour rejoindre les forces de police a été approuvée par Wilson Frement en personne. Il apprécie la nouvelle philosophie, la façon dont nous regardons vers l'avant, pas vers l'arrière."

"Je vois. Eh bien, j'espère que tout ira bien pour vous, inspecteur Hamon. Je ne voudrais pas que quelque chose vienne ternir vos futurs plans de carrière."

"Rien ne ternira ces plans, Bremen, pas même vous."

Bremen glissa un sourire. Elle était aussi froide que la glace et lorsqu'il monta à côté d'elle, le vent arctique le fit frissonner.

RETOUR AU MANOIR

LE BAR ÉTAIT REMPLI DE L'HABITUELLE PRESSION ÉCLECTIQUE DE dépressifs, d'alcooliques et de toxicomanes à la nicotine. Bremen se plaisait à penser qu'il n'appartenait à aucun de ces groupes, mais il savait au fond qu'il se trompait lorsqu'il avala son deuxième whisky et en commanda un autre. Il avait un goût d'amande brûlée, ce qui confirmait les nombreuses rumeurs. D'autres pensaient que la base était constituée de pommes de terre, produites dans des alambics illicites installés dans les montagnes où les patrouilles ne pouvaient pas se rendre. Quelle qu'en était la vérité, elle avait un goût infect, mais elle lui faisait tourner la tête et c'est tout ce qui comptait.

Il vit Rodney assis à l'autre bout du bar, en train de feuilleter les pages d'un journal en ligne. Les pages flottaient autour de sa tête, des images de machines démontées, dépouillées, examinées. Bremen frissonna et l'holo-vision gronda dans le coin opposé. Des anciens se baissèrent alors que des balles et des explosions virtuelles remplissaient l'air. Les médias repassaient des scènes de violence de la nuit précédente. Bremen se retourna sur sa chaise et gémit lorsqu'un journaliste virtuel le vit et s'approcha, ignorant le flash et le crépitement des coups de feu.

"Inspecteur Bremen, ravi de vous revoir."

Bremen détestait les images holographiques. Elles étaient froides et distantes. Un peu comme le monde entier, quand on y pense. Insensible, rempli que d'amour de la haine.

"Il semble que les autorités commencent à reprendre le contrôle, mais à quel prix, inspecteur ?"

"Nous vivons des temps difficiles", souligna Bremen en récitant le mantra. "Lorsque l'incertitude domine, les gens deviennent désespérés. Leur peur les pousse à réagir de manière irrationnelle. Il est de notre devoir de restaurer la foi et la liberté face à cette peur."

"Merci, Détective. Il est bon de voir que l'un des meilleurs agents de la ville se dévoue pleinement à la cause urbaine du renouveau et de la restauration de la foi en l'avenir."

Bremen passa une main sur son visage alors que le journaliste holographique se dissipait. Il remarqua que le barman le regardait fixement. "Quoi ?"

"Vous croyez à toutes ces conneries que vous venez de pondre ?"

"Je crois que nous devons faire quelque chose, Joe. On ne peut pas laisser la mafia se déchaîner dans nos rues, faire ce qu'elle veut. J'ai un enfant. J'ai peur de ce qui arriverait si ces maniaques prenaient le pouvoir."

"J'ai un enfant aussi", dit Joe. C'était un grand homme, les biceps dépassant des manches raccourcies de son t-shirt noir. "Beaucoup de gens ont été tués, inspecteur. Vous pensez que ça s'arrêtera un jour ?"

"Merde, Joe. Est-ce que ça s'arrêtera un jour ? Bien sûr que ça s'arrêtera, quand tout le monde aura assez à manger, quand le toit au-dessus de leur tête ne sera pas le ciel. Bien sûr. Quand nous aurons l'égalité. Quand nous aurons de l'espoir."

"Vous avez dit à ce journaliste que c'est ce en quoi vous croyez."

"Oui, eh bien... Disons que je sais ce qui doit être fait. C'est le comment qui m'inquiète."

Il aperçut Rodney qui se levait de sa chaise au bar. Bremen vida rapidement son verre, posa l'argent sur le bar et sortit en courant après le jeune homme mince en combinaison isolante grise. Il le rattrapa à la porte alors qu'il s'arrêtait pour porter son masque.

"Putain, Bremen ! D'où tu sors, bordel ?"

Bremen, qui tenait toujours le jeune homme par le bras, l'éloigna de l'entrée du bar. "J'ai besoin de ton aide, Rodney. Je suis prêt à te payer cher pour ça."

Rodney sourit. "Tu dois avoir perdu la tête, Bremen. Tout le monde sait ce qui est arrivé à Stowell après que tu lui aies parlé."

Bremen tressaillit. Stowell. Il n'avait pas fallu longtemps pour qu'une patrouille de nuit le trouvât, éviscéré et jeté à la poubelle. Rodney était un autre mouchard, pas aussi sordide que Stowell. Il avait tendance à fréquenter les escrocs, les blanchisseurs d'argent, les vendeurs d'objets de valeur volés, les systèmes informatiques modernes et les moyens de les pirater. Mais il connaissait des gens, de bien mauvaises personnes. "Je te paierai assez pour que tu dégages de cet endroit. Reste discret aussi longtemps que nécessaire."

Rodney se mordilla la lèvre. "Je n'en suis pas si sûr, Bremen. On dit que tous ceux qui ont été vus avec toi sont morts. Je ne suis pas convaincu que tu puisses m'emmener assez loin pour que ça en vaille la peine."

"Ta petite amie, Suzanne, elle est toujours en train de se ronger les ongles dans la prison d'état ?"

Les yeux de Rodney sont devenus humides. "Depuis presque un an maintenant."

"Je peux faire tomber les charges."

Rodney ouvrit légèrement la bouche, sa respiration était

forte et irrégulière. "Elle a planté un canif dans la poitrine d'un huissier de justice. Elle a pris sept ans."

"Je ferai ce que je dis. Si tu m'aides."

Rodney réfléchit, mais pas longtemps. "Ok", dit-il, la voix basse. "Qu'est-ce que tu veux que je fasse ?"

"J'ai besoin que tu me fasses entrer dans le manoir d'Avery Frement."

Rodney utilisa des échantillons de voix téléchargés qu'il avait installés dans un programme de reconnaissance vocale et relia son ordinateur palmaire portable à la console de la porte. Trois secondes plus tard, ils étaient à l'intérieur des portes extérieures, se déplaçant à basse altitude et sprintant vers les portes principales. Bremen jeta un rapide coup d'oeil sur le terrain, tendant le cou pour examiner l'édifice devant lui.

L'endroit était noir, les murs de la grande maison s'élevant haut dans le ciel, l'impressionnante entrée ressemblant à l'entrée d'un gouffre monstrueux. C'était une nuit sans étoiles, les nuages étaient lourds, l'air était glacial et coupait la chair exposée. Rodney frissonnait mais Bremen n'y prêtait aucune attention. La maison était plus froide que tout, elle les surplombait, menaçante. Silencieuse. Il leva les yeux pour vérifier que les fenêtres vides ne donnaient aucun signe de vie. Rodney passa devant lui et ouvrit la porte.

A l'intérieur, Il faisait encore plus sombre.

Ils se tenaient dans l'embrasure de la porte. "Ordinateur, ferme tous les stores. Puis, allume les lumières."

Cela fonctionna, à sa grande surprise et Bremen sourit à Rodney alors que les lumières sortaient tout de l'obscurité et qu'immédiatement l'atmosphère oppressante se leva.

Bremen laissa Rodney près de la porte pendant qu'il fouillait la maison. L'indice de Miller ne signifiait rien pour lui. Les papiers que son partenaire avait cachés pouvaient se trouver n'importe où, mais l'endroit le plus évident semblait être la cuisine, où le meurtre d'Avery Frement avait eu lieu.

Les contours des corps tracés à la craie étaient toujours là, ainsi que d'autres preuves de l'enquête policière. Instinctivement, Bremen se baissa sur ses hanches, regarda les taches de sang séché. Avery et son majordome. L'un assassiné, l'autre suicidé. Bremen passa en revue les détails de cette horrible nuit. Il n'était pas sûr de ce qu'il cherchait exactement, mais Miller n'avait pas mentionné de scènes de crime, de corps ou quoi que ce soit de lié au meurtre. *"C'est avec les fruits."*

Bremen ouvrit brutalement le réfrigérateur. Il n'y avait rien dedans, à part un carton de lait qui empestait. Il claqua la porte, regarda dans les placards, fouilla dans les boîtes de conserve, les emballages. Pas de fruits. Pas même une boîte de pêches en conserve. Le vieil homme menait une vie assez spartiate. C'était sans doute ce qui le rendait si sec et croûté. Bremen avait visionné un nombre infini de téléchargements de l'homme, écouté sa voix, étudié son visage, ses gestes, sa démarche. Il avait l'impression de bien connaître Avery Frement, sans l'avoir jamais rencontré. À part ses habitudes alimentaires, Avery Frement semblait froid et seul. Peut-être qu'il aimait être comme ça. Il ne serait jamais plus froid qu'il ne l'était maintenant, c'était certain.

Il erra dans les autres pièces, s'efforçant de penser à un autre endroit où les fruits pourraient être conservés. Nul doute que d'autres enquêteurs avaient fouillé la maison, fouillant partout à la recherche d'indices, de la moindre trace de preuve. Lorsqu'il pénétra le bureau d'Avery, il découvrit la porte du coffre ouverte, son contenu disparu. Tout avait été nettoyé, aseptisé.

Peut-être qu'il y avait des arbres fruitiers dehors dans le domaine. Des pommes, des poires, ou autre. Miller aurait-il eu le temps de se précipiter dans le jardin et de cacher les papiers parmi les branches ... Bremen en douta. Selon ses souvenirs de l'appel téléphonique, Miller était en danger à cause de l'arrivée d'autres personnes, des hommes de main avec l'ordre de le tuer. Il se souvint des coups de feu. Non, où que Miller ait caché les papiers, la cachette devait être à l'intérieur de la villa, mais où ? Réfléchissant tout en marchant, Bremen s'aventura dans la bibliothèque et trouva Rodney, le visage comme un fantôme, respirant de façon irrégulière.

"Mais qu'est-ce qui te prend ?"

Rodney réussit à peine à bouger la tête et Bremen suivit son regard et vit les taches de sang, la cervelle. Il s'approcha, fixant le désordre desséché de ce qui restait de Miller, ou de l'un de ceux que Miller avait réussi à tuer.

"Qu'est-ce qui s'est passé ici," dit Rodney en croassant. "Regardez l'état de cet endroit."

Ses mots disaient vrai. Bremen parcourut la pièce du regard pour la première fois. La scène d'une lutte violente, les traces de coups de feu qui criblaient les murs, le plâtre et la maçonnerie brisés, les livres déchiquetés, le sol jonché de débris. Et le sang. Partout le sang.

Bremen se dirigea vers le rétro-bar, un meuble antique classique datant du milieu du vingtième siècle. La carafe de brandy le sollicita. Il en retira le bouchon, trouva un verre et y versa l'alcool. Il porta le verre à ses lèvres et s'arrêta.

Il afficha un large sourire.

"Nous avons une bonne raison de faire la fête, Rodney."

"Ah bon ?"

"Oh que oui." Il but la boisson, posa le verre et se pencha pour prendre le seau à glace en plastique en forme d'ananas. Il prit une grande inspiration, retira le couvercle et découvrit une sélection de capsules de liège, de porte-glaçons et de bouchons de bouteilles qui remplissaient la moitié supérieure du seau. Mais ce n'était que le dessus. Son sourire s'élargit, il se tourna vers Rodney et sentit une vague de soulagement l'envahir. "Nous venons de toucher le jackpot", dit-il, et en grande pompe, il retira la liasse de papiers que Miller, dans son désespoir, ou peut-être sa sagesse, avait cachée là-dedans.

RÉUNIONS DU GOUVERNEMENT

DANS LA SALLE FERMÉE, L'ATMOSPHÈRE ÉTAIT MOROSE. LES différents ministres étaient assis autour de la grande table ovale, sans oser se regarder les uns les autres, tous rongés par le stress qui dominait chaque instant. Lorsque Wilson fit irruption, une pile de papiers sous le bras, personne ne leva le regard. Surveillant le groupe d'individus si important, Wilson resta debout un moment, et jaugea leur humeur. Il secoua la tête, se dirigea vers sa chaise au bout de la table et s'assit, étalant ses papiers devant lui.

"Les premiers rapports, Messieurs ". Il scruta les visages. La morosité. Le désespoir. "Vous avez sans doute deviné le pire. Tout est vrai", sa voix était égale, professionnelle. Aucun indice sur ce qu'il pouvait ressentir à l'intérieur. "Ces derniers jours, les combats ont dévasté d'immenses zones de la capitale, mais d'autres villes ont également souffert. C'était un soulèvement organisé, Messieurs, dans le but de faire tomber le gouvernement et de mettre en place une sorte de rassemblement disparate et éclectique de socialistes et d'humanistes. Bah," il jeta les documents sur le bureau et s'assit en se mordant la lèvre inférieure. "Ils ont essayé, et ils ont échoué. Mais maintenant, Messieurs, nous avons un problème qui ne va pas disparaître."

En face de Wilson, un homme chauve, à la carrure épaisse, à l'estomac généreux, au visage fleuri trahissant une vie remplie de brandy et de cigares. Un retour aux sources de l'ancien temps. Neville Jameson, ministre de l'Intérieur. Puissant et influent. Il se pencha en avant, " le désastre était imminent, Wilson. Et nous sommes restés assis, ignorant tout, espérant que les rapports de sécurité n'étaient pas vrais et nous n'avons rien fait pour l'empêcher. Nous avons été envahis par des hordes de réfugiés, se déversant sur nos frontières, cherchant désespérément à fuir les horreurs de l'Est. Et parmi eux, des dégénérés, des terroristes, des fanatiques religieux. Nous avons déjà vu tout cela auparavant, mais maintenant, c'est le chaos total. Nous ne devons pas répéter les erreurs du passé. Nous devons faire tout ce qui est en notre pouvoir pour que notre société soit à l'abri de ce genre de menace. Nous devons agir de manière décisive, envoyer un message à tous ceux qui pourraient chercher à saper ce que nous avons mis si longtemps à construire, que ce genre d'actions ne peut pas triompher. Nous ne nous laisserons pas intimider, ni forcer à changer nos politiques".

Un ou deux des autres ministres tapèrent sur la table de leur poing.

"Je suis d'accord, Neville, répondit Wilson avec un sourire. "C'est pourquoi j'ai apporté toute une série de propositions visant à faire exactement cela - s'assurer que notre société soit libre de la menace des activistes, des criminels, des agitateurs politiques. Nous devons *sécuriser* notre société."

"Sécuriser ? "

Une voix se fit entendre à l'autre bout de la pièce. Quelques visages se tournèrent vers lui. Conrad Barnes, du secteur de l'environnement.

"Oui, Conrad. Sécuriser. Pendant trop longtemps, nous

avons tous vécu dans la peur, la peur de ce qui pourrait arriver. Vous, plus que quiconque, devriez savoir que notre environnement est en danger, et ce depuis des décennies."

"Nous ne pouvons rien changer de manière unilatérale", répondit Conrad Barnes en étendant ses mains. "Nous sommes autant esclaves de l'ordre mondial que ces salauds en bas de la rue".

"C'est vrai. C'est pourquoi j'ai convoqué les dirigeants du monde pour une réunion à Paris dans deux jours."

"*Deux jours ?*"

La colère de Jameson résonna dans la pièce, tandis que des voix incrédules se firent entendre parmi les ministres réunis.

"C'est exact, Neville."

"Mais une petite consultation aurait été de mise ?"

"Peut-être, mais le temps pressait, Neville. Je devais agir. La situation est mondiale, Monsieur. Des éruptions de troubles civils provoquent un chaos massif dans la plupart des villes de l'hémisphère Est. Le niveau des mers continue de monter. Des millions de personnes déplacées se réfugient en Asie, apportant avec elles maladies et famines. Certains ont appelé cela un fléau biblique, le précurseur de la fin des temps..." Il leva la main pour faire taire le murmure des voix inquiètes et effrayées. "L'ordre naturel s'effondre et les gouvernements répondent par la violence. Nous ne connaissons pas le nombre définitif de morts à Pékin, Chennai, Bangkok, Phnom Penh... Et en Inde, les chiffres sont tout simplement ahurissants, mais ils sont plusieurs, plusieurs millions. Si nous ne réagissons pas, cette vague de catastrophes nous dépassera tous, Messieurs."

"Des temps désespérés, et tout ça..." Neville Jameson se rassit. " Que proposez-vous comme solution ? Plus de répression, des frontières fermées, des troupes dans la rue, des ordres de tirer pour tuer ? Et pour l'avenir, des drogues hallucinatoires gratuites pour chaque famille ? La stérilisation forcée de tous ceux qui entrent dans le pays ?"

Barnes, hochant la tête avec insistance, intervint : "Rénovation urbaine, protection de nos citoyens contre la pollution en les logeant dans des abris souterrains ? Les rassembler, puis les gazer ? C'est ce qu'ils ont fait à Moscou, non ?"

"J'ai entendu dire que c'était à New York", dit une voix du fond.

Les yeux de Jameson se rétrécissent. "Toutes ces mesures ont été essayées dans le passé et aucune n'a fonctionné. Alors qu'avez-vous précisément en tête, Wilson ?"

"Quelque chose de bien plus simple, Neville." Wilson sourit, jeta un coup d'œil à la pièce. "Et quelque chose qui nous profitera à tous."

Il y avait une atmosphère électrique dans la salle du groupe quand Bremen entra. Quelqu'un faisait circuler du champagne dans des gobelets en plastique. Un officier en uniforme aperçut Bremen, dit quelque chose à ses collègues, qui cessèrent tous de parler. Ils se détournèrent. L'officier regarda son verre de champagne, haussa les épaules et s'approcha de Bremen pour le lui donner. Bremen accepta le verre, ne dit rien sur son changement d'humeur et goûta le champagne avant de s'asseoir à son bureau. Hamon était là, assise en face de lui, passant au crible quelques papiers.

"C'est quoi ces réjouissances ?"

Hamon haussa les épaules, sans prendre la peine de lever les yeux. "Ils ont tué environ deux cents membres de la mafia la nuit dernière. Ils ont renvoyé le reste sous terre. Ils pensent que c'est fini. La victoire."

"Mais vous savez que ce n'est pas vrai."

Hamon soupira et se rassit sur sa chaise. Elle étudia Bremen pendant quelques instants. "Il y a eu un tremblement de terre, dans le centre de la Chine. Ils disent que sa magnitude est de neuf virgule neuf sur l'échelle de Richter. C'est le chaos. Des centaines de milliers de morts."

"Peut-être que c'est ce qu'ils célèbrent ?"

"Les journaux disent que le gouvernement chinois l'a délibérément déclenché, pour détourner l'attention de ce qui se passe à Pékin."

"Ils peuvent faire une chose pareille ? Provoquer des tremblements de terre ?"

"Ils peuvent faire ce qu'ils veulent. Installer quelques bombes nucléaires le long des lignes de faille. Faire en sorte que la fracturation ne soit rien de plus que de remuer une cuillère dans une tasse à café."

"Les choses ne font que s'améliorer." Il fixa son champagne, laissant les bulles tinter contre son visage.

"C'était une nuit chargée, Bremen ?"

Il leva brusquement les yeux. A-t-elle soupçonné quelque chose ? Il avait ramené Rodney chez lui après la petite visite au domicile d'Avery Frement puis s'était assis dans sa voiture et avait scanné ses découvertes dans son ordinateur. Après analyse, Bremen avait essayé de comprendre ce qu'il avait découvert. Il avait encore du mal.

"Pourquoi demandez-vous ça ?"

"Vous semblez fatigué. J'ai pris la liberté de vérifier votre journal de bord. Vous n'êtes pas rentré chez vous hier soir."

"Vous avez pris la liberté ? Ça ressemble plus à de l'espionnage pour moi, chère associée."

"Je m'inquiète, c'est tout."

"Pas besoin de vous inquiéter pour moi, inspecteur. Avez-vous fait un rapport à Ricardt ?"

"Naturellement. Il est inquiet, comme moi, que vous essayiez de me tenir à l'écart. Je lui ai dit que vous aviez eu une conversation avec Steinmann. Ricardt aimerait savoir ce qu'il en est. Il nous rencontre à 10h30."

"Ah bon ? Et quelles autres instructions pouvons-nous espérer recevoir de notre maître, M. Wilson Frement ?"

"Vous seriez sage de ne pas être si désinvolte, Bremen. Il va y avoir des changements, donc je serais un peu plus consciente de la vulnérabilité de chacun d'entre nous en ce moment, si j'étais vous."

"Ce qui veut dire quoi, exactement ?"

"Ce qui veut dire... que le travail de personne n'est garanti. Les coupes budgétaires vont faire que beaucoup d'entre nous allons perdre notre emploi. Seuls les meilleurs seront en sécurité."

"Je vois." Et il "voyait", presque trop bien. Ce qu'il avait découvert était une bombe à retardement politique, mais il ne pouvait pas la partager. Du moins, pas encore.

IL SE LEVA ET ENTRA DANS LE VESTIAIRE. QUELQUES patrouilleurs en repos riaient dans un coin, mais dès qu'ils le virent, ils s'arrêtèrent et se mirent à faire et refaire leurs bagages. Bremen les observa pendant un moment. Puis il se dirigea vers son casier, l'ouvrit avec sa clé, se déshabilla lentement tandis que les autres passaient devant lui. Personne n'attira son attention. Ils regardaient tous le sol.

Après sa douche, Bremen enfila une autre chemise prise dans son casier, remonta son vieux pantalon, boutonna sa veste et retourna dans la salle de conférence. Hamon était toujours là, la tête enfouie dans des papiers. Bremen se demanda ce qu'elle étudiait avec une telle intensité, mais il vit ensuite que les autres dans la pièce étaient eux aussi occupés, occupés à tout ce qu'ils pouvaient trouver. Mal à l'aise. Mal à l'aise. Bremen en eut assez. Il se dirigea vers Hamon, s'appuya sur le bureau et grogna : "Qu'est-ce qui se passe, bordel ?"

"Je ne sais pas ce que vous voulez dire."

Bremen se mordit la lèvre. "A quelle heure était cette réunion ?"

"Dix heures et demie."

"Eh bien, tant pis." Bremen s'éloigna et se retrouva à l'extérieur du bureau de Ricardt avant que sa nouvelle partenaire ne se fut levée de sa chaise.

Les yeux de Ricardt s'écarquillèrent lorsque Bremen fit irruption et il se dépêcha de fermer le téléphone-laser. L'image sur le mur s'éteignit.

"On vous a jamais appris à frapper, Bremen ?"

"Je veux des réponses sur ce qui se passe ici."

"Ce qui se passe ?" Ricardt soutint le regard de Bremen pendant un moment avant de baisser les yeux, le visage se relâchant, la couleur se vidant de ses joues. "Assieds-toi, Bremen."

Il s'assit. Il attendit, les mains jointes sur ses genoux. Ça ne sentait pas bon.

"On a trouvé Miller."

Les mots restèrent suspendus dans l'air, comme des présages. Lourds comme du plomb. Bremen sentait l'air s'écraser contre ses oreilles. Le bruit sourd dans sa tête devenait plus fort.

"Il est mort, Bremen." Ricardt appuya sur quelques touches de son téléphone. "J'ai téléchargé la localisation de ta voiture. Je pense que tu ferais mieux d'aller voir."

Bremen se leva.

"L'équipe l'a mal pris, Bremen. Tout le monde aimait Miller. Le respectait. Il a dû être pris dans les tirs croisés, ou peut-être qu'une partie de la mafia l'a croisé et..." Ricardt souffla des joues. "C'est mauvais, Bremen, alors fais-le à fond. Je ne veux pas qu'il y ait de détails à régler dans cette affaire."

Bremen retourna dans la salle de l'équipe. Les visages suivaient maintenant le sien. Personne ne parlait. Même Hamon le regardait, les papiers jetés. Il lui lança un regard noir et lui dit : "On y va."

Ils partirent.

Le corps était dans un sac en plastique. Bremen s'agenouilla, ouvrit la fermeture éclair et découvrit le visage de son ancien partenaire. Blanc comme l'albâtre. Des yeux noirs, comme des billes dans la glace. Une seule blessure par balle au front, noire, un cercle parfait. Bremen soupira, enfila des gants chirurgicaux fins et sonda la plaie. Puis il examina l'intérieur du sac, tirant la fermeture éclair jusqu'à la taille. Il vérifia le corps, l'intérieur de la veste. Il repéra les poignets et grogna. Il bascula en arrière. Quelle que soit la façon dont Miller était mort, ce n'était pas dans une sorte de tir croisé.

Bremen se leva lorsque deux auxiliaires passèrent devant lui, refermèrent la fermeture éclair et, sans cérémonie, soulevèrent le corps sur une civière et l'emportèrent.

Il retrouva Hamon dehors, assise sur un mur de briques en ruine près du canal, regardant l'eau. D'ici, le canal serpentait à travers des champs stériles, depuis longtemps empoisonnés par l'utilisation excessive de produits chimiques, un endroit solitaire et oublié. Partout où il regardait, il ne voyait rien d'autre que des poubelles effrayées et noircies, rien d'autre que des mauvaises herbes desséchées brisant la surface du sol infesté de produits chimiques. Bremen se dirigea vers elle et retira ses gants. Il alluma une cigarette et regarda dans le canal. L'eau était noire et huileuse. Elle puait.

"Que faisait-il ici ?" Hamon parla sans bouger la tête. L'eau semblait la captiver.

"Il a été amené ici."

"Comment le savez-vous ?"

"Parce qu'il m'a parlé avant de mourir." Elle le regarda fixement et secoua la tête. "Un droïde là-dedans m'a dit que deux adolescents, qui s'amusaient dans le sous-sol de l'immeuble, l'ont trouvé. Heureusement pour nous qu'ils ont

appelé, sinon nous ne l'aurions peut-être jamais trouvé. Mais..."
Il haussa le ton et cracha dans l'eau, sa poitrine étant rugueuse,
comme s'il avait avalé des limes de fer. "Je crois que je mets la
main sur quelque chose."

"Trop de cigarettes."

Il ricana, regarda le bout brûlé de sa cigarette et la jeta avec
dégoût. "Peut-être. Ou cet endroit. La puanteur." Il regarda le
bâtiment où ils avaient trouvé Miller, un monument aux
briques rouges d'une époque révolue, un entrepôt, abandonné,
brisé. "Pourquoi des enfants joueraient-ils dans ce truc ?"

"Les enfants jouent partout où ils peuvent. Peut-être qu'ils
étaient sous l'emprise de la drogue, qu'ils cherchaient à faire un
autre coup, qui sait ?"

"Si c'était le cas, pourquoi appeler la police ? Après les
émeutes, les corps sont partout. Pourquoi penser à signaler
celui-là ?"

"Quoi, vous pensez que le droïde mentait ? Ils ne peuvent
pas faire ça. Leur programmation ne leur permet pas de
mentir."

"Peut-être que quelqu'un a modifié le programme, collé un
nouveau jeu d'instructions."

"Pourquoi quelqu'un ferait-il ça ?"

"On aurait pu passer des semaines à chercher Miller. C'est
pratique de l'avoir trouvé si vite, vous ne trouvez pas ?"

"Je crois que vous feriez mieux de me dire ce qui se passe,
Bremen."

"Pour que vous puissiez faire ton rapport à Wilson ?" Bremen
sourit, mais il n'en avait pas envie. Tout l'humour, le sarcasme et
la médisance avaient disparu, arrachés de lui. Quelle que soit la
vérité, peu importe qui a organisé tout cela, Miller est mort.
Bremen détestait Miller, depuis des années. Mais il lui faisait
confiance, d'une manière étrange. Il savait que dans les
moments difficiles, Miller serait là. Fiable. Et maintenant, il
était mort. Une balle dans la tête tirée par un expert. "Je vais le

dire à Wilson moi-même, inspecteur. Je n'ai pas besoin d'une nourrice. Plus maintenant."

"C'est quoi ça, la seconde venue ?"

"Non. Juste une appréciation de la gravité de la situation. Je ne suis pas prêt à laisser faire. C'est tout."

"De quoi parlez-vous, bon sang ?"

"Allez dire à Ricardt ce qu'on a trouvé ici. Dites-lui que ce n'était pas un accident de tir croisé. Ce Miller a été emmené ici de la maison d'Avery Frement par une ou des personnes inconnues. Une enquête sur la maison montrera que le sang de Miller est partout sur le sol de la bibliothèque. Celui qui l'a enlevé lui a attaché les poignets, probablement dans la maison, puis l'a traîné ici et l'a exécuté. Dites à Ricardt que le corps de Miller a été jeté ici, mais que le tir à la tête a été fait à bout portant. Ce n'était pas un accident, ni un acte de violence aléatoire. Celui qui l'a tué n'avait pas l'habitude de faire des erreurs."

Elle pivota sur le mur et sourit. "Je suis impressionnée par votre pouvoir de déduction."

Il perçut une lueur de moquerie dans ses yeux, ainsi que dans sa voix. "Pourquoi ? Vous avez cru tout ce qu'ils ont dit sur moi, c'est ça ? Vous croyez que je suis un policier de merde ?"

"Oui. Je le croyais. Mais je commence à réaliser qu'il y a beaucoup plus en vous qu'un tas de rumeurs de l'équipe et de remarques sournoises. Je le vois pour ce que c'est - des mensonges. Vous vous êtes juste endormi, Bremen."

"Non, inspecteur. Je m'en fichais, tout simplement. Mais ça..." Il regarda l'ambulance s'élever, transportant le corps de Miller à la morgue centrale. "Je vais retourner voir Steinmann. J'ai besoin de lui parler."

"Je suppose que vous ne voulez pas que je vous accompagne."

Il fit un sourire en coin. "Détective, avec ce dont je dois lui parler, plus il y a de gens au courant, mieux c'est. Il est temps que tout soit révélé au grand jour."

"Tout quoi ?"

"La raison pour laquelle des gens comme Miller sont morts."

"Vous pensez sérieusement que c'était délibéré ?"

"Inspecteur, je sais que c'était délibéré. Et quand je le prouverai, un tonneau de merde va tomber sur les oreilles de beaucoup de gens." Il ajusta son pantalon, mit ses gants chirurgicaux dans un sac en plastique à fermeture éclair et parla dans son téléphone pour prévenir Steinmann de son arrivée. Puis il se dirigea péniblement vers sa voiture et y monta. Hamon se glissa à côté de lui et aucun d'eux ne parla tandis qu'ils se mettaient en route pour la maison de Steinmann.

La dureté de la vérité.

"J'ai écouté les informations", dit Steinmann en faisant signe aux deux policiers de pénétrer dans le couloir. "La nuit dernière, la mer a envahi la côte est des États-Unis, écrasant les digues, submergeant New York. Des millions de personnes sont mortes."

Bremen sentit Hamon se crisper. Il se frotta le menton. "Jésus."

"La même histoire est racontée tout le long de la côte, jusqu'aux Caraïbes. C'est l'Armageddon, M. Bremen, mais pas le genre auquel on a jamais vraiment cru."

"J'ai entendu dire", ajouta Hamon, "que la mer est souvent qualifiée de chevaux sauvages. N'y avait-il pas quelque chose à propos de Troie, que l'histoire du cheval de bois fait en réalité référence à la mer. Que c'est une inondation qui a ouvert une brèche dans les murs ?"

"Je suis un scientifique, Mlle ... Désolé, quel est votre nom ?"

Elle tendit la main et prit celle du vieil homme. "Sergent Hamon. Je préfère sergent à détective."

Bremen saisit la pique mais resta silencieux.

"Je ne connais pas grand-chose aux anciennes histoires métaphoriques, je le crains."

Elle retira sa main de la sienne. "C'est juste que les *Quatre*

Cavaliers de l'Apocalypse... ils pourraient faire partie du même genre de symbolisme - ils pourraient avoir un rapport avec la mer."

"Fascinante théorie. Mais si ce que vous dites est vrai, alors ces anciens devaient savoir ce qui allait se passer. Ils devaient être en possession d'une sorte de boule de cristal."

"Qui dit que ce n'était pas le cas ? " Hamon sourit brièvement avant de redevenir sérieuse. "Malheureusement, il semble que le niveau des mers augmente partout. L'Inde a beaucoup souffert, ainsi qu'une bonne partie de l'Asie du Sud-Est. C'est mondial. Le cauchemar dont nous avons toujours su qu'il se produirait est ici, maintenant."

Bremen toussa. "Pouvons-nous en venir à ce pourquoi nous sommes ici, *sergent* Hamon ?"

"Bien sûr." Elle sourit, ses dents parfaites et régulières. "Mais c'est intéressant, vous ne trouvez pas ?"

"Très intéressant. " Il se dit qu'il était curieux de savoir pourquoi sa nouvelle collègue était si ouverte aux idées sur l'influence des civilisations passées sur le présent, mais moins ouverte aux manipulations de son glorieux chef, Wilson Frement. Il devra lui demander, mais pour l'instant il se concentra sur le vieil homme. "Maintenant, M. Steinmann, peut-être pourrions-nous continuer notre petite discussion d'hier ?"

Steinmann les conduisit à la bibliothèque, la même pièce où Bremen lui avait parlé auparavant. Elle était inchangée. Steinmann prit place à son bureau, tandis que Bremen et Hamon s'assirent sur un canapé de couleur verte, recouvert de cuir, qui grinça de façon alarmante lorsqu'ils s'y installèrent.

"Je ne vais pas tourner autour du pot, commence Bremen. "La nuit dernière, mon ancien collègue a été retrouvé mort. Abattu d'une balle de gros calibre dans la tête. Je n'ai pas encore reçu le rapport balistique, mais je suis presque certain que la balle provient de mon arme."

Hamon se retourna brusquement. "Mais de quoi parlez-vous, Bremen ?"

"J'ai deux vieux fusils à la maison", poursuivit Bremen, ses yeux ne quittant pas ceux de Steinmann. "Un Webley Scott, et un Colt 45-automatique. Les deux sont des antiquités, mais les deux sont parfaitement utilisables. Je sais ce qu'un quarante-cinq peut faire, Monsieur Steinmann, et le trou que j'ai vu dans la tête de mon partenaire provenait de cette arme."

"Donc, ils vont vous faire porter le chapeau ?"

"Exactement. Alors je n'ai pas beaucoup de temps. Je suis proche de la vérité."

Il sentit les doigts de Hamon s'agripper à son bras. "Bremen, pourquoi n'avez-vous rien dit, bon sang ?"

Bremen afficha un sourire. "Parce que vous travaillez avec eux, inspecteur. Désolé, sergent. Vous êtes le larbin de Wilson Frement, tout comme Ricardt, tout comme Miller. Je suis probablement l'un des rares flics à ne pas être payé par ce misérable salaud."

Elle retira sa main, regarda le sol. Bremen n'avait pas besoin de poursuivre son raisonnement. S'il avait eu des doutes, elle les aurait effacés à ce moment-là. Il regarda Steinmann en face. "Miller a trouvé les papiers. Des papiers techniques, M. Steinmann. C'est pour eux que vous avez envoyé ces deux singes, pas pour les titres. Et Wilson les veut aussi. Vous deviez les obtenir avant lui, car vous saviez ce que cela signifiait s'ils tombaient entre les mains de Wilson. Avery Frement le savait, et il les avait gardés enfermés. Tout allait bien jusqu'à ce que vous découvriez que vous étiez mourant, et vous avez décidé d'agir."

"Bremen," coupa Hamon, la voix basse, "pouvez-vous m'expliquer de quoi vous parlez, bordel ?"

"Je vais vous raconter une histoire", dit Steinmann en reprenant son souffle. Il avait l'air fatigué. Son regard balaya les deux policiers, les étudiant tour à tour, évaluant ses chances, réalisant qu'il n'en avait aucune. Il tendit les bras, se rendant.

"Ensuite, je veux que vous me montriez les papiers pour que je puisse confirmer leur authenticité. Ensuite, nous les détruirons, puis vous retournerez chez Wilson et moi..." Il posa les mains sur ses genoux et les considéra fixement, "Je me suiciderai. Je n'ai aucune envie de finir mes jours en me tordant de douleur sur le tapis de mon salon alors que ma maladie prend le dessus."

"Je suis désolé", dit Hamon, déconcerté, "quelle maladie ?"

"Je suis en train de mourir, sergent", explique Steinmann. "Je me suis confié hier à Monsieur Bremen, et je suis heureux d'apprendre qu'il a gardé ma confidence. Mais, en vérité, il ne me reste plus beaucoup de temps. Je veux contrôler la façon dont je quitterai ce monde."

"Je peux le comprendre," dit Bremen, la voix lourde, acceptant la vérité des mots du vieil homme. C'est peut-être mieux ainsi. Au moins, Wilson ne pourrait pas faire vivre un autre enfer au vieil homme. "Alors, M. Steinmann, l'histoire ?"

Steinmann acquiesça. " Mes ordinateurs vont tout enregistrer et les images sur le mur vous montreront la validité de ce que je dis. Ce n'est pas une belle histoire, M. Bremen, mais elle mérite d'être racontée."

Il fit un geste de la main et les capteurs de l'ordinateur réagirent. Le laser traversa la pièce et diffusa l'image sur le mur.

L'IMAGE VACILLAIT ET MONTRAIT LA NUIT, LA PLUIE COMME UN rideau, ruisselant. La voix de Steinmann bourdonnait comme un commentaire. Presque ennuyeux. "C'était peu après que la guerre ait éclaté. Le gouvernement a rappelé Avery et j'ai saisi ma chance. Il pleuvait à verse quand je me suis rendu chez lui, j'ai vu de la lumière à l'étage. Je savais qu'elle était là. J'avais pensé aux gardes, mais je m'en fichais. S'ils étaient proches, j'étais prêt à les tuer. Mais le hasard a voulu que la maison ne soit pas protégée."

Pendant qu'il parlait, les images changeaient, passant à une autre vue, cette fois de l'intérieur de la maison. C'était comme dans le souvenir de Bremen. Rien n'était différent.

"Je l'ai trouvée à l'étage, comme je l'avais prédit. Elle était dans la salle de bain, en train de se faire belle. Elle ne m'a pas entendu quand je suis entré dans la pièce."

La pièce remplie de vapeur masquait la vue de la grande baignoire encastrée. La douce odeur de lavande filtrait de l'image holographique virtuelle. À côté de lui, Hamon se penchait en avant et Bremen la voyait, se concentrer sur chaque instant.

Avery poursuivit. "Elle semblait endormie. Allongée sur le dos, l'eau jusqu'au cou. Des bougies aromatiques brûlaient tout autour, me rappelant un boudoir turc. La décadence. Je me tenais et la regardais, mais je ne ressentais rien. Pouvez-vous croire cela, M. Bremen ? Je n'ai ressenti que du dégoût pour cette femme. Tout vestige de sentiment que j'avais pour elle avait disparu depuis longtemps, arraché de moi. Elle m'avait abandonné, emmenant volontiers mon fils avec elle. L'attrait d'une vie agréable, opulente, lui procurant tout ce qu'elle avait toujours voulu, c'était trop pour qu'elle y résiste. Et je l'ai détestée pour ça."

Ils virent la femme. Ses cheveux blonds étaient tirés en arrière de son visage, révélant les os finement sculptés, le nez fin, les lèvres pleines. Dans le creux de sa gorge, l'humidité s'était accumulée dans son cou alors que la sueur coulait en minuscules ruisseaux, la chaleur de la pièce étant étouffante.

"J'ai dû rester là pendant deux ou trois bonnes minutes sans qu'elle ne bouge. Finalement, je n'ai pas pu le supporter plus longtemps. J'ai tendu la main et touché son épaule."

L'image sur le mur la montrait en train de réagir, assise bien droite, complètement éveillée, la peur incrustée dans chacun de ses traits. Elle criait, éclaboussant Steinmann de mousse de savon. Elle pataugeait, bafouillait, le regard sauvage comme un animal en cage.

C'est alors qu'elle le vit.

Pas un intrus, ni un assassin. Son mari.

Leurs regards se figèrent.

"Je n'étais pas sûre de ce que je devais faire pendant un moment. Paralysé par l'indécision, dans la froideur de ma chambre, je réfléchissais à ce que je voulais faire, et tout semblait si facile. Mais avec elle comme ça, son corps luisant, ces membres, ces seins pleins et gonflés, j'avais la gorge sèche. Et j'ai reculé encore plus.

"*Mais qu'est-ce que tu fais ici ? Comment es-tu entré ?*

"Elle hurlait. Je pouvais voir la haine dans ses yeux, sa colère surmontant son choc initial. L'expression de son visage reflétait la brûlure que je ressentais aussi à l'intérieur. Mon indécision était temporaire. J'ai tendu la main et l'ai prise par le bras, la tirant hors de la baignoire.

"Elle s'est débattue, a donné des coups de pied, s'est acharnée sur moi, a juré comme un soldat. Ça n'a rien changé."

L'image changea et lorsqu'elle redevint nette, la femme était dans une autre pièce, une couverture l'enveloppait et elle frissonnait. Steinmann apparut.

"Je l'avais emmenée dans mon laboratoire. Il était inutile d'attendre plus longtemps. Je travaillais sur ma théorie depuis presque deux décennies, je l'avais testée sur des animaux. Maintenant, l'expérience ultime. Non seulement je me débarrasserais de cette femme, je récolterais la vengeance que j'avais tant désirée, mais je ferais souffrir Avery. Douleur et angoisse. Et cela, peut-être plus que tout, m'a poussé à continuer."

Bremen capta le regard angoissé de Hamon. Ils regardaient tous les deux, sans voix, Steinmann prendre sa femme et la jeter sur une table d'opération. Il lui attacha brutalement les poignets et les chevilles. Elle hurlait, son corps s'agitait dans tous les sens, essayant désespérément de s'enfuir, mais Steinmann continuait comme s'il était en transe, faisant ce qu'il avait à faire avec une précision robotique.

Il lui injecta dans le bras un liquide pâle et elle cessa de se tordre presque immédiatement. Le corps devint mou.

Bremen ne pouvait pas croire ce qu'il voyait. Hamon se détourna, la main sur sa bouche, mais Bremen se força à poursuivre, se permettant de jeter un coup d'œil à Steinmann juste une fois. Le vieil homme se tenait impassible, observant tout avec un détachement distant.

Il retira la tête de la femme.

Cela a été fait rapidement, d'abord avec un scalpel, puis avec une scie chirurgicale, coupant la chair, les tendons et les os. Le visage ne changeait pas, impassible, le flux sanguin limité, sans doute par l'utilisation du cocktail de drogues qui lui avait été injecté. Bremen ne voulait pas savoir de telles choses, il s'en fichait. Il fut fasciné lorsque Steinmann retira la tête et l'emmena à l'autre bout de la pièce, la portant avec tout le respect que l'on accorde à un grand trésor. Il la posa soigneusement dans un grand cylindre métallique, d'où jaillissaient d'épais nuages de fumée blanche. Des électrodes y étaient fixées, d'où émanait un bourdonnement électrique. Une étrange lumière verte pulsait à travers la fumée et Steinmann ajusta le couvercle avec précaution avant d'amener le cylindre vers un espace dans le sol. Il abaissa le cylindre dans l'ouverture, puis fait glisser un épais couvercle en plexiglas et recula, frottant la paume de ses mains sur le devant de son pantalon.

Les images se bousculèrent, devinrent grises et disparurent.

Personne ne parla.

Hamon, les yeux toujours détournés, dit d'une petite voix : "C'est fini ?"

Il fallut un moment à Bremen pour trouver la force de former des mots. Il grogna, en guise de réponse et se leva d'un pas mal assuré. " Vous m'avez dit que votre femme avait quitté Avery pour revenir vers vous, par amour. "

"Je devais me justifier."

"Donc vous avez menti ?" Steinmann hocha la tête et Bremen prit une profonde inspiration. "Je vais devoir vous arrêter, M. Steinmann."

"M'arrêter ?" Steinmann avait l'air positivement choqué. Il poussa un petit rire : "Pourquoi ?"

C'est Hamon, et non Bremen, qui releva le défi, s'avançant à grands pas, le visage déformé par l'indignation. "Pour avoir assassiné votre femme, espèce d'enfoiré !"

Les deux hommes dévisagèrent Hamon, qui se tenait debout et regardait fixement, le corps tremblant, la voix à peine maîtrisée lorsqu'elle parla, sa main s'agrippant à l'arme à feu à sa hanche. "Je retourne au poste. Je ne peux pas rester une minute de plus ici, avec lui." Elle respira longuement. " Amenez-le dès que vous êtes prêt Bremen, avant que je lui tire une balle dans la tête. "

Elle se retourna. Bremen la regarda partir et puis, une fois la porte refermée avec un claquement retentissant, il regarda le vieil homme qui semblait toujours abasourdi. Sa nouvelle partenaire avait une personnalité profonde. Peut-être qu'elle était beaucoup plus qu'un simple larbin pour Wilson Frement après tout. Bremen sortit une paire de menottes standard de son manteau. "Je suis désolé de l'ignominie de cette situation, M. Steinmann, mais je n'ai pas vraiment le choix. L'hologramme seul suffit à vous faire enfermer pour le reste de votre vie."

"M. Bremen", Steinmann fit un pas en avant. Sa voix était calme, son attitude détendue. Bremen s'arrêta et le jaugea. "Je ne comprends pas vraiment pourquoi vous faites ça."

"Vous ne comprenez pas... ?" Bremen secoua la tête et baissa les yeux sur les menottes. Il se mit à jouer avec ces dernières, comme on le faisait autrefois avec des billes de rosaire. "M. Steinmann, vous avez assassiné votre femme. Même si les règles naturelles de la loi et de l'ordre s'effondrent autour de nous, je suis toujours un officier de police. C'est mon devoir de vous arrêter."

"Assassiner ma femme ? M. Bremen," Steinmann tendit les mains. "Je vous ai demandé un peu plus tôt si vous vouliez lui parler."

Bremen sentit une douleur traverser son corps, comme une lance de glace se plantant dans sa colonne vertébrale. Cet homme était-il vraiment fou ? Et s'il l'était, à quel point pouvait-il être dangereux. Bremen posa la main sur son flanc, où il put sentir la masse réconfortante de son pistolet à impulsion rangé dans l'étui de sa hanche, sous son manteau.

"Eh bien, voulez-vous lui parler, avoir son point de vue sur tout ce désordre ?"

"M. Steinmann, je ne pense pas vraiment..."

"Je n'ai *assassiné* personne, M. Bremen. Ma femme est toujours en vie, sa tête est cryogénisée, mais son esprit fonctionne parfaitement."

Les murs semblaient se resserrer tout autour de lui. Il était vraiment dans une maison de fous. "Je ne suis pas sûr... M. Steinmann, que dites-vous ?"

"Elle est vivante, Bremen ! Et en plus, elle est impatiente de vous rencontrer."

UN DISCOURS CURIEUX

ELLE LE REGARDAIT À TRAVERS UNE FINE BRUME VERT PASTEL. UNE tête, détachée du corps, semblant flotter comme sous l'effet d'une force invisible, sans fils ni moyens de soutien visibles. C'était un spectacle profondément troublant, et Bremen éprouvait la sensation désagréable d'errer dans le royaume d'un rêve fou et déformé. Steinmann se rapprocha de lui et lui donna une légère tape sur le bras. "C'est un peu déconcertant, M. Bremen, je m'en rends compte. Mais elle peut vous entendre, répondre à vos questions."

Bremen ne trouvait pas les mots. Ses yeux étaient hypnotisés par la vision impossible qui se balançait devant lui. La tête était dans une sorte de récipient, en plexiglas probablement, de la taille d'une table de chevet, entourée d'une fine brume verte. La peau du crâne était lisse, saine, les lèvres pleines. Bremen ravala son sentiment croissant d'horreur et réussit à trouver la force de bouger ses jambes. Il avança. Il faisait froid. Il faisait froid partout. Il se pencha en avant et sans prévenir, ses yeux s'ouvrirent brusquement. Il sursauta et fit un bond en arrière.

"Bonjour."

Sa voix était étouffée, comme si elle provenait de l'intérieur d'une grande boîte métallique vide. Bremen se passa la langue sur les lèvres, toussa et sortit un "Salut" râpeux du fond de sa gorge. La situation était ridicule. Il se tourna vers Steinmann, qui arborait une expression légèrement amusée. "Mais qu'est-ce que vous lui avez fait ?"

"J'ai détaché sa tête, M. Bremen, comme vous m'avez vu le faire. Son cortex est intact, sa conscience, sa pensée, tout cela continue. L'envie naturelle de respirer demeure, mais maintenant elle n'a plus besoin de ses poumons, évidemment. Nous répondons à toutes ces impulsions virtuellement. À tous les égards, en ce qui la concerne, rien n'a changé. Je lui offre même des visites virtuelles défilantes de la campagne, des croisières sur l'océan, des sorties au théâtre. Elle ne manque de rien. En outre, je lui offre l'expérience de la nourriture et de la boisson, Monsieur Bremen. Le cerveau reçoit tout ce dont il peut avoir besoin. Et ce que le cerveau croit, le corps l'accepte aussi."

Bremen réprima l'envie soudaine de frapper de son poing le visage apathique de Steinmann. Il prit quelques respirations profondes et ferma les yeux, se calmant. Quand il les rouvrit, il se sentait un peu mieux, mais pas beaucoup. "Vous êtes un monstre sanglant, Steinmann ! Elle serait mieux morte."

"Oh non", fit la voix. Bremen resta bouche bée lorsque la tête parla à nouveau. "Je suis pleinement satisfaite. En fait, je me sens plus à l'aise avec moi-même et ma vie que je ne l'ai jamais été à aucun autre moment. M. *Bremen*, c'est ça ?" Le détective acquiesça. "S'il vous plaît, croyez-moi - je ne me suis jamais sentie aussi bien."

LES YEUX FIXÉS SUR SES PIEDS, BREMEN S'ASSIT DEHORS SUR UN banc dur dans le jardin de la maison de Steinmann, en tapant la cendre de sa cigarette. Lorsque Hamon s'approcha et s'assit à côté de lui, il bougea à peine.

"Merci d'être venue si vite."

"J'avais besoin de vous parler de toute façon", dit-elle. Sa voix semblait étrangement enfantine, son ancienne confiance en elle l'ayant peut-être abandonnée. Mais pourquoi, Bremen ne pouvait pas le deviner. Quand il posa son regard sur elle, elle se détourna. "Votre tour d'abord."

Il tira sur sa cigarette, l'éteignit et la regarda se consumer dans l'herbe. "Sa femme. Elle est en vie." Il la sentit se hérisser et il eut un petit rire. "Eh bien, pas dans le sens le plus strict du terme. Il l'a congelée, un procédé qui maintient son cerveau en vie, mais sans le corps." Il leva la main avant qu'elle puisse intervenir. "Laisse-moi finir, Hamon. Je suis encore en train d'essayer d'accepter tout ça moi-même. Il a utilisé un procédé sur lequel il travaillait avec Avery Frement depuis des années. Un moyen de préserver la personne, mais sans tous les bagages dont nous avons tous besoin."

"Les bagages ? Qu'est-ce que ça veut dire ?"

"De la nourriture. Une maison, un travail. Tout ça. La personne est maintenue dans un conteneur, dans un environnement virtuel. Tous les sens, les impulsions du cerveau, sont nourris par... Eh bien, par des faux semblants, je suppose. Le cerveau est trompé en croyant qu'il a tout, même jusqu'à la respiration quand le corps n'a plus de poumons."

"Trompé ? Comment êtes-vous censé tromper le cerveau ?"

"Vous avez vu les numéros de cirque, les hypnotiseurs, qui persuadent les gens qu'ils sont toutes sortes de choses différentes. Chiens, chats. Ça s'appelle la suggestion, mais ça, c'est multiplié par mille. Un million de fois."

"Et Steinmann a fait ça ?"

"Oh que oui. Il l'a bien fait. Il a mis au point un processus qui permet au cerveau de recevoir une série d'images virtuelles ou de processus qu'il accepte comme réels."

"Et il a créé ces processus ? Avec succès ?"

"Sa femme en est la preuve vivante."

Hamon se leva, respirant difficilement. " Arrêtons ce malade mental, Bremen, avant qu'il ne trouve une autre idée... "

Bremen lui saisit le bras et la fit asseoir sur le banc. "Non. C'est trop tard pour ça."

"Quoi ? Ecoutez, on ne peut pas l'avoir pour meurtre, mais on peut l'avoir pour autre chose."

"Non. Ecoutez, elle m'a dit qu'elle allait bien, qu'elle se sentait mieux que jamais dans sa vie. Elle est heureuse, Hamon. Elle a tout. Des vacances à Cannes, du ski à Biarritz, des croisières sur le Nil..."

"Jésus, Bremen. Mais elle est morte ! Il nous a montré la vidéo."

"Non, c'est justement ça. Elle n'est pas morte. Elle est vivante."

"Vous avez avalé toutes ces conneries ?"

"C'est pas des conneries, Hamon. C'est ça le problème. Steinmann l'a fait. Il a créé quelque chose, quelque chose de si brillant que ça pourrait changer le monde entier."

"Ce que vous dites n'a aucun sens. Comment le fait de couper la tête de sa femme peut changer le monde ?"

"C'est ce que je lui ai demandé, après avoir fini de lui parler. Vous voyez, Hamon, c'est pour ça qu'il voulait les papiers du coffre. Les papiers que Wilson allait utiliser. Peut-être pas aujourd'hui, peut-être pas l'année prochaine, mais un jour. Toutes les recherches de Steinmann, toutes ses découvertes. Avery Frement avait tout ça, allait l'utiliser, le présenter à Wilson peut-être, mais Steinmann ne pouvait pas lui permettre d'aller de l'avant avec les plans qu'ils avaient faits." Bremen sortit ses cigarettes et en alluma une autre. Il s'assit et regarda le jardin dont l'herbe verte descendait doucement vers des parterres de fleurs ornementales. Au fond, il y avait un hangar délabré, le toit enfoncé, des machines rouillées et usées qui dépassaient des poutres pourries des murs. Personne ne s'occupait plus vraiment de cet endroit.

Tout le monde s'en foutait. Pourquoi le ferait-il ? Il se posait souvent cette question. Le monde partait à vau-l'eau, mais ce que Steinmann lui avait dit lui donnait presque de *l'espoir*. "Le grand danger, pour Steinmann, n'a jamais été Avery. C'était Wilson. Parce que Wilson Frement a les plans maintenant, Hamon. Mon intuition est qu'il veut les mettre en œuvre. Les installations ont toutes été construites, tout attend d'être mis en service. Tout ce qui manque, c'est l'expertise. L'expertise technique que seul Steinmann possède et qui est détaillée dans ces papiers."

"Et Steinmann les a ?"

Bremen sourit et expire un jet de fumée. "Non, il ne les a pas. Quelqu'un d'autre les a."

"Qui, Bremen ?"

"Tu ne sais pas ?"

"Miller ? Mais Miller est mort, donc ça veut dire... Vous pensez que Miller a été tué parce qu'il avait les papiers ?"

"Je pense que c'est une possibilité. Je pense que Miller, comme vous et tous les autres dans ce monde pourri, travaillait pour Wilson Frement. Je pense que Miller voulait passer un accord, se débrouiller seul peut-être. Je n'en sais rien. Dans tous les cas, il est mort."

"Mais Wilson n'a pas les papiers." Bremen secoua la tête. Hamon gonfla ses joues. "Pourquoi en aurait-il besoin de toute façon ? Ce plan dont vous parlez, c'est quoi ce bordel ?"

Bremen ne le savait pas, pas encore. Il avait quelques idées, mais aucune qu'il voulait partager. Plutôt, il fit un haussement d'épaules. "Donc ... c'est là où nous en sommes, Hamon. Je dois aller faire mon rapport à Wilson. Il doit commencer à s'inquiéter."

Il fit mine de se lever, mais cette fois, c'est la main de Hamon sur son bras qui l'en empêcha. Il la regarda, sentant un serrement dans son estomac. "Quoi ?"

"Je ne suis plus sur l'affaire."

Cete annonce frappa Bremen aux tripes comme un coup de poing. "Vous n'êtes pas sérieuse ?"

"Croyez-le ou non. Ricardt m'a retiré de l'affaire pour m'affecter à ces émeutes."

"C'est des conneries."

Hamon ferma les yeux. "Ok, écoutez. *Ecoutez.*" Elle lâcha son bras, passa une main sur la mâchoire. "J'ai demandé une réaffectation. Hier soir, quand je suis rentrée chez moi, il y avait une lettre, épinglée à ma porte."

Bremen sentit ses épaules se contracter. "De qui ?"

"Je ne sais pas. Mais Mikey en a reçu une aussi, au travail."

"Mikey ?"

"Mon mari. Il l'avait trouvé sur son ordinateur. Qui que ce soit, ils ont un logiciel assez impressionnant qui leur permet de passer à travers les défenses de son pare-feu."

"Qu'est-ce que ça dit ?"

Elle se rassit, penchée en avant, sa main fine plaquée sur sa bouche. Une seule larme coula sur sa joue. Bremen attendait, osant à peine respirer.

"Que je devais faire marche arrière. Que si je ne le faisais pas..." Elle secoua la tête, sa respiration devient irrégulière. "Si je ne le faisais pas, ils tueraient Mikey. Plus de questions, plus d'enquêtes. Plus de ... *rien.*"

"Et vous l'avez dit à Ricardt ?"

Elle rit. Un petit rire. " Avez-vous besoin de demander cela, Bremen ? "

"Non." Bremen força un sourire. "Parce qu'il le savait déjà, n'est-ce pas, le salaud."

"Vous vous rapprochez de quelque chose de vachement gros, Bremen. Et vous êtes sur le point de marcher sur les pieds de quelqu'un, et ils n'aiment pas ça. "

Bremen réfléchit. Il pourrait s'agir d'une ruse complexe, mais il ne le pensait pas. Alors il paria. "Je dois vous dire quelque chose."

Elle fronça les sourcils. "Moi ? Me dire quoi ? Je suis un des laquais de Wilson, n'oubliez pas."

"Je ne suis pas sûr que vous le soyez. Pas après ce que vous m'avez dit, à moins que..." Il haussa les épaules, termina sa cigarette et regarda le jardin. "Avant que tout cela n'arrive, il y a eu une perturbation près de la rivière. Une explosion. J'ai été assigné mais quand je suis arrivé, l'endroit était plus fermé qu'un coffre-fort de banque. Les droïdes à la porte m'ont dit que tout allait bien, mais plus tard j'ai parlé avec un vendeur de rue. Il m'a dit qu'il avait vu des gens arriver à l'endroit où l'explosion s'est produite, tous les jours. Peu de temps après m'avoir parlé, il est mort."

"Mort ? Vous voulez dire... assassiné ?"

"Je ne peux pas le prouver, bien sûr, mais je soupçonne qu'il ait été réduit au silence. Donc, je suis allé là-bas pour voir de plus près. Au beau milieu de la nuit. Je suis entré par effraction, je suis allé au sous-sol et je suis tombé sur une sorte d'unité de fabrication. C'était énorme. Des établis s'étendant à perte de vue. "

"Que construisaient-ils ?"

"Je ne sais pas. On aurait dit de très petites boîtes compactes, remplies de processeurs, toutes sortes de trucs techniques. Je ne suis pas un expert mais je pense qu'il devait s'agir d'une sorte d'unité de surveillance."

"Mais... Vous pensez que c'est autre chose ? Que le vendeur, il a été tué parce qu'il vous a parlé, et qu'ils voulaient que cet endroit reste secret ?" Bremen acquiesça de la tête. "Mais pourquoi ? Nous sommes tous sous surveillance, vingt-quatre heures sur vingt-quatre. Aux États-Unis maintenant, ils insèrent des micropuces sous la peau des bébés, pour les suivre dès la naissance et enregistrer tout ce qui les concerne. Pas besoin de passeports, de papiers d'identité, de reconnaissance de l'iris, rien. Tout est dans la puce. Cela va se passer ici, donc pas besoin de boîtes noires. Elles sont trop encombrantes."

"C'est peut-être pour les bureaux ?"

"La plupart des gens travaillent à domicile maintenant. Non, ça ne peut pas être la surveillance, ça doit être autre chose."

"Je pense que c'est lié à ce que fait Steinmann."

"Mais cela présuppose que Wilson savait déjà ce que contenaient les documents de recherche de Steinmann."

"Exactement. Peut-être qu'il le sait déjà et que tout, la mort d'Avery, ma mise sur l'affaire, la mort de Miller, tout cela fait partie d'un audacieux écran de fumée."

"Pour nous empêcher de connaître la vérité ?"

"Oui. La vérité sur ce que sont ces petites boîtes noires."

Elle expira et se rassit. "Wow, Bremen... Nous pensions tous que vous étiez un flic inutile, mais en fait, vous n'êtes rien de la sorte. Vous êtes en fait assez bon."

"Ouais. On le pensait tous. Et 'nous' savons tous qui le pensait le plus, n'est-ce pas ? Celui-là même qui vous a mis en garde, et qui a transformé Ricardt en un chiot pleurnichard. "

Hamon laissa retomber sa tête. "Malgré tout ce que vous croyez, Bremen, je ne suis pas au service de Frement. Je ne l'ai jamais été. C'est pourquoi il m'a envoyé ce message."

"Wilson Frement."

Elle s'autorisa un léger sourire. "En personne."

INTERROGATIONS ET ACCUSATIONS

LA MENTION DE FREMENT RAPPELA À BREMEN QU'IL ÉTAIT TEMPS de faire son rapport. Ce n'était pas quelque chose qu'il appréciait. Hamon rentra chez elle, l'air d'une âme perdue. Seul à nouveau, Bremen se rendit au domicile de Wilson Frement. Il attendit à la porte que les scanners corporels le passent au crible et que le garde s'écartât, le lourd fusil à impulsion serré dans ses grandes pattes, l'air menaçant.

Frement leva à peine les yeux de son bureau. Il était branché sur l'ordinateur central monétaire international. Bremen jeta un coup d'œil sur l'écran qui dominait le mur, les actions et les parts cliquetant de-ci de-là, des masses de chiffres comme une étrange langue ancienne dansant autour. Cela lui faisait mal aux yeux.

En appuyant sur l'interrupteur, Frement se rassit et jaugea Bremen d'un regard d'acier.

"Dites-moi."

"J'ai demandé, il a répondu."

"J'aimerais un peu plus de détails, si ça ne vous dérange pas."

"Mon partenaire a été touché par une balle de gros calibre. Qu'est-ce que vous en pensez ?"

La couleur est montée aux joues de Frement. "Ne jouez pas avec moi, inspecteur. Je pourrais vous écraser comme une puce."

"Les puces sont coriaces." Bremen sourit, ne se sentant pas du tout coriace. Le nœud dans ses tripes se resserrait. "Moi aussi."

"A votre avis, qui songerait une seule seconde à votre mort, Bremen ?"

"Mon fils. J'aime à penser qu'il le ferait."

Frement sourit. " Vous êtes vraiment un idiot, vous le savez. Votre fils..." Il secoua la tête et se leva, retirant les fils qui reliaient son ordinateur aux prises d'entrée sur sa nuque. Il grimaça lorsque la connexion fut coupée, se dirigea vers le meuble à boissons et se servit un Bourbon. Il resta là, à le siroter, ne daignant pas en offrir un à Bremen. Le détective soupira, déplaça son poids d'une jambe à l'autre. Dans des moments comme celui-ci, il aurait souhaité être un tueur de pierres, il aurait mis une balle dans le cerveau de l'homme plus vite qu'il ne pouvait cracher.

"Je vais rester ici et attendre votre rapport, Bremen. Ensuite, nous parlerons de votre partenaire. Marché conclu ?"

Bremen haussa les épaules. "C'est équitable."

"Alors dites-moi. Qu'est-ce que le vieux type a dit ?"

Bremen lui raconta. Pas tout, bien sûr. En fait, il mentit. Sur presque tout. Il dit à Wilson qu'il avait rencontré Steinmann mais le vieil homme était vague, fatigué, presque comme si son esprit était déformé. Et il ne dit rien sur la femme. La femme. La mère de Wilson. Comment aurait-il pu, même s'il l'avait voulu.

Alors il mentit, du mieux qu'il put.

Wilson le regardait durant tout ce temps, sans sourciller, en prenant tout, en analysant, en considérant. À la fin, alors que Bremen prenait une cigarette, il chercha l'approbation de Wilson et l'obtint, les deux hommes étaient silencieux.

Un autre Bourbon. Cette fois, Wilson en tendit un à Bremen qui le prit avec un petit sursaut d'étonnement, mais aussi d'excitation. On ne voyait plus de Bourbon, pas même dans les rues. Bremen ne se souvenait pas de la dernière fois qu'il en avait goûté. Il prit une gorgée, ferma les yeux, laissa l'alcool jouer sur sa langue. Un moment de paradis.

"Donc, s'il n'a pas les papiers, Bremen. Qui les a ?"

"Miller."

Jusqu'où céder. On vivait des heures dangereuses en ce moment. Bremen savait que Miller était aux ordres de Wilson. Il supposait que Miller avait essayé de faire du chantage.

Wilson secoua la tête. "Non, ce n'est pas le cas. Miller ne les a pas trouvés."

"Comment le savez-vous ? "

"Ricardt vous a envoyé inspecter le corps, non ? Et vous avez découvert qu'il avait été abattu, à bout portant, non ?"

"Oui, mais je pensais..."

"Pas besoin de penser du tout, Bremen, parce que je l'ai fait tuer."

Voilà qui était audacieux, même si ce n'était pas vraiment une surprise. Wilson, laisser échapper un tel fait le faisait presque paraître invulnérable. Au-dessus de la loi. Bremen le savait déjà, bien sûr. La question qui se posait maintenant, et qui tournait en boucle dans son cerveau, était de savoir combien de temps il lui restait à vivre maintenant que Wilson avait tout avoué ? Pour rassembler ses pensées, se donner du temps, Bremen prit une autre gorgée de Bourbon. Ses mots, quand ils venaient, semblaient avoir une vie propre. "Alors, pourquoi essayer de me faire porter le chapeau pour la mort de Miller ? Je n'ai pas besoin de rentrer chez moi pour savoir que vous avez utilisé mon arme pour lui mettre une balle dans la tête. Tout médecin légiste digne de ce nom verrait que Miller était mort bien avant que la balle n'entre dans son cerveau."

"Ne soyez pas naïfs. Je les possède tous, Bremen. Examinateurs, agents de renseignements, juges, jurys. Si je le voulais, je vous enfermerais pour le reste de votre vie."

Hochant la tête, Bremen finit son verre. Il savait déjà tout cela, bien sûr. Wilson possédait tout et tout le monde. La seule chose qu'il ne possédait pas, c'était les documents techniques. Dans un monde de technologie, mettre quelque chose sur papier était aussi rare que de trouver de l'eau potable. Cela les rendait précieux. Bremen prit une grande bouffée de sa cigarette. Il lui en restait deux. Il était temps de rendre une nouvelle visite à son fournisseur. "Alors, pourquoi vous ne le faites pas ?"

"Parce que je veux que vous trouviez ces papiers. Quelqu'un les a, et je veux que vous les trouviez. Si vous ne le faites pas ou si vous décidez de me piéger..." Wilson sourit et Bremen sentit le vent froid l'envelopper comme un manteau de rechange. " Vous souhaiterez ne jamais être né. Ou votre fils."

Bremen ne put respirer. Il serra le verre vide dans son poing, "Si vous le touchez, Frement, je..."

"Ne soyez pas si dramatique, petite merde pathétique. Petie est sain et sauf et le sera tant que vous jouerez le jeu. Trouvez juste ces putains de papiers."

Bremen ne laissa pas la colère s'échapper de son corps jusqu'à ce qu'il prît le volant de sa voiture dans la nuit, en direction de son appartement, s'élevant dans le ciel, traçant une route entre les gratte-ciel de la ville. C'était l'heure des restrictions, le ciel était vide. Seuls les véhicules de sécurité et d'urgence étaient autorisés. Il avait l'autorisation, grâce à Wilson Frement, d'aller n'importe où et n'importe quand. Il choisit de le faire maintenant. Il ferma les yeux, confiant à l'ordinateur de bord de faire voler la voiture à travers le vide sans aucun souci.

Il aurait suffi que Wilson appellât les gardes, attachât Bremen à des câbles, et il aurait révélé tout ce qu'il savait. Alors pourquoi ne l'avait-il pas fait ? Croyait-il vraiment que Bremen n'avait pas les papiers, ou son esprit ne fonctionnait-il pas correctement ? Peut-être y avait-il des choses plus importantes, des problèmes d'une complexité internationale que Bremen ne pouvait que deviner.

Après avoir garé la voiture et l'avoir branchée sur le chargeur, il prit les escaliers jusqu'à son appartement. La porte s'ouvrit dans un sifflement et le froid le frappa dès qu'il franchit la porte.

C'était étrange.

Instinctivement, il tendit la main vers son arme et la dégaina, le laser transperçant l'intérieur obscur. La seule lumière provenant de la fenêtre panoramique ouverte. Ouverte ? Bremen lutta contre la panique qui montait. Il cria, "Petie ?"

Sa voix lui revint. Rien d'autre. Il s'accroupit, se faufila dans le couloir, l'arme prête. Les battements de son coeur battaient dans ses oreilles. Il passa sa main gauche sur son front, la sueur perlant. Il attendit, appuyé contre le mur.

Ils devraient être là. La mère et le fils. Mais même l'ordinateur de la maison était en panne. Pas de lumière, pas de chauffage. Pas d'électricité du tout. Alors pourquoi la porte...

De là où il se tenait, il pouvait voir le couloir qui menait à la salle de séjour principale. La grande fenêtre panoramique donnait sur la nuit, et il pouvait clairement voir les lumières des autres appartements clignoter dans la nuit. Donc, pas de coupure de courant. L'appartement était vide, mort. Tout était éteint. Mais pourquoi ? Il atteignit la fenêtre et la ferma, bloquant la puanteur de la ville, une ville étrangement calme.

Il avança, un pas mesuré après l'autre, en faisant profil bas, en gardant le silence. Il osait à peine respirer. Tout en se déplaçant, il écoutait, mais il n'y avait rien. Seulement une tension mordante, un crépitement dans l'air.

En arrivant dans le salon, il balaya toute la pièce avec son arme, le laser en relevant les détails. Aucun signe de lutte, pas de meubles renversés, pas de bibelots brisés. Bien rangé. Peut-être trop.

Il commença à se détendre, alla à la console centrale de contrôle. L'alimentation était coupée. Il la ralluma.

D'un seul coup, les lumières se mirent à briller, le faible bourdonnement de l'air conditionné, le ronronnement d'un millier de micro-processeurs remettant tout l'appartement en marche.

L'ordinateur crépita, sa voix métallique comme toujours lorsqu'il parlait pour la première fois.

"M. Bremen, bienvenue à la maison. Laisser les ordinateurs hors service aussi longtemps, M. Bremen, est illégal. Cela devra être signalé."

"Je n'ai pas coupé l'alimentation", dit-il doucement, en remettant l'arme dans son étui. Il souffla un peu, "Et si vous vérifiez avec M. Wilson Frement, vous verrez que tout est couvert."

L'ordinateur fit exactement cela, en une fraction de seconde, et alors que Bremen commandait un café, l'ordinateur répondit : "Affirmé, M. Bremen. Vous avez un message qui vous attend."

Il se sentit oppressé au niveau de la poitrine, s'affala sur le canapé et regarda le mur s'animer.

Elle était là, le visage hagard, les traits profonds.

"Merde, tu es un putain de bâtard égoïste, Bremen. J'ai essayé de te contacter toute la nuit."

"Désolé. J'étais occupé."

"Je t'ai quitté, Bremen."

Les mots restèrent suspendus dans l'air. Il pouvait à peine respirer.

"J'ai pris Petie. Je n'en peux plus. Toi, ton travail. Tu n'es jamais là, et..." Elle se brisa alors, les larmes venant. Il attendit, la regarda. Cela prit quelques instants. Elle ramena ses cheveux en arrière, ramena le dos de sa main sur son oui. Les larmes coulaient toujours. "Espèce de salaud. Je te déteste, Bremen. Je veux te voir mourir, je veux te voir coller comme un porc et je veux rire quand ça arrivera." Elle regarda autour d'elle. "Petie est au centre. Je vais aller le chercher, lui dire que nous partons en vacances. Je ne lui dirai pas la vérité, Bremen."

"Quelle vérité, Suzanne ?"

"Putain de merde ! *Pourquoi il a fallu que tu le tues, putain ?*"

C'était comme un cri, une accusation aiguë et incontrôlée, les dents serrées, les yeux brillants de toute la haine qu'elle avait en elle. La dévorant, la détruisant. Le visage se contorsionnait en un masque de rage.

Il était inutile d'essayer de le nier ou de l'expliquer. Expliquer quoi, que Wilson Frement avait tué l'amant de sa femme et lui avait fait porter le chapeau, ce pauvre vieil inspecteur Bremen ? Le pigeon, l'imbécile. L'idiot.

"N'essaie pas de nous trouver, Bremen. Je te tuerai si tu le fais. Salaud."

Le mur se vida.

Pendant un long moment, Bremen ne trouva pas la force de bouger.

DANS LA GUEULE DU LOUP

Les nouvelles arrivèrent alors qu'il était debout à la fenêtre, regardant la nuit, essayant de garder l'esprit vide, sachant que s'il s'autorisait à s'attarder sur les mots de sa femme, il craquerait. Petie. Son fils. Parti.

Sur l'écran, on voyait un autre corps, un autre meurtre. Habituellement, la chaîne d'information n'accordait que peu d'importance à ce genre de choses. Chaque jour, des gens disparaissaient, pour être découverts plus tard, généralement morts ou mourants. Ce genre de choses était banal. Mais quelqu'un quelque part pensait que cet incident méritait une couverture plus complète. Peut-être parce que la police avait trouvé la victime clouée sur le côté d'un pont, les bras et les jambes étendus au maximum avant que les articulations n'éclatèrent. Qui diable pouvait faire une chose pareille, à moins de vouloir en faire la une des journaux ?

Bremen jeta un coup d'œil à l'écran alors qu'une photo de la victime apparaissait à côté de la scène floue du pont. C'était Rodney, une photo d'identité judiciaire prise quelques années auparavant. La caméra zooma sur le cadavre, cloué là pour que le monde entier pût le voir et Bremen reconnut les traits. C'était bien Rodney, même si le visage ressemblait maintenant à un horrible ballon de football gonflé. Il avait été battu à mort avant qu'ils ne le plaquèrent contre le pont. Pour que Bremen comprît.

Bremen regardait des droïdes blancs en uniforme enlever le corps. Pendant tout ce temps, le présentateur parlait, mais Bremen n'écoutait plus. Il traversa la pièce en titubant jusqu'à la cuisine et sortit une bouteille d'alcool. Certains continuaient à l'appeler *whisky*. Bremen s'en fichait, il avait simplement besoin d'alcool.

Ses mains tremblaient alors qu'il vidait le verre. Il en versa un autre et mit la dernière de ses cigarettes dans sa bouche, l'alluma. L'ordinateur se mit à hurler, l'avertissant des conséquences désastreuses pour sa santé et pour la sécurité de la maison. Ces violations devraient être signalées s'il ne cessait pas immédiatement de...

Bremen ordonna à l'ordinateur de fonctionner en mode silencieux. Souvent, il était presque impossible de déconnecter entièrement le système, mais Bremen ne pensait plus de manière logique, ni rationnelle. Il savait où se trouvait le boîtier de relais, ouvrit le couvercle, saisit les fils et tira. Il y eut un craquement sauvage lorsque les circuits électroniques s'éteignirent, la sauvegarde d'urgence lui indiquant qu'il avait plus de problèmes qu'il ne pouvait l'imaginer, mais il ne s'en souciait plus. Le meurtre de Rodney était un avertissement évident. Wilson Frement pouvait faire ce qu'il voulait, faire taire qui il voulait.

Laissant les feux de détresse allumés, Bremen sortit dans la nuit et se glissa derrière la console de sa voiture. Elle ronronna, il tapa les coordonnées. Le véhicule s'éleva dans le ciel nocturne et se faufila entre les doigts squelettiques et noircis des immeubles d'habitation. En bas, les citoyens se précipitaient comme des fourmis dans les débris des rues, des feux allumés aux coins des rues, des groupes de dépossédés se rassemblant. La puanteur ne pénétra pas la vitre renforcée de son véhicule, mais ses narines se crispèrent à ce souvenir. Il se détourna avec dégoût et se laissa envahir par la nuit.

Il installa le véhicule au milieu d'un fouillis d'entrepôts désaffectés et en ruine, dans une partie sombre et déserte de la ville. C'est là qu'il allait trouver son fournisseur. Il sortit et respira l'air, l'ordinateur de bord l'informant : "Vous devez porter votre masque, monsieur. L'air dans cette zone est sérieusement toxique." Bremen sourit. Toxique ? Le monde entier était toxique.

Il se fraya un chemin vers les entrepôts, à travers des morceaux de mortier, des tiges d'acier rouillées et tordues, du papier, du carton, des détritus inacceptables d'un monde qui ne se souciait plus de rien. Il trébucha et s'écorcha le genou contre un bloc de béton. Il jura, avançant jusqu'à ce qu'il le reconnût.

Ce n'était pas, cependant, son fournisseur habituel. Un nouveau type était assis sur un baril de pétrole renversé, se réchauffant les mains près d'un feu bricolé. Il avait installé son campement de l'autre côté de l'entrepôt, presque à l'air libre, sous l'un des principaux ponts aériens qui permettaient de sortir de la ville en direction de la banlieue. Plus personne n'utilisait l'autoroute, et l'eau dégoulinait, rouge sang, des poteaux en béton armé pourris. Il faisait froid et Bremen resserra sa veste.

"J'ai besoin de cigarettes."

Le fournisseur plissa les yeux. "Et alors ?"

"Alors, vends-m'en."

Le fournisseur regarda autour de lui, changea de position, renifla et étendit ses paumes devant le feu. "Je te connais."

"Eh bien, cela devrait rendre cette transaction beaucoup plus simple." Bremen plongea la main dans son manteau pour récupérer l'argent.

"Vous êtes ce flic, oui ? Celui dont tout le monde parle ?"

Bremen fit une pause, lui jeta un regard. "Ça dépend de ce qu'ils disent."

"Ils disent que tous ceux qui vous parlent finissent par mourir. C'est partout dans les putains de nouvelles, mec. Je ne veux pas finir mort, alors tu ne vous approchez pas de moi."

"Je veux juste des cigarettes." Bremen sortit l'argent. C'était les dernières économies qu'il avait faites, mais il s'en fichait. Le besoin de nicotine lui martelait le cerveau. Il lança la liasse vers le fournisseur. L'homme se lècha les lèvres et sa peur disparut.

Ils échangèrent de l'argent contre des cigarettes. Un paquet de deux cents. Bremen ouvrit une cartouche alors même qu'il s'éloignait.

"Vous devriez peut-être parler aux parents de Rodney."

Bremen s'arrêta, se retourna et regarda la forme ombragée, silhouettée à la lueur du feu. "Qu'est-ce que tu as dit ?"

"Lui et la famille de Stowell, ils étaient proches. Cousins, je crois. Une *grande* famille. Ils vont venir vous chercher, inspecteur. Ils vous tiennent pour responsable de leur mort. Si j'étais vous, j'irais les voir en premier. Avant que la famille ne *vous* cloue au mur."

"Stowell et Rodney étaient liés ?"

"On dirait bien. On dit dans la rue qu'il vous reste environ vingt-quatre heures à vivre. » Bremen se crispa, voulant sortir son arme et enfoncer le canon dans la bouche du petit rat. "Qui es-tu, bordel ? Où est ce putain de..."

"Allez juste les voir, ouais ? Le domaine Fuscha. Vous savez où c'est ?"

Bremen fit un pas de plus vers lui et déclencha son arme. Le fournisseur se leva d'un bond et s'élança dans un sprint, sautant par-dessus les débris, se faufilant entre les piliers, un flou de vitesse, disparaissant dans le noir d'encre.

Respirant difficilement, Bremen expulsa un jet de fumée. Chaque pas qu'il faisait, chaque nouvelle direction, il était toujours là. Contrôlant tout. Wilson Frement. Qui d'autre cela pourrait-il être ?

LE CŒUR BATTAIT DANS UNE POITRINE SERRÉE.

Bremen savait ce qu'il allait découvrir, mais il n'osait tout de même pas regarder. Alors il resta immobile, pendant un long moment, les yeux fixés au sol. Engourdi. Il prit une inspiration, inséra la clé dans la serrure, la tourna et ouvrit la porte de l'armoire.

Le Colt quarante-cinq le fixait.

Il le souleva, renifla la bouche du canon.

Personne n'avait tiré avec ce pistolet depuis des mois.

Il retourna dans le salon, se versa un verre, s'assit et réfléchit.

Miller avait été tué par une balle de calibre quarante-cinq à bout portant, c'était clair. Bremen était sûr que cela était arrivé après la mort, mais il avait besoin d'en avoir la confirmation. Il se pencha en avant, appela le réseau informatique, entra dans le salon des hologrammes et trouva Tobias Phelps. Docteur Toby.

"Vous travaillez tard."

"Ces maudites émeutes, elles prennent le temps de tout le monde et il y a une tonne de morts à examiner, Bremen. Ils n'ont pas tous été tués par la sécurité. On dirait que les gangs utilisent le chaos pour régler de vieux comptes."

"C'est intéressant." Effectivement. De vieux comptes réglés sous le feu de milliers de fusils à impulsion du gouvernement. Aléatoire, ou orchestré. "Je suis ici pour parler de Miller." Il pénétra dans le réseau holographique et se dirigea vers la grande banque de tiroirs en acier qui contenait les corps des défunts et scanna les noms. Il grogna quand il trouva celui de Miller et fit glisser le tiroir vers l'extérieur. Bremen observa le visage de poupée de cire de son partenaire mort. Le trou était toujours là. Sinon, on aurait fait croire à un arrêt cardiaque majeur. Il se sentit en fait soulagé. " C'est ça qui l'a tué ? "

"Ça ne l'a pas aidé."

"J'ai besoin d'une réponse."

"Sans ça, il serait mort de toute façon. Une blessure par impulsion dans la poitrine. Mais la balle a broyé son cerveau comme s'il avait été passé au mixeur. Ces vieilles armes ne sont pas de tout repos."

"Vous êtes absolument sûr qu'il n'était pas déjà mort ?"

"Je ne suis pas un charlatan, Bremen, et je n'aime pas cette insinuation. Votre façon de me questionner est insultante."

"Désolé, Toby. J'ai juste besoin d'une réponse."

"Je vous l'ai donnée. "

Bremen quitta le tableau, retourna en temps réel à son canapé. Il s'affala et prit un verre.

Il repassa le message de sa femme.

"Puis-je vous rappeler, Monsieur," dit le robot domestique, flottant dans la pièce vers lui, les capteurs clignotant de façon erratique comme s'il était réellement agacé, "votre comportement de tout à l'heure a été enregistré et transmis au central..."

"Si vous ne fermez pas votre gueule," dit Bremen, "je vais prendre mon bon vieux pistolet et faire sauter vos circuits une bonne fois pour toutes."

Le robot ne répondit pas, se retourna et flotta vers sa borne de raccordement pour se recharger.

Bremen sortit une cigarette, la fuma lentement en regardant le plafond. Sa femme détestait le fait qu'il fumât dans l'appartement. Cela n'avait plus d'importance. Elle était partie, et elle lui reprochait la mort de Miller. Quand ses pensées se tournèrent vers Petie, les larmes coulèrent sur ses joues sans retenue.

DOMAINE DE FUSCHA

Le ronronnement métallique des énormes conduits d'aération emplissait la nuit d'un pressentiment effrayant, comme les bruits cauchemardesques d'un monde préhistorique. Sauf que c'était maintenant, l'ère moderne. L'air pollué était purifié et canalisé à travers les tours interminables et inhospitalières du domaine de Fuscha. Un million d'âmes enfermées dans un vaste amphithéâtre de béton, tranquillisées par un régime permanent de drogues et d'alcool, fournies gratuitement par un gouvernement qui ne les connaissait pas et ne se souciait pas d'elles, de leurs vies, de leurs aspirations ni de leurs craintes. Tant qu'ils évitaient les ennuis, personne ne leur accordait une seconde d'attention. Alors que le vent s'engouffrait dans sa queue de pie, Bremen le prit et frissonna.

Il traversa la place déserte jusqu'à la Tour Une et fut accueilli par la douce pulsation d'une musique apaisante, des cordes synthétiques bourdonnantes créées pour endormir les consciences et tempérer les esprits. Bremen alluma une cigarette, ignora le bip du détecteur de fumée et se demanda s'il devait faire demi-tour et rentrer. Il avait son pistolet à impulsion, son Colt était même rangé sous son bras. Il ne voulait pas prendre de risques. Mais aucune des deux armes ne le faisait se sentir plus en sécurité. Il prit une dernière bouffée et jeta la cigarette dans la nature.

Prenant les escaliers deux par deux, il atteignit bientôt le premier étage. Il déambula dans le couloir, ouvert sur les éléments à sa droite, les entrées des nombreux appartements à sa gauche. À mi-chemin, une jolie fille se languissait dans l'embrasure d'une porte, une jambe résille pliée, le talon appuyé contre le mur. Ses seins exposés tombaient sur le bord d'un corset noir serré. Ses cheveux verts, hérissés, étaient teintés de rouge henné. Elle le vit et pendant un moment, ses yeux scintillèrent d'impatience. Puis elle se raidit et se redressa alors que, plus loin dans le hall, une autre porte s'ouvrait et qu'un homme aux proportions énormes en sortait.

"Je pensais que c'était Manny", hurla-t-elle à l'homme, et elle retourna à l'intérieur de son appartement avant de recevoir une réponse. Elle claqua la porte.

"Je suis Bremen."

"Vous êtes attendu."

Bremen s'avança vers lui. Le gorille se plaça sur le côté et permit au détective de se faufiler.

Il se dirigea vers un couloir étroit et s'arrêta pour prendre une profonde inspiration avant de continuer. La pièce dans laquelle Bremen pénétra était simple, deux chaises en plastique, un énorme écran holographique d'époque et un robot domestique silencieux dans un coin. Aucune allusion aux tractations criminelles qui se déroulaient sans contrôle dans cet endroit. En revanche, les murs peints en rouge vif dégageaient une aura de menace. Le gorille se dressa derrière lui. Une musique grave retentit de quelque part dans le bâtiment et Bremen combattit l'envie d'essuyer la sueur de son front.

Il sursauta lorsqu'apparut, à travers un rideau de bambou, un petit homme maigre et nerveux, portant des lentilles violettes et mâchant durement une feuille de tabac noir.

Il étudia Bremen pendant un moment, de la tête aux pieds. "Vous êtes armé ?"

"Qu'est-ce que vous croyez ?"

Le type trapu fit un signe de tête au gorille, qui se rapprocha, les mains se déployant comme pour s'emparer de Bremen, le plumer, peut-être pire. Bremen se retourna, les genoux pliés, et le frappa durement à la gorge avant que le grand type ne fasse un pas de plus. Il s'étouffa, les mains s'agrippant à la zone attaquée, il tituba en arrière, les yeux écarquillés de surprise, puis couina lorsque le genou de Bremen s'écrasa sur ses testicules. Alors que l'homme s'affaissait et basculait vers l'avant, Bremen l'aida à poursuivre son chemin en lui assénant un vicieux coup de tranchant sur la carotide. L'homme heurta le sol avec un énorme fracas, gémit, appuya ses paumes sur le sol et essaya de se relever de force. Mais le pied de Bremen s'écrasa sur la joue du gorille, brisant l'os, rompant les vaisseaux sanguins, et il s'effondra. Il ne se relèvera pas avant un bon moment.

Bremen sortit le Colt, le canon comme un doigt pressant contre le front du type nerveux qui se tenait figé parmi les perles. Alors qu'il s'apprêtait à sortir un couteau, il se ravisa et, terrifié, la bouche frémissante, laissa l'arme glisser de ses doigts tremblants et s'écraser sur le sol.

"Je suis ici pour parler, pas pour me livrer à un petit fox-trot", grogna Bremen en serrant les dents.

"Ils ont dit que vous étiez un flic de quartier", siffla le gars nerveux. Il tremblait, son visage était blanc. "Maintenant je sais ce qu'ils voulaient dire."

Bremen appuya un peu plus fort la muselière sur la tête du type nerveux. "Emmenez-moi à votre chef."

"Quoi ? Vous souhaitez mourir ou quoi ?"

"Non, mais vous, on dirait que oui." Il enfonça le canon encore plus profondément. "Écoutez, vous me montrez le chemin. De cette façon, je ne vais pas m'énerver et vous faire sauter la cervelle."

Une odeur épouvantable envahit les narines de Bremen et il s'étouffa. Il baissa les yeux vers l'entrejambe du gars nerveux et la tache humide qui s'étendait. Il essaya de retenir sa respiration.

"Vous êtes un putain de lunatique ", bêla le gars nerveux.

"Et vous vous êtes pissé dessus. Maintenant, avancez."

Il n'y eut plus de discussion. Ils franchirent le rideau, Bremen près du gars nerveux, l'arme juste là, prête. Un autre garde sortit de la pénombre, s'arrêta lorsque le gars nerveux leva la main. Bremen lui fit signe de s'écarter. Ils continuèrent.

L'endroit sembla s'éterniser, un couloir étroit, faiblement éclairé, avec des portes de chaque côté, toutes fermées. A chaque pas, la musique pulsée devenait plus forte. Et puis, alors que Bremen avait presque perdu l'espoir d'arriver au bout, le type nerveux s'arrêta et désigna une porte rembourrée de cuir. Bremen sourit et porta son index à ses lèvres. Le gars nerveux fronça les sourcils et Bremen lui fit signe d'ouvrir la porte. Quand il secoua la tête, Bremen agit. Il l'attrapa le gars par le col et, l'utilisant comme une sorte de bouclier, il enfonça la porte à coups de pied.

Elle se brisa et se fendit, plus facilement qu'il ne l'avait prévu. Le gars maigre agitait ses bras comme un fou, en criant "Non, c'est moi, Jimmy !" mais c'était inutile. Bremen s'esquiva, se plaquant contre le mur alors qu'une seule impulsion de lumière intense frappait Jimmy, cautérisant la chair et les tendons tout en tranchant la poitrine de l'homme, détruisant les organes internes en un clin d'œil.

Bremen roula sur le sol alors que plusieurs autres impulsions de lumière brûlaient le mur où il s'était abrité. Il atteignit l'autre côté de la porte, vit le corps de Jimmy étendu là, les yeux fixés sur le plafond, et se demanda ce qu'il devait faire ensuite. Il n'était pas habitué à ce niveau d'effort physique, son rythme cardiaque et sa respiration étaient rapides, trop rapides. La façon dont il s'était occupé du garde du corps lui donnait une certaine satisfaction, mais il était bien conscient de ses limites. Trop de cigarettes, se dit-il, mais lorsqu'une autre impulsion de lumière éclaboussa le sol à côté de lui, Bremen cessa de penser et se mit à courir, aussi vite qu'il le pouvait, vers l'extrémité du couloir.

C'était un cul-de-sac. Pas de virage, pas d'autres portes. Il avait atteint les limites de l'intérieur. Il sentit ses jambes flancher, son corps s'affaisser lourdement. S'essuyant la bouche, il se retourna et mit un genou à terre, le Colt automatique pointé vers la porte ouverte et détruite. De petits courants de fumée tourbillonnaient à travers les trous parfaitement ronds dans le mur. Le cadavre de Jimmy dépassait de l'entrée, un rappel effroyable de la proximité de la mort.

Il attendit.

"Bremen ? " La voix traversa le couloir comme un gémissement strident. La peur fit trembler les mots, les rendant secs et aigus. " Vous êtes un putain d'homme mort, Bremen. Vous ne sortirez pas d'ici vivant !"

Bremen repéra le mur juste à côté de l'entrée de la porte. Il calcula l'angle, la hauteur. Un tir pouvait suffire. Un tir chanceux. S'il le touchait, tant mieux ; s'il le manquait, cela servirait de rappel à l'ordre du petit merdeux dans la pièce.

Le Colt fit un bruit sec une fois, deux fois. Trois fois. Les balles lourdes défoncèrent le mur, envoyant une pluie de poussière blanche et de flocons de ciment ancien. Ces murs étaient fins comme du papier. Probablement du carton. Tout avait été construit au rabais. Comme le monde entier, putain.

Bremen courut, tête baissée. Il donna un coup d'épaule contre le mur perforé, brisant les fines poutres et le plâtre tomba en ruine avec l'impact d'un taureau déchaîné. Au fond, la silhouette au laser, hurlant dans un grand nuage de poussière et de maçonnerie brisée, vacillait, confuse, désorientée, comme

Bremen l'espérait. Sans s'arrêter, il chargea à nouveau, tête baissée.

Ils tombèrent en un tas de membres agités, Bremen sur le dessus, la main droite prête à assommer comme un marteau la figure hébétée et désespérée qui se trouvait sous lui.

Il était sur le point de détruire nez, lèvres et dents.

"Jésus", dit-il. "Vous..." Bremen secoua la tête et bascula en arrière. Il pressa le dos de sa main contre sa bouche et se releva, le cerveau en ébullition.

La fille se redressa en remuant la tête. Des taches de sang décoraient ses joues, sinon elle semblait indemne. "Espèce de salaud", dit-elle. Bremen la regarda fixement alors qu'elle se relevait, brossant la poussière de ses vêtements. Elle déglutit et lui lança un regard noir. "Je suis la soeur de Marc Stowell, Bremen. Et vous l'avez assassiné."

Elle était éblouissante, malgré la peur dans les yeux et la sueur sur le front. Un visage issu des meilleurs défilés de mode interactifs, et un corps qui parlait d'heures d'entraînement quotidien en salle de sport. Rien de faux ou de fabriqué chez cette fille. Bremen voulait dire quelque chose de profond, la complimenter, n'importe quoi, mais tout ce qu'il pouvait faire était de regarder son corps.

Puis un objet dur et lourd se brisa contre l'arrière de son crâne, et tout devint noir.

Une demi-vie plus tard, il ouvrit les yeux, cherchant à se concentrer, et aussitôt une douleur fulgurante lui traversa l'arrière de la tête. Il gémit, se forçant à appuyer légèrement ses doigts sur l'épicentre. Il retira sa main, grimaçant, et regarda ses doigts. Du sang.

Il était allongé face contre terre sur le sol nu. Après quelques secondes, en rassemblant ses forces, il se souleva, grognant dans l'effort, et se retourna sur le côté. Sa vue tournoyait et il prit une grande inspiration, prenant son temps, essayant de rétablir son équilibre.

"Ne faites rien de stupide."

Il plissa les yeux alors que des flashs aveuglants dansaient devant lui et lentement, elle apparut, assise à environ un mètre de lui. Un short bleu, de longues jambes, son Colt automatique dans ses mains parfaitement manucurées. A côté d'elle, le grand gorille de l'entrée principale avait l'air meurtrier. Bremen se maudit de ne pas avoir tué ce bâtard.

"Je peux à peine respirer, et encore moins bouger."

"Alors restez tranquille, espèce de merde. Je vous veux bien réveillé avant que vous ne mourriez."

Bremen secoua la tête, mais ce ne fut pas la bonne chose à faire car un grand coup de poignard de douleur le percuta comme un couteau. "Putain, avec quoi vous m'avez frappé ?"

"Pourquoi êtes-vous venu ici ?"

Bremen reprit quelques respirations. Il se sentait faible, nauséeux. Il lui fallait se retenir de vomir. "J'ai entendu dire que vous étiez à ma recherche. Alors j'ai pensé vous épargner la peine."

"C'est Frement qui vous envoie ?"

"Frement ?" Une tranche de glace apparut dans son estomac. Il se redressa lentement, se mordant la lèvre alors qu'une nouvelle impulsion de douleur traversait son crâne. "Non. Je suis venu de mon propre chef. J'avais besoin que vous compreniez - je n'ai rien à voir avec la mort de Rodney."

"C'est ce que vous dites. C'est étrange qu'il ait été tué quelques instants après que vous lui avez parlé." Elle joua avec le Colt, laissant l'arme pendre de son doigt. C'était une arme lourde mais elle semblait intriguée par sa beauté dans ses mains minces. Bremen sentait qu'il n'avait qu'à tendre le bras et le lui prendre, doucement, sans effort. Mais elle avait d'autres idées. Semblant remarquer son humeur, elle leva l'arme et la pointa sur sa poitrine. " Vous avez tué Marc aussi. Vous les avez utilisés tous les deux, et quand ils ont fait ce que vous vouliez, vous les avez tués."

"Ce n'est pas vrai."

"De là où je suis assise, je ne vois pas d'autre explication."

"Je les connais tous les deux depuis des années, pour l'amour de Dieu. Marc m'a donné beaucoup de pistes pendant tout ce temps. Il ne m'a jamais laissé tomber. Pourquoi choisirais-je de le tuer maintenant, à ce moment précis ?"

Le sourire qui se répandit sur son beau visage lui donna un nouveau frisson. "A cause des journaux, Bremen. Voilà pourquoi."

Ils le jetèrent sur une chaise à dossier dur, sans cérémonie, sans se soucier de ses cris, et lui braquèrent une lumière au visage. Il se détourna et quelqu'un l'attrapa par les joues, le forçant à faire face au devant lui. En plissant les yeux à travers la lumière, il put distinguer trois silhouettes. Deux gorilles encadraient la fille, l'arme dans ses doigts fins. Il pouvait à peine voir ses traits, la lumière obscurcissant les détails, mais il pouvait sentir son parfum et voir le reflet de l'arme. Son arme. Le Colt. Un Colt avait tué Miller. Mais pas le sien. Combien d'autres personnes possédaient une telle arme ?

"Si ce que vous dites est vrai, Bremen, ça veut dire que vous ne travaillez pas pour Frement."

"C'est ça. Dans le mille."

"Mais c'est là le point de friction, parce que ça vous rendrait spécial. Unique."

"J'ai souvent pensé que je sortais de l'ordinaire. C'est gentil de partager mon opinion."

En une fraction de secondes, elle se rapprocha de lui et le gifla. Les lumières tournaient dans sa tête, bien plus brillantes que la vraie lumière qui brillait devant ses yeux. Il s'exclama : "Bon sang, qu'est-ce qui vous a pris ?"

Elle se redressa. "Je veux que vous compreniez certaines choses, avant que je vous tue."

Bremen essaya de se déplacer sur son siège, mais avant qu'il ne pût le faire, les gorilles bougèrent, au niveau de chacune de ses épaules. Une main lourde le saisit. Il lèva les yeux vers le gorille de l'entrée. "Doucement, je ne vais nulle part."

"Non", dit la fille, la menace toujours présente dans son timbre doux, " vous n'allez pas partir".

"Dites juste ce que vous avez à dire."

"Wilson Frement nous a engagés pour aller rendre visite à la maison de son père".

Bremen prit une profonde inspiration. "Wilson vous a engagés ? Mais je pensais..."

"Je sais ce que vous pensiez, mais on vous a mal renseigné, Bremen. C'était un canular élaboré, très bien pensé. Ce pauvre vieux Steinmann pensait être celui qui nous a tous réunis, mais il s'est fait avoir comme tout le monde. Vous ne vous êtes jamais demandé comment un type comme Steinmann pouvait connaître des voyous comme les deux qui se sont introduits dans la maison d'Avery ?"

"Ça m'a traversé l'esprit, mais Steinmann m'a dit..."

"C'était un coup monté. Depuis le début. Dès qu'il a eu vent de ce que Steinmann préparait, Wilson m'a contacté pour l'aider à trouver ces deux idiots pour le plan qu'il concoctait."

"Sheldon et Grant."

Elle acquiesça. "Quand ça a mal tourné, et que le vieil Avery est mort, Wilson est passé en mode panique. Limitation des dommages et toute cette merde. Ce qui signifiait, essentiellement, que toutes les personnes connectées devaient mourir."

"Mais ces deux crétins, ils..."

"Sont morts." Elle sourit quand Bremen la regarda fixement. "Vous ne le saviez pas, n'est-ce pas ? Ils sont morts - de complications - pendant leur détention. Vous pouvez lire le rapport ... Si je vous laisse sortir d'ici vivant. Wilson s'est joué de vous comme d'un con, Bremen. Vous avez cru l'histoire de Steinmann. Eh bien, pour être honnête, lui aussi, mais..." Elle gloussa. "Je pense que vous me dites la vérité, Bremen. Vous n'avez vraiment rien à voir avec tout ça, n'est-ce pas ?"

"Wilson Frement me tient par les couilles. Il m'a menacé, m'a dit que si je ne faisais pas ce qu'il disait, il tuerait mon petit garçon."

"Il le fera, quoi qu'il arrive. Une fois qu'il aura mis la main sur ces papiers, il éliminera toutes les personnes concernées. Moi, mon peuple, Steinmann. Il a déjà commencé, bien sûr. Il n'a peut-être pas souhaité la mort de son père, mais je doute qu'il ait versé beaucoup de larmes. Il ne se soucie pas de qui il élimine tant qu'il réussit. Il vous tuera, Bremen, surtout si vous en savez trop."

"Mais Frement n'a toujours pas les papiers. Vos hommes ou les siens, personne n'a réussi à savoir où ils se trouvent."

"Non", dit-elle, la voix basse, menaçante.

Bremen tenta de plonger son regard dans la lumière, de distinguer sa silhouette. C'était impossible. Juste une tache, un contour.

Elle sortit de la lumière, assurée, gracieuse, et passa la bouche du Colt de haut en bas sur sa joue. "Le vieux Frement était peut-être un as de la technique, mais il se méfiait de tout garder sur disque dur. Virtuel ou réel. Alors il a tout mis sur papier. C'était du génie, vraiment. Une copie. Miller l'a trouvé mais maintenant il est mort et les papiers ont disparu."

"Qui a tué Miller ? Vous ?"

Elle rit et retira l'arme de son visage pour l'inspecter de plus près. "Vous n'en avez rien à faire de Miller, alors ne vous prenez pas pour une sorte d'esprit saint, Bremen. Vous le détestiez."

"Vous semblez en savoir beaucoup sur moi. Qui vous l'a dit ? Wilson ?" Il secoua la tête. "Ecoutez, il m'a dit en gros la même chose à propos des papiers, et m'a ordonné de les trouver."

"C'est pour ça que vous êtes venu ici, parce que vous pensez que je les ai ?"

"Je ne savais même pas qui vous étiez, seulement que vous vouliez ma mort."

"Je le veux toujours."

Bremen se mordit la lèvre. "Oui, mais je vous l'ai dit, Rodney, Marc, je n'ai rien à voir avec leur mort. Vous pensez sérieusement que j'aurais planté Rodney comme ils l'ont fait ?" Ses yeux restèrent fixés sur les siens.

"Ecoutez, faisons un marché. "

"Ah, la dernière tentative désespérée d'un homme mourant pour éviter l'inévitable."

"Vous utilisez des mots fantaisistes pour un gangster."

Elle se rapprocha et il put voir son visage beaucoup plus clairement. Il la regarda, hypnotisé par ses yeux, si grands. Il sentit une agitation dans ses reins. "Je suis instruite, Bremen. Je suis allée à l'université." Il resta bouche bée. "Oui, c'est surprenant, n'est-ce pas ? Moi, vivant ici dans cet égout ouvert décrépit et pourri. Mais c'est mon choix, Bremen. Je viens d'un milieu aisé. Privilégié, pourrait-on dire. Mais je détestais l'hypocrisie. Je rejetais le système et tout ce qu'il représentait. J'ai décidé de me débrouiller toute seule, et tout se passait bien jusqu'à ce que toutes ces histoires viennent tout gâcher. Le vieux Frement meurt, et depuis, nous sommes dans la merde."

"Alors laissez-moi trouver les papiers. Je vous les apporterai."Elle sourit. Des dents parfaites qui brillaient dans cette lumière sinistre. "Et pourquoi je devrais vous laisser faire ça ?"

"Un, pour vous empêcher de me tuer." Elle fit un sourire encore plus grand. "Et deux, parce qu'alors vous pourrez l'utiliser pour vous débarrasser de Frement."

"Quoi, comme outil de négociation, vous voulez dire ? Ce n'est pas une mauvaise idée, Bremen. Mais tout repose sur le fait que vous trouviez les papiers et il n'y a aucune garantie que vous y arriviez."

"Je les trouverai."

"Ah, le grand détective. Qu'est-ce qui me fait penser que ce plan n'est qu'un tas de conneries ? Vous n'êtes pas capable de trouver votre propre queue dans un bordel, Bremen. Vous n'êtes pas un détective, vous êtes un gaspilleur. Un perdant. Bien que, je dois dire, la façon dont vous avez éliminé Bertrand était un plaisir." Le gros gorille grogna. Souriante, elle recula, faisant tourner le Colt dans son doigt comme un cow-boy d'autrefois. "On dit que votre cher partenaire Miller a été tué avec un vieux pistolet automatique." Elle cessa de faire tourner l'arme et l'étudia. "Peut-être celui-ci."

"Alors, c'était vous ou pas ?" Elle secoua la tête, appréciant sa confusion. "Eh bien, je ne l'ai pas tué non plus. Les hommes de Frement l'ont fait, à la maison d'Avery. Ils ont ensuite déplacé le corps et l'ont à nouveau abattu," il fit un signe de tête vers l'arme, "en utilisant un modèle similaire au mien. Un autre clou dans mon cercueil. Non seulement me menacer avec Petie, mais me piéger pour le meurtre de Miller."

"Un type sympa notre M. Wilson. Il tue tout le monde."

"Oui, et comme vous l'avez dit, il continuera à tuer tout le monde jusqu'à ce qu'on trouve un moyen de l'arrêter."

"Donc, ces papiers deviennent notre police d'assurance ? Mmm, vous pourriez avoir raison, mais que se passe-t-il quand on les rend ?"

"On garde une copie. On le menace de le dénoncer s'il tente quoi que ce soit."

"L'exposer. Vous êtes bien naïf, Bremen, si vous croyez qu'il se soucie de tout ça. Il possède la presse, les agences de presse, il peut tourner tout ce qui lui plaît. De plus, tout cela n'a aucun sens. Ces documents valent-ils vraiment tout ce grabuge ? Que diable contiennent-ils ?"

"Ce sont les plans d'une usine de traitement. Pas comme les autres. Beaucoup de gens, des gens importants, seront très intéressés de les voir. Et certaines de ces personnes voudront l'arrêter."

"Personne ne peut l'arrêter."

"Certains membres du gouvernement le peuvent. Peut-être pas notre gouvernement, mais d'autres Etats-nations. Ils ne sont pas tous dirigés par des despotes."

Un long silence s'ensuivit. Elle se rassit. Bremen ne pouvait plus voir son visage. La lumière était dure. Elle lui faisait mal aux yeux, alors il regardait ailleurs, puis au sol. Il y avait de la poussière sur le sol, assez épaisse. Elle bougeait.

Bougeait ?

La glace commença à couler de ses cuisses, les muscles se contractaient.

Ils l'entendirent tous alors.

Un grondement profond et régulier, de plus en plus proche. Les gorilles réagirent, mais c'était trop tard.

Le bâtiment entier trembla, un simple tremblement au début, mais de plus en plus fort. Bremen fixa la lumière alors qu'elle tremblait violemment. Les gorilles, s'agitant dans tous les sens, cherchant à attraper leurs armes. La fille, les dents serrées dans un visage tendu par la peur et la colère, s'avança, le colt pointé droit devant. "Espèce de salaud, tu nous as piégés !"

Un véritable enfer se déchaîna autour d'eux.

La fenêtre derrière elle explosa en mille morceaux, la force de l'explosion la projeta sur lui, les faisant tomber tous les deux au sol.

Il heurta le sol de plein fouet, le souffle coupé. Elle était allongée sur lui, le corps inerte, inconsciente. Le vent souffla à travers la vitre brisée, mais il a vite été étouffé par le ronronnement des moteurs d'un énorme avion qui volait tout près, remplissant le trou béant. Les projecteurs traversèrent l'obscurité et la poussière, se dirigeant vers la pièce et repérant les gorilles. Les canons à impulsion les frappèrent de coups de lumière pure, tranchant leurs corps, les coupant en deux.

Le grand aéroglisseur d'attaque s'inclina lentement sur la gauche, créant un espace suffisant pour que les troupes d'assaut puissent descendre en rappel par la fenêtre, les faisceaux attachés à leurs casques permettant de distinguer les détails. Bremen s'efforça de rester immobile, mais ils le localisèrent en quelques secondes et le hissèrent sur ses pieds, tandis que d'autres ramassaient la fille. Elle pendait dans leur main comme une poupée de chiffon, Bremen l'avait constaté, mais son attention se porta bientôt ailleurs.

Par la fenêtre, alors que l'aéroglisseur se retirait, une autre silhouette s'avançait. Maigre. Vêtue de noir, la visière de son casque repoussée. Aux commandes.

"C'est gentil de passer", dit Bremen.

"J'ai pensé que vous auriez besoin d'un peu d'aide."

Bremen sourit.

Pas Hamon.

Ils le gardèrent dans une cellule de détention.

Les murs blancs dégoulinaient d'humidité, des traînées d'escargots noirs se terminant en minuscules flaques, pour s'accumuler comme de l'huile sur le sol. Bremen les remuait distraitement avec le bout de sa chaussure.

Il n'avait aucune idée du temps qu'il était resté là.

Hamon n'avait pas parlé pendant tout le voyage depuis le domaine de Fuscha. Son visage était figé et Bremen pensait qu'il valait mieux ne rien lui demander. Il regardait la nuit passer. Quelques lumières flambaient dans les appartements. Pas beaucoup. L'électricité était trop chère pour la plupart. Il essaya de dormir, mais les images brûlaient derrière ses paupières. Des images de mort et de bruit. Alors qu'ils l'avaient emmené, des vaisseaux d'attaque arrivèrent, crachant la mort, faisant s'écrouler les tours. Personne ne ferait jamais chanter Wilson Frement. Du moins pas dans cette zone.

Quand il ouvrit les yeux, il était dans la Prison 1. Une vaste étendue de blocs de béton blanc sans caractéristiques. Des gardes robots, des convoyeurs à bande, des lumières vives.

Il s'assit dans sa cellule, ramena ses genoux contre sa poitrine et frissonna de froid.

Wilson Frement savait certainement comment serrer la vis.

SERRER LA VIS

La pièce était vaste, avec plusieurs rangées de chaises et de tables, disposées en une sorte de demi-cercle, comme un amphithéâtre pensé par Wilson. Les Romains. Le Colisée. Il avait vu un film sur ce monument antique une fois, avant qu'ils ne le détruisent pour faire place à la nouvelle maquette en réalité virtuelle où les enfants pouvaient aller jouer aux gladiateurs. Combattre les lions, faire la course avec des chars. Se faire transpercer par une fourche à trois dents tenue par un grand noir avec des biceps de la taille d'un tronc d'arbre.

Ce n'était pas un Colisée.

Mais des gens pouvaient y laisser leur vie.

Wilson mâchouilla sa lèvre inférieure. Ses nerfs étaient en ébullition. Cinq minutes plus tôt, il avait pris deux grands verres de bourbon et désormais il le regrettait. Les voix étaient lointaines, comme si elles étaient perdues dans un long tunnel, et il avait du mal à rester concentré. Il avait pris la boisson pour se calmer les nerfs ; mais elle le rendit encore plus stressé.

Il allait passer pour un idiot.

Alors il but de l'eau. Beaucoup d'eau. L'eau était la boisson la plus chère qui soit. Il la buvait quand même. Il pouvait se le permettre, après tout. Lorsque le président ouvrit la réunion, il eut envie d'uriner. Sachant qu'il ne pouvait pas, il resta assis, se tortilla et souhaita être n'importe où au monde, sauf à cet endroit.

Le représentant de ce mois était originaire d'Indonésie et avait l'air secoué. Plusieurs dirigeants mondiaux furent appelés à prendre la parole. Ils se levèrent, certains d'entre eux, et parlèrent. Délégués et présidents, ministres et généraux. Tous parlèrent. D'Asie et d'Amérique, d'Europe et d'Océanie. Tous parlèrent et ils étaient tous inquiets. Le monde devenait incontrôlable et ils auraient dû agir il y a cinquante ans, lorsque les réfugiés avaient afflué en Europe, fuyant les conflits de l'Est. Beaucoup réagirent à tort et à travers, en utilisant des méthodes musclées, qui ne firent qu'attiser le mécontentement. Mais cette politique de confrontation avait un but. Elle détournait l'esprit des gens ordinaires des véritables dangers auxquels le monde était confronté. Des industriels au caractère bien ancré avaient demandé aux politiciens de faire monter la pression contre les réfugiés et les fanatiques religieux et de reléguer le changement climatique au second plan. Là où il brûlait. C'était clair et net. Il brûlait à haute flamme, et maintenant le compteur s'était épuisé et il n'y avait pas d'argent pour le relancer.

Le niveau de la mer avait augmenté. Des millions de personnes étaient mortes, des millions d'autres se déplaçaient vers l'intérieur, mettant une pression intolérable sur les villes et les villages en cours de route. Des émeutes, des troubles civils, l'incendie de bâtiments gouvernementaux, des marches. Les flammes de la rébellion.

Avant même cette catastrophe écologique, le mécontentement était général. Les masses n'avaient rien à faire. Pas de travail, pas d'espoir, pas de chance. Une masse de citoyens non éduqués, inemployables, qui avaient besoin de manger. Frement et son gouvernement avaient introduit le narcotique des jeux vidéo gratuits, chaque foyer étant relié à la technologie virtuelle. Personne n'avait besoin de sortir. Le petit Johnny pouvait jouer à la Coupe du Monde et grand-père Joe pouvait faire comme ses ascendants et combattre les plages d'Omaha.

Rester à l'intérieur avait des avantages, autres que celui évident de ne pas être assassiné. Personne ne voulait respirer l'air épais de la soupe aux pois. Un air qui frappait l'arrière de votre gorge et vous faisait vomir. Un air qui provoquait le cancer. Le soleil qui traversait l'ozone aminci provoquait des mélanomes. Les citoyens pouvaient rester à l'intérieur, dans leur enclave climatisée et déshumidifiée, et être en sécurité. Dehors, le monde mourait, mais tout le monde s'en fichait.

Sauf, peut-être, Frement.

Pas des grands idéaux sur la conservation, la santé, la qualité de vie. Non, rien de tout ça. Il s'en souciait parce qu'il était malade jusqu'aux dents de voir des foules de chômeurs et de dépossédés traîner dans les rues au-delà des murs de sa communauté fermée sous haute sécurité. Il fut un temps où, chaque fois qu'il quittait la capitale, il attendait avec impatience un peu de paix et de tranquillité. C'était il y a des années, bien sûr. Quand il se rendait dans sa maison de campagne, ils étaient toujours là, les malades et les nécessiteux, les vieux et les fragiles. La masse bouillonnante de gens non lavés. Il les détestait, ils le détestaient. Ils se révoltaient dans les rues parce qu'ils n'avaient pas de nourriture. Les services sociaux avaient cessé d'être viables, les coûts étaient trop élevés. Les gens mouraient de faim, puis ils mouraient. Les jeux vidéo gratuits ne semblaient pas aider. Les gens avaient besoin d'un flux constant de jeux, de tous types. C'était un véritable cauchemar technologique.

C'était la même histoire partout dans le monde.

La société, l'état de droit et l'ordre, tout s'effondrait. Des centaines de milliers de personnes descendaient dans la rue et les gouvernements répondaient par l'oppression. D'autres personnes mouraient, cette fois à cause des fusils à impulsion et des canons laser. La puanteur de la chair brûlée s'infiltrait dans chaque fibre de l'humanité. L'odeur traversait même les murs insipides et stérilisés des communautés fermées où les riches aimaient se croire en sécurité. Frement en avait assez.

Il était temps de faire quelque chose d'énorme.

Il avait des propositions, il les avait élaborées avec ses ministres du gouvernement. Le moment était propice, le meilleur des moments. Les grandes villes englouties, les pays cherchaient désespérément une solution. Le temps était venu pour Frement.

Il avait tellement besoin d'uriner.

La "présidente" ou "l'oratrice", comme on l'appelait parfois, rappela les participants à l'ordre. Elle sourit à Frement, qui se leva, en essayant de ne pas montrer son agonie. Mais il l'était, la pression sur sa vessie augmentant. Il se pencha en avant, appuyant ses jointures sur la table devant lui. "J'aimerais que nous prenions tous le temps de regarder une courte présentation que mon équipe et moi avons préparée." Il fit un signe de tête en direction des visages qui le regardaient droit dans les yeux. Les hommes et les femmes qui prenaient les décisions, qui avaient le destin de l'existence du monde entre leurs mains. Ils n'avaient rien fait pour sauver la vie sauvage de la planète, mais peut-être que cette fois, le résultat était différent. Il s'agissait d'eux, de leurs familles, de leurs enfants.

Un grand écran s'alluma et les dignitaires s'installèrent et se tournèrent pour regarder une série de scènes d'un monde d'il y a cinquante ans, jouées sur le mur du fond, accompagnées par la musique de J.S.Bach. Lentement, les images changèrent, des idylles rurales remplacées par des champs d'herbe noire et empoisonnée, des animaux gisant morts et gonflés dans le paysage aride. Des villes grouillantes de monde, marchant dans les rues et sur les ponts comme des fourmis, des yeux morts derrière des lunettes de protection, des visages morts déguisés par des masques respiratoires. La voix de Frement présentait l'histoire d'horreur de l'augmentation des niveaux de carbone, du méthane libéré des profondeurs des champs de glace de l'Arctique, de l'épuisement des forêts tropicales, des gens qui se pressaient contre les clôtures métalliques, mendiant pour de la nourriture. Ses paroles flottaient dans la salle comme une douce brise, calmant les spectateurs, les rassurant, exposant ses idées pour la solution la plus réalisable et la plus abordable. Il avait travaillé sur ce discours pendant assez longtemps et maintenant, en regardant tous ces visages bouche bée devant ce qu'ils voyaient, la satisfaction montait en lui.

Certains ne semblaient pas intéressés. Les délégués chinois, aux visages impassibles comme la pierre, étaient restés assis, rigides, sans sourciller. Peut-être s'ennuyaient-ils, peut-être étaient-ils désintéressés. Plus probablement, ils s'en fichaient. Ils avaient leurs propres plans tout tracés, Frement le savait. Déportation massive vers le Ghobi. Les colonies étaient déjà établies, les trains quittant les villes gonflées pour l'immensité du désert. Cela rappelait à Frement les vieux goulags dont il avait entendu parler. Qu'est-il arrivé à cette expérience particulière ? Elle avait échoué, voilà tout. Vous ne pouvez pas garder les gens enfermés comme des rats ; ils deviennent découragés, en colère, puis ils se rebellent. De telles horreurs se répètent dans le monde entier. Non, son plan était infiniment meilleur. Il le savait. Il croisa les bras sur sa poitrine et ignora les Chinois. Il n'avait pas besoin d'eux.

Une fois la présentation terminée et, pendant un moment, le silence s'installa dans la salle. Aux visages médusés, Frement présenta ses propositions d'une voix posée. Il ne pouvait y avoir d'alternative, le monde était proche de la mort. D'autres pays pouvaient détourner le regard, mais pas Frement. Le temps de l'action décisive était arrivé, et c'était maintenant. Les plans, la conception des stations de détention, l'explication de la technologie furent présentés à tous les participants. Il n'y avait rien à cacher. Quand il eut terminé, il s'assit et attendit. Les délégués échangèrent des regards, mais personne ne parla. Frement espérait une réaction, une réponse quelconque. Il bougea inconfortablement sur sa chaise, puis, enfin, il y eut une tentative de toux.

Mathieu Legrand, le président français, brassa ses papiers. Certains délégués utilisaient encore des papiers, s'accrochant aux anciennes méthodes. Si quelqu'un devait poser des questions, soulever des objections, Frement savait toujours que ce serait Legrand.

"C'est une proposition intéressante", dit le Français en parcourant ses notes. "Maintenir l'intégrité de la technologie, voilà ce qui me préoccupe, M. Frement."

Des murmures s'élevèrent d'autres parties de la salle. Peut-être que certains des délégués étaient d'accord. Frement se pencha vers l'avant. "Je ne suis pas sûr de vous suivre, Monsieur Legrand."

"Laissez-moi parler franchement."

"Je vous en prie."

"Pouvez-vous me garantir que dans cinquante, quinze ou même dix ans, vous n'allez pas tout arrêter ?"

Il y a eu un souffle dans certains coins. Frement retint son souffle un instant : "Pourquoi donc ferais-je cela ?"

Legrand haussa les épaules. "Le coût. La dépense nécessaire pour maintenir des millions et des millions d'êtres humains en état d'animation suspendue... M. Frement, une telle dépense continue serait sûrement prohibitive."

"L'alternative coûterait beaucoup plus cher."

"La liberté du choix, M. Frement, ne coûte rien. Les gens doivent décider de leur destin, pas vous."

Quelques voix l'acclamèrent. Frement se hérissa, essayant de repérer les dissidents dans la mer de visages. En vain. "Pendant les cent dernières années, nous avons permis aux gens ordinaires de le faire, et regardez où cela nous a menés. Un air si épais qu'on ne peut respirer sans masque, des températures si élevées que les calottes glaciaires ont fondu, et une population si énorme que les économies ont éclaté. Nous ne pouvons plus maintenir les niveaux de dépenses en matière de santé, d'éducation et de police. Le monde croule sous le poids de ses propres masses, et il n'y a pas de quoi les nourrir. Ou l'eau pour étancher leur soif. Nous devons agir de manière décisive avant qu'il ne soit trop tard."

"Certains diraient qu'il est déjà trop tard." Les visages se tournèrent vers le chancelier allemand. "Pendant de nombreuses années, mon pays a suivi un programme de taux de natalité restrictif, de stérilisation volontaire, de tranquillisants, de téléchargements de jeux virtuels pour les garder heureux. Nous avons été des pionniers dans tous ces domaines, mais même ces mesures n'ont pas empêché les troubles sociaux. Votre pays aussi, M. Frement, a des programmes similaires, et encore l'autre nuit, une violence extrême s'est répandue dans les rues. Des milliers de personnes sont mortes, comme nous le savons tous. Donc, pour ma part, je soutiens de tout coeur vos projets visionnaires, M. Frement." Il abattit la paume de sa main avec force sur le bouton de vote, bien que personne n'eût encore donné les instructions pour le faire. Le vert du "OUI" s'alluma sur le grand écran panoramique derrière le podium central.

La présidente, assise sous l'écran, hocha la tête. "Je crois que le film de M. Frement nous a dit tout ce que nous devons savoir, mais quelqu'un d'autre a-t-il quelque chose à dire avant que nous commencions le vote ?".

M. Legrand lèva la main : "Je souhaite que mes réserves soient consignées dans un procès-verbal."

"Bien sûr", dit la présidente. Elle balaya du regard les délégués rassemblés. "Très bien, commencez à voter maintenant, s'il vous plaît."

L'écran géant s'illumina progressivement dans un mélange sporadique de vert et de rouge. Certains délégués ne se prononcèrent pas. Legrand enfonça sa main avec force sur le 'NON', mais peu le suivirent. La tendance des votes devint vite évidente.

Plus tard, dans le hall d'entrée, plusieurs délégués prirent Frement à part, l'inquiétude creusant les plis de leur visage. Le délégué espagnol demanda ce qu'il y avait dans tous les cœurs. "Combien de temps ?"

Frement haussa les épaules. "Nous sommes sur le point de commencer les essais. La technologie existe, les installations sont prêtes. Ce ne sera pas long. Un an, peut-être six mois. Tout dépend."

"De quoi ?"

Il n'osa pas leur dire que l'architecte de la technologie était mort, que toutes ses notes de conception avaient disparu, qu'il n'y avait rien d'installé sur aucun disque dur dans aucune partie du monde. Que tout dépendait d'un policier délabré qui semblait vouloir déterrer des saletés plutôt que de trouver des documents importants.

Frement était très souriant. Son idée semblait marcher. Jusqu'à ce qu'il tombât sur Legrand.

"C'est contraire à l'éthique."

"Qui s'en soucie, franchement ?"

"Certains d'entre nous, M. Frement. Les êtres humains ne sont pas du bétail."

"Le bétail n'assassine pas, ne viole pas et ne pille pas, M. Legrand. Et ils font ce qu'on leur dit."

En volant vers la maison, descendant doucement vers l'aérodrome central, Frement lança un regard par le hublot vers la ville, loin en dessous. Les feux brûlaient toujours. Le nuage de fines particules flottait au-dessus de tout comme un linceul de mort. Et la mort était précisément ce qu'elle était. L'horloge se rapprochait inexorablement de minuit, et tout le monde dormait déjà. Sauf Frement.

Il soupira. Maudit soit Bremen et son ineptie aveugle. Le moment était peut-être venu de pousser l'horloge personnelle du détective vers minuit.

RÉVÉLATIONS À MINUIT

Il ferma à peine les yeux que le grand et lourd verrou se retira et la porte s'ouvrit. Deux gardes entrèrent et le prirent par les bras, le tirant sur ses pieds. Bremen n'eut pas le temps de réfléchir. Ils le traînèrent dans le couloir au carrelage vert, l'emmenant dans les entrailles de la prison massive et tentaculaire. Des voix lointaines résonnaient dans la pénombre, et parfois il y avait des cris. Il faisait froid, et sa fine chemise ne lui offrait aucune protection. Il se laissa aller entre leurs mains. Résister ne servait à rien.

Ils le jetèrent dans une pièce austère et sombre, heurtant le sol, se brisant la hanche sur le sol froid. Il se retourna, s'attendant à recevoir un coup de pied dans les côtes, mais tout ce qu'ils firent, ces hommes silencieux et brutaux, fut de tourner la clé dans la serrure. Il se rassit, se recroquevilla. Le froid lui rongeait les os.

Une seule ampoule nue pendait au centre du plafond, dégageant une faible lueur putride. Bremen grimaça, sa faible luminosité étant encore douloureuse pour ses sens malmenés. Il se leva et se frotta les bras, essayant d'apporter un peu de chaleur à ses membres refroidis. En haut du mur opposé à la porte se trouvait une minuscule fenêtre à barreaux, à travers laquelle il pouvait distinguer quelques étoiles scintillantes. L'heure était proche, mais l'heure était inconnue. Combien de temps l'avaient-ils gardé ici ? Il posa son front contre le mur froid et dur pour se donner le temps de rassembler ses pensées.

À peine avait-il fermé les yeux que la porte s'ouvrit avec fracas. Bremen se retourna et Hamon entra, un petit tabouret à la main. Elle le posa sous la lumière et fit un signe en sa direction. " Asseyez-vous, Bremen. Vous avez l'air dans un sale état."

"Merci de vous soucier de moi."

Hamon ricana. " Asseyez-vous avant de vous écrouler. "

Bremen grogna, alla vers le tabouret et s'assit. Il se blottit, les bras enroulés autour de sa poitrine. Il se mit à trembler.

"Voulez-vous une boisson chaude, Bremen ? "

"J'aimerais que vous me disiez ce qui se passe, bordel. Qu'est-ce que vous avez fait de la fille ?"

"Bon, écoutez-moi bien. Toujours à jouer les chevaliers en armure. Où est la fille. C'est la même fille qui allait vous faire sauter la cervelle, Bremen ?"

"Vous n'en savez rien. "

"J'en sais plus que vous ne le pensez. Nous avons mis ce cloaque sous surveillance depuis des mois. Tout l'endroit est câblé pour la sonorisation."

"Je ne vous crois pas. Ils l'auraient su."

"La technologie a évolué, Bremen. Vous devez vous tenir au courant des développements." Hamon tournait autour de Bremen pendant qu'elle parlait, les mains jointes dans le dos, les bottes à semelles de caoutchouc soulevant de petites bouffées de poussière à chaque pas. "Nous savions tout de ce qu'ils prévoyaient de faire, avant même que cela n'arrive. Et vous, espèce d'imbécile, vous tombez droit dedans."

"On dirait que ça arrive souvent. Je suis le bouc émissaire de tout le monde, surtout de Frement."

"Il faut que vous trouviez les plans, Bremen. Vous savez où ils sont, n'est-ce pas ?"

Hamon se tenait devant lui, jambes écartées, mains sur les hanches.

"Je commençais à m'en approcher."

"Arrêtez vos conneries. Vous savez où ils sont."

"Si je le savais, pourquoi je ne les apporterais pas à Frement ?"

"Votre garantie, peut-être ? Une idée fausse qu'en les gardant secrets, vous pourriez sauver votre misérable vie. Ou celle de votre fils."

Les yeux de Bremen se rétrécirent. " Vous avez changé votre version des faits. Il y a quelques jours, vous vouliez faire votre devoir, faire *ce qui était juste*. Que vous est-il arrivé, Hamon ?"

"On m'a présenté une opportunité de faire avancer ma carrière, c'est tout. Ils m'ont chargé de vous rencontrer, pour apprendre ce que je pouvais. Et vous avez été très communicatif, n'est-ce pas ? A propos du sous-sol, je veux dire."

"Espèce de salope. Vous m'avez piqué comme un putain de hareng fumé ! Je vous ai cru !"

"Quel nigaud. "

"Vous êtes une putain de bonne actrice."

Hamon considéra ce propos pendant un moment. "Oui, oui, je le suis. Je vous l'accorde."

"C'est magnanime de votre part. "

Hamon lui asséna un coup de poing au visage. Le coup fut violent, projetant Bremen sur le dos, le tabouret s'écrasant sur le sol à côté de lui. Hamon se mit à cheval sur lui, rapprochant son visage.

"Ne faites pas le malin, Bremen", cracha-t-elle. " Vous allez ramener les plans ici, dans les vingt-quatre heures. "

Bremen cligna des yeux plusieurs fois, essayant de se vider la tête, d'arrêter le bourdonnement dans ses oreilles. "Je vous l'ai dit, je ne sais pas..."

Hamon le saisit par le devant de sa chemise et lui souleva la tête. " Vous allez les ramener ici, Bremen, ça suffit vos conneries. Nous disposons d'une armée de scientifiques travaillant sur les théories de Frement Senior, mais aucune avancée n'a été faite. Pas encore. Donc, on a besoin des plans. Je pourrais vous torturer," elle secoua fortement Bremen, "mais je suis une personne raisonnable. Je ne veux pas que votre cerveau se transforme en soupe, vous me comprenez ?"

Bremen ne comprenait pas. Il aurait été plus facile de lui arracher la vérité, tout simplement. Pourquoi Hamon n'allait-elle pas le faire ?

"Mais je vais vous dire ce que je vais faire. Si les plans ne reviennent pas ici, dans le temps imparti, nous ferons venir Petie pour vous voir."

Les yeux de Bremen s'écarquillèrent. "Quoi ?"

Elle sourit et c'était très probablement l'expression la plus diabolique que Bremen n'eût jamais vue. "Vous m'avez entendu. Nous allons l'amener pour qu'il vous rencontre, pour que vous puissiez le tenir, lui dire à quel point vous l'aimez. Puis nous le tuerons, juste devant vos yeux. Vous le verrez griller avant de tourner les radiations vers vous. Est-ce que je me fais bien comprendre ?"

"C'est clair."

"Alors habillez-vous, Bremen, et apportez-moi ces plans."

JOURNÉE SANS PITIÉ

Ils le déposèrent devant son appartement. Il regarda le hovercar disparaître dans la nuit avant de franchir l'entrée principale et de prendre l'ascenseur jusqu'à son appartement.

Il faisait froid à l'intérieur, l'électricité étant à nouveau coupée. Il appuya sur l'interrupteur principal, mais rien ne fonctionnait, pas même le système de secours. Un reflet de ce que sa vie était devenue, songea-t-il.

Il tâtonna dans la cuisine et trouva une vieille torche à piles. Il se rappela que Petie l'avait trouvée quelques années auparavant dans un magasin désaffecté à la périphérie de la ville, un entrepôt délabré rempli de vieux artefacts pour la plupart inutiles. Mais lorsque Petie était tombé dessus, il l'avait allumé et avait dirigé son fil lumineux clignotant à travers la pièce, il s'était mis à rire : "Je peux l'avoir, papa ? S'il te plaît, je peux l'avoir ?" Bremen l'acheta, ainsi qu'un tas de piles, et elle resta là, dans le tiroir de la buanderie, jusqu'à aujourd'hui. Son mince faisceau l'aida à se diriger vers la chambre et il le déposa sur son lit. Il changea de vêtements, jetant les autres en un tas dans le coin de la chambre. Il avait pris une douche à la prison, et il en était reconnaissant.

Ce dont il n'était pas reconnaissant, c'était le plan d'Hamon.

Elle était curieuse, et Bremen ne savait pas vraiment ce qu'il devait faire. Vingt-quatre heures pouvaient bien s'avérer suffisantes, mais Hamon aurait pu trouver les plans elle-mêmes, en faisant appel à tous les flics de tous les quartiers de la ville pour l'aider et tout aurait été tellement plus facile.

Plus rien n'avait de sens.

Ils lui avaient rendu son Colt et il le vérifia, s'assurant que le chargeur était plein. Le deuxième se trouvait bien à l'intérieur de sa poche de poitrine. Il tint le gros et lourd morceau de métal dans sa main et se rappela comment, lorsqu'il avait demandé à nouveau des nouvelles de la fille, Hamon l'avait emmené dans la cellule de détention.

Les gardes l'avaient utilisée pour leur propre distraction. Elle gisait nue sur une table à tréteaux, le sang s'écoulant de l'intérieur de ses cuisses. Ils l'avaient tuée, avant de lui faire Dieu seul savait quoi.

Il détourna le regard. "Pourquoi leur avez-vous permis de faire ça ?"

Elle haussa les épaules. Comment quelqu'un pouvait-il changer à ce point, en si peu de temps ? "J'ai besoin que vous me disiez quelque chose."

"Qu'avez-vous besoin de savoir ?"

"Pourquoi avez-vous fait sauter le domaine Fuscha ?"

"C'était des animaux. Un labyrinthe de vermines infestées de drogues. Il fallait le faire depuis longtemps."

"Alors pourquoi ne pas l'avoir détruit avant ? Pourquoi avoir attendu que j'y aille ?"

"Vous êtes vraiment stupide, Bremen. " Elle sourit et se pencha vers lui, "Pour qu'ils pensent que c'est vous qui nous y avez conduits, bien sûr."

Il avait envie de tuer Hamon sur le champ. Mais bien sûr, il s'en abstint. Un tel plaisir devait attendre.

Il alla dans sa chambre et souleva les planches du parquet

sous lequel se trouvait le coffre-fort. Il entra le code et déverrouilla le système de fermeture. À l'intérieur, il y avait une liasse de billets, un carnet et une autre arme. Il rangea l'arme dans sa ceinture et l'argent dans son manteau. Il emporta le carnet et retourna dans le salon. Il constata que la torche ne fonctionnait plus. Il l'essaya plusieurs fois, mais rien ne se produisit alors il la jeta sur le côté. Heureusement, les lumières de la ville passaient par la fenêtre panoramique, ce qui lui permettait de lire les gribouillages arachnéens sur chaque page. Lorsqu'il trouva ce dont il avait besoin, il s'allongea sur le canapé, se tourna sur le côté, ramena ses genoux contre sa poitrine et s'endormit presque immédiatement.

La lumière de l'aube le frappa en plein visage, le réveillant. Il se redressa, mit les poings dans ses yeux et frotta fort. Il avait dormi trop longtemps. Après s'être traîné dans la salle de bains et s'être passé de l'eau sur le visage, il entra dans la chambre de Petie et fouilla dans les armoires et les tiroirs de son fils. Il sourit quand il le trouva. Un autre objet provenant d'une de ses nombreuses visites dans les boutiques d'antiquités. Une montre-bracelet, à quartz, datant des années vingt. Il sourit. Le truc fonctionnait encore. Si l'heure était correcte, il ne lui restait plus que dix-neuf heures pour obtenir les empreintes. Son cœur s'emballa. Le carnet tomba sur le sol, il le ramassa, vérifia à nouveau les noms et le glissa dans son manteau.

Dans sa chambre, il ouvrit le tiroir du haut de la commode de sa femme et trouva le téléphone satellite. Ils seraient capables de le tracer bien sûr, mais il ne s'en souciait pas, plus maintenant. C'était un homme mort qui marchait, quoi qu'il arrivât. Il jugea que l'hovercar était plus une gêne qu'une aide et lorsqu'il sortit, l'air avait un goût épais, et il regretta de ne pas porter de masque. Il enfouit ses mains dans ses poches et se dirigea vers la rue déserte.

Il ne tarda pas à savoir que quelqu'un le suivait.

Il n'y avait pratiquement personne dans les environs à cette heure de la matinée. Un chien occasionnel fouillait les ordures, et un vieux vagabond vomissait dans l'entrée d'une boutique, mais personne d'autre. Il était donc facile de repérer l'ombre.

Bremen emprunta une ruelle étroite et se mit à courir. Ce n'était pas la première fois qu'il devait perdre une filature, pas maintenant qu'ils le suivaient. Il arriva au bout du passage et s'aplatit derrière quelques grandes bennes à ordures trop pleines. Il sortit le Colt et ouvrit discrètement la culasse pour engager la première balle.

Les bruits de pas se rapprochèrent.

Puis ils s'arrêtèrent.

Bremen bougea, avançant en roulant sur la boue, ramena le Colt et visa son suiveur.

Il faillit crier quand il vit qui était devant lui.

MOULINS À CAFÉ

ILS PRIRENT PLACE DANS LE PETIT CAFÉ, UNE POIGNÉE DE CLIENTS attablés dans des alcôves tranquilles. Dehors, la pluie tombait. Bremen remua son café et regarda la mousse s'accumuler sur le bord. C'était du bon café, pas l'habituel ersatz de merde que presque tous les cafés servaient aujourd'hui. Il l'avait payé cher, mais c'était normal, bien sûr, vu l'occasion. Cette visite de Suzanne, sa femme.

"Alors", dit-il sans lever les yeux.

"Alors", dit-elle.

"Es-tu ici pour me reprocher la mort de Miller ? Tu as vu les nouvelles, je suppose. C'est pour ça que tu es là, ou tu vas me tuer, me regarder mourir, comme tu as dit le souhaiter ?"

Ses yeux se voilèrent et, pendant un instant, il crut qu'elle était sur le point de fondre en larmes. "Je t'en ai voulu, mais... Plus j'y pensais, plus j'étais convaincu que ça n'avait aucun sens. Tu savais que j'avais une liaison, alors pourquoi attendre... Tu le savais, hein ?"

"Je ne savais pas qui, pas avant qu'il me le dise."

"Je vois. Quand bien même, je doute fort que tu ailles le tuer. Il m'a fallu beaucoup de temps pour y réfléchir, Bremen, beaucoup de temps pour surmonter mes sentiments de haine envers toi." Elle se rapprocha de lui et lui serra la main. "Je suis désolée de la façon dont tout s'est passé, mais tu ne m'as pas laissé le choix."

Bremen regarda dans les yeux de sa femme et sentit son estomac se retourner. Encore, après toutes ces années, elle avait cet effet sur lui. Mais elle l'avait quitté, peut-être en courant dans les bras d'un autre amant, comme elle l'avait fait avec Miller. Et maintenant, elle était de retour. "Qu'est-ce que tu fais ici, Suzanne ?"

"J'ai reçu un appel d'une femme qui a l'air horrible et qui s'appelle Cerys. Tu la connais ?"

Bremen se pencha en arrière et l'étudia à travers des paupières étroites. Cerys. Cerys Hamon. "Tu as reçu quoi ?"

"Un appel téléphonique. Elle a dit que je devais te rencontrer, pour parler de certaines choses. Si je ne le faisais pas, elle allait te tuer."

Bremen serra les lèvres. Cette salope de Hamon l'avait pris pour un imbécile et maintenant elle les baisait tous. Il commença à se demander si elle n'essayait pas aussi de baiser Frement. La pensée, minuscule au début, prit de l'ampleur, très vite. Cela répondrait à beaucoup de choses. Hamon. Et si elle essayait en fait de manipuler Frement, de jouer pour sa propre niche de pouvoir ?

"Elle a dit que tu avais apporté des papiers importants. Des papiers qui détiennent le secret d'un tout nouveau monde. Mais de quoi parlait-elle ? Qu'est-ce qu'elle entend par 'tout nouveau monde' ?"

"Qui est ton amant ?"

Elle le dévisagea. "Oh putain de merde, Bremen. Je me demandais combien de temps il te faudrait pour en arriver là."

"Tu ne m'aurais pas quitté si tu n'avais pas un endroit où aller. Alors, qui est-il, et où vit-il, bordel ?"

"Où crois-tu qu'il est ? Au travail, à prendre des décisions, à faire toutes les choses que tu n'as jamais pu faire."

Bremen secoua la tête. "Miller m'a dit qu'il était avec toi depuis ... depuis longtemps. Alors quand as-tu rencontré le nouveau ?"

"*Miller* ? Miller ne disait que des conneries." Elle rejeta la tête en arrière et se mit à rire, un son horrible, grondant, conçu pour blesser, pour humilier. "Bon sang, en y réfléchissant, il était presque aussi mauvais que toi ! Nous nous sommes rencontrés quelques fois, rien de plus. C'était... une aventure, quelqu'un avec qui passer le temps."

"Il pensait que c'était bien plus que ça."

"Eh bien, ce n'était pas le cas. Il se faisait des illusions."

"Donc, tu es passée à autre chose. Tu t'es trouvée un autre soupirant. Il ne t'a pas fallu longtemps pour te remettre de la mort de Miller, hein ?"

Ignorant sa question, elle plongea son regard dans sa tasse de café. "Je me suis trouvée quelqu'un qui s'occupe de moi, Bremen. Qui est *là* pour moi, quand j'en ai besoin."

"Comme te baiser, par exemple."

"Oui," elle se pencha en avant, "si tu veux savoir, oui. Et il le fait sacrément mieux que tu ne l'as jamais fait, Bremen, alors oublie ça."

"Ah bon ? »

Elle inclina la tête. "C'est le meilleur amant au monde. Voilà, c'est assez clair pour toi ?"

Il ferma les yeux un instant, puis regarda à nouveau son café. "Depuis combien de temps le voyais-tu avant de partir ?"

Elle soupira, prit son café et le vida. "Environ deux ans."

"Deux ans ? Putain, Suzanne, qu'est-ce que..."

"Bremen, je ne suis pas venue ici pour parler de tout ça. Je suis venu ici pour sauver ta misérable vie. Si tu préfères que je m'en aille, alors c'est parfait."

Il l'ignora, continuant sans tenir compte de ses menaces,

"Donc, tu étais avec ce type et pendant ce temps tu voyais Miller ?". Il secoua la tête et souffla sur ses joues. "Tu es vraiment un sacré numéro."

"Bremen !"

Bremen reprit son souffle. "Très bien." Il s'assit et attendit que la colère passe, n'osant pas croiser son regard, essayant par tous les moyens de ne pas trop penser à ce qu'elle avait fait, avec qui elle avait été. Après plusieurs instants, il conclut par un haussement d'épaules. "La femme qui t'a contactée, c'était ma partenaire, pendant un court moment. Je lui faisais confiance, je pensais qu'elle était différente."

"Peut-être qu'elle l'est. Elle avait l'air très convaincante."

Il ricana en pensant à l'improbabilité de l'honnêteté de quiconque dans toute cette affaire puante. "Oui. Elle est douée pour ça."

"Ecoute, j'ai quelque chose à te dire mais il faut que tu restes calme."

"Garder mon calme" ? Jésus. Tu sais ce qu'elle m'a dit ? Elle m'a dit que si je ne lui apportais pas les plans, elle tuerait Petie."

"Petie ? Mais... attends, c'est tout... Elle m'a dit que tu mourrais."

"Ouais, elle est bonne. Elle nous a leurrés tous les deux."

Elle réfléchit. "Je ne suis pas sûr qu'elle... C'était ta partenaire ?"

"Oui. Cerys Hamon."

"Hamon ?" La couleur disparut de son visage. "Je ne te crois pas."

"Qu'est-ce que tu veux dire par là ? C'est son nom. Cerys Hamon. Elle est sergent-détective, dure comme la pierre et aussi mortelle qu'un Black Mamba."

"Mon Dieu..." Elle gloussa, prit son café et le vida. Elle fit la grimace et fit un signe au serveur, désignant sa tasse pour la remplir à nouveau. Elle rit une fois de plus.

"Qu'est-ce qui est si amusant ?"

"Tout. Jésus... C'est donc son nom... Merde."

Le serveur arriva, versa une nouvelle dose de café dans la tasse de Suzanne. Elle se tourna vers Bremen, qui secoua la tête.

"Si elle te rappelle, tu lui diras que je m'occupe des papiers. Tout ce dont j'ai besoin, c'est d'un peu de temps."

Suzanne acquiesça, sirota son café et Bremen regarda pardessus son épaule et à travers la vitre la rue et la pluie.

"Tu crois qu'elle nous observe ?"

Bremen lui lança un regard, termina son café, se fendit les lèvres et grogna. "Suzanne, si tu ne veux pas que je paraisse paranoïaque, tu sembles en savoir beaucoup sur le fonctionnement de l'esprit de Hamon."

"Je sais beaucoup de choses."

Tamponnant sa lèvre inférieure avec son doigt pour enlever un résidu de matière, Bremen étudia ensuite le digit avec attention. "Il faut que j'aille voir quelqu'un." Il la regarda sous ses sourcils. "Seul."

"Ça ne plairait pas trop à Hamon."

"J'emmerde Hamon."

Il s'arrêta et la regarda. Son sourire. Ses yeux, pétillants. Et alors qu'il la regardait, ses soupçons se confirmaient.

"Tu l'as fait, pas vrai ? Tu as baisé M. Hamon. C'est lui qui t'offre la sécurité, une nouvelle vie ?"

"Mon Dieu, tu es le grand détective après tout."

"Mais tu ne le savais pas, hein ? Tu ne savais pas que sa femme était flic ?" Il se pencha en avant. "Pourquoi ne te l'a-t-il pas dit ?"

Un regard troublé et sombre se dessina sur son visage. "Pourquoi l'aurait-il fait ? Nous n'avons jamais parlé de ce genre de choses."

"Vraiment ? Tu veux dire que vous n'avez jamais parlé de moi ? De *mon travail* ?"

Elle soutint son regard pendant un moment. "Je vais lui donner à elle ton message."

"Donne-le-lui, à lui. Ils sont dans le coup ensemble."

"C'est un avocat. Il n'a rien à voir avec ce sur quoi tu travailles."

"Tu te trompes, Suzanne. Il t'a piégée, il t'a menti, il s'est servi de toi pour m'atteindre. A mon avis, il n'est pas avocat et elle n'est pas un flic normal. Ils travaillent tous les deux pour Wilson Frement."

Elle secoua la tête. "Je dois y aller."

Alors qu'elle se tournait, Bremen saisit sa chance et lui asséna un coup de poing sur le côté du visage. Elle partit en spirale vers l'arrière et atterrit lourdement sous un autre lot de tables et de chaises.

Le serveur cria et arriva en trombe au comptoir, une sorte de batte de baseball vermoulue dans les mains. Il s'arrêta net quand il vit le Colt de Bremen pointé droit sur lui.

Sans un mot, Bremen posa un certain nombre de billets de banque abîmés. "Ça couvrira les dégâts", dit-il tout bas. "Quand elle se réveillera, donnez-lui deux aspirines et dites-lui de m'attendre à l'appartement." Puis il prit ses jambes à son cou et sortit.

NOTES DANS UN LIVRE

LA VILLE PRENAIT VIE. DES VÉHICULES DE TOUS TYPES ET DE toutes tailles circulaient dans la brume épaisse du matin, et des milliers de personnes se pressaient, pliées en deux, le visage masqué, les yeux rivés au sol. Personne ne regardait l'autre, chacun étant perdu dans son propre enfer.

Ce monde était devenu fou.

Bremen trébucha dans un passage proche et vomit, rejetant la honte et l'horreur de ce qu'il avait fait. Jamais, de toute sa vie, il n'avait frappé une femme, ni pendant toutes les années de sa profession, ni pendant son mariage. Il pensait que c'était une nécessité, une façon de ne plus avoir Suzanne sur le dos, mais cela ne l'aidait pas.

La sueur lui coulait dans les yeux, il s'accrocha au mur et aspira l'air vicié. Il prit ces moments pour récupérer, l'estomac retourné, le visage plissé par le dégoût de soi.

Il sentit une présence, se redressa et regarda dans les yeux d'un homme d'âge indéterminé. La barbe qui avait poussé pendant plusieurs semaines masquait ses traits, mais on ne pouvait se méprendre sur le danger qui brillait dans ses yeux bleus et jaunes.

"On s'est fait chier, hein ?"

Bremen fronça les sourcils et passa ses yeux sur l'étranger. Il portait un imperméable crasseux, les épaules lourdes et l'air puissant. Ses mains géantes formaient des poings.

"Tu as l'air bien nourri", gronda-t-il en s'approchant. Bremen recula lorsque l'odeur épaisse de la sueur envahit ses narines. "Donne-moi ton portefeuille, tête de merde."

Bremen sourcilla. "Quoi ?"

"Ton argent, espèce de bâtard sourd." L'homme sortit de nulle part une lame incurvée, la lumière faible et désespérée du soleil accrochant le métal, le faisant scintiller. Avec sa main se levant lentement, paume vers l'extérieur, Bremen saisit l'intérieur de son manteau avec l'autre. "Tiens bon", dit-il, la voix tremblante. Une autre vague de nausée le frappa. "S'il te plaît. Attends que je prenne mon portefeuille."

Les yeux de l'étranger papillonnaient dans tous les sens, vérifiant les environs immédiats. "Dépêche-toi, ou je te tranche la gorge."

Bremen sortit son Colt et tira sur l'inconnu en plein visage.

La détonation de l'arme automatique résonna bruyamment dans l'étroit passage et Bremen attendit, sûr que quelqu'un, quelque part, allait arriver.

Il s'approcha de l'inconnu mort et fouilla habilement ses poches, retenant sa respiration pour éviter la puanteur.

Il n'y avait rien.

Bremen se leva et s'appuya contre le mur. La journée avait commencé de la manière la plus horrible qui fut. Non seulement il avait frappé Suzanne beaucoup trop fort, mais il avait maintenant tué un vagabond. Non pas que quelqu'un s'en souciait. Personne, sauf Bremen.

Il se retourna et sortit dans la rue et bientôt la pression de l'humanité qui peuplait désormais l'artère l'engloutit.

Un peu plus loin dans la rue, il entra dans un autre café et sortit le carnet. Il en feuilletait les pages en attendant que son café refroidît, et trouva l'adresse dont il avait besoin. Le carnet contenait des noms compilés sur de nombreuses années. Personne ne connaissait les détails contenus dans ces pages crasseuses, sauf Bremen lui-même, et il préférait qu'il en fut ainsi. Un peu comme Avery, qui couchait ses plans sur papier, craignant la mémoire électronique. Rien de plus sûr dans un monde dirigé par la technologie que les méthodes à l'ancienne. Même Suzanne ne le savait pas, ce qui, vu les circonstances actuelles, était plus qu'une bonne chose.

Il buvait son café en se remémorant le moment où il avait raconté au sergent Hamon sa visite à la cave de l'entrepôt. Quel idiot il était ! Hamon, avec ces yeux, ce corps, comme elle l'avait attiré, la Veuve noire originale. Et pendant tout ce temps, elle travaillait avec son mari pour infiltrer, faire chanter, menacer. Il secoua la tête devant sa faiblesse.

Il appela un taxi et lorsque ce dernier se posa devant lui depuis le ciel gris fer, il monta à l'intérieur et se contenta de s'asseoir tandis que le véhicule s'engageait dans la circulation. Si Frement pouvait agir à sa guise, ces rues seraient bientôt désertes, la majeure partie de l'humanité étant mise en veilleuse. Il s'interrogea sur ceux qui resteraient, sur leur rôle dans la société utopique de Frement. Certainement pas ce que la plupart d'entre eux espéraient. Tout le monde a droit à une vie, à la paix, à la sécurité. Dans le monde de Frement, les seuls à recevoir de telles choses seraient les riches et les puissants. Tous les autres seraient mis de côté, oubliés. Certains, les malchanceux, seraient des drones, des abeilles ouvrières, travaillant dur pour maintenir le statu quo. Sans cervelle. Des morts vivants. Il frissonna.

Au coin d'un lotissement délabré et lugubre, Bremen paya le chauffeur et se faufila sur un terrain jonché du contenu d'innombrables poubelles retournées. L'endroit sentait encore plus mauvais que des toilettes bouchées.

La porte de l'appartement se trouvait au cinquième étage, et l'ascenseur était en panne. Le temps qu'il atteignît l'appartement, il était soufflé et avait désespérément besoin d'une cigarette. Il s'appuya contre le mur adjacent à la porte et prit plusieurs grandes inspirations. Il se souvint du domaine Fuscha, de l'accueil qui l'attendait à l'intérieur et il tapota le Colt sur son côté et se sentit plus comme avant. Le métal froid des armes avait souvent cet effet. Il appuya sur la sonnette.

Quelques instants plus tard, la porte s'ouvrit en grinçant et un visage grisonnant apparut dans le petit espace. Un regard jaunâtre apparut. "Oh mon Dieu", dit le propriétaire de l'œil. La porte se referma brusquement, la chaîne fut enlevée, puis rouverte. Bremen entra.

"Content de vous voir Benson."

Benson Freud, trapu, bossu et vieux avant l'âge, gloussa doucement. "Bon sang, M. Bremen, je ne vous ai pas vu depuis des années. Cela doit être important."

"Ca l'est, Benson. J'ai besoin de votre aide."

Benson ferma la porte et repositionna la chaîne. Il tapota Bremen sur le bras et s'éloigna en clopinant dans le couloir, Bremen le suivant de près.

Ils entrèrent dans la cuisine et Bremen inspecta le site de la bombe qui l'accueillit. Benson se fraya un chemin à travers un fouillis d'assiettes et de tasses sales, choisit une tasse ébréchée et la passa sous le robinet. Il se pencha sous l'évier et ouvrit un placard taché de graisse, en sortit une bouteille de whisky et en versa une généreuse mesure. Il la tendit à Bremen. "Désolé, je n'ai rien pour l'accompagner."

Bremen acquiesça et prit une gorgée. L'alcool âpre frappa l'arrière de sa gorge avec la force d'un coup de pied d'une mule, et il se plia en deux, toussa et postillonna avant de réussir à trouver sa voix, "C'est quoi cette merde ?"

"Qu'est-ce qui vous amène ici, M. Bremen ?"

"J'ai un problème. J'ai besoin de réponses, et vous êtes la

seule personne que je connaisse qui puisse les obtenir pour moi."

"C'est gentil de dire ça, M. Bremen, mais je ne fais plus de travail au noir. C'est trop risqué. Et les pare-feu de sécurité sont trop puissants. Je vais devoir vous faire payer."

"Je sais." Bremen posa la tasse dans un trou parmi les débris et sortit son rouleau de billets de banque. Il en préleva quelques-uns et les plaça dans la main avide de Benson. "Je veux que vous me disiez tout ce que vous savez sur notre merveilleux chef Frement et sur un certain Hamon, l'un de ses hommes de main les plus proches. Je veux savoir ce qui les lie, et tout ce que vous pouvez trouver."

"Je peux déjà vous en dire beaucoup, pas besoin de fouiller dans des dossiers."

"Mais pénétrer dans des fichiers serait mieux, Benson. Je veux savoir ce qu'ils mijotent."

Benson acquiesça et passa devant Bremen. "Venez dans le salon, M. Bremen, et admirez les merveilles de la technologie moderne."

LA QUADRATURE DU CERCLE

LA PORTE S'OUVRIT BRUSQUEMENT ET WILSON FREMENT entra à
grand pas dans la pièce, jetant son manteau dans un coin sans y
prendre garde. Il se dirigea vers son bureau et s'arrêta, regardant
par la fenêtre la ville en contrebas. Les incendies continuaient
de brûler, bien que les émeutes eussent été totalement
maîtrisées. Il posa ses mains sur ses hanches et se rongea les
lèvres. Quand il entendit la petite toux derrière lui, il ne se
retourna pas.

"Je veux qu'il meure", dit-il doucement, mais avec sa voix
frémissante de colère à peine contrôlée.

Michael Hamon s'approcha au côté de Wilson. "Ça ne va pas
être facile, Monsieur."

"Je me fous de savoir si c'est facile ou non, je le veux *mort*." Il
plaqua ses deux paumes contre la vitre et ferma les yeux. "Ce
bâtard bloque tout."

"Peut-être qu'il a tout compris, Monsieur. Peut-être qu'il
connaît la vérité."

Wilson Frement tourna la tête vers Hamon. "Comment
pourrait-il ? Notre sécurité est A-1."

"Parfois les gens parlent. Les gens qui ont une conscience."

"Vous feriez mieux de ne pas vous contenter de spéculer, Hamon. Vous soupçonnez quelque chose ?"

"Rien de concret, mais c'est une possibilité."

Frement gonfla ses joues, se plaça derrière son bureau et se laissa tomber dans son fauteuil. "Je crois que nous avons environ deux ans avant que ce monde ne s'effondre sous son propre poids."

"Les scientifiques disent dix ans, Monsieur."

"Les scientifiques disaient que le soleil tournait autour de la terre."

"Je pense que c'était l'église, Monsieur."

Frement lui jeta un regard. "N'essayez pas d'être drôle, Hamon. Vous savez très bien ce que je veux dire."

Hamon hocha la tête. "Nous avons perdu Bremen."

Le visage de Frement devint blême et pendant un moment il resta immobile, le regard fixe. Puis il bondit, les deux poings s'abattant sur le bureau, faisant tout trembler comme s'il était frappé par une secousse sismique. À présent, le visage rouge et prêt à exploser, sa voix tremblait de rage : "Eh bien, cherchez-le encore, espèce de merde incompétente."

Hamon recula légèrement, fronçant les sourcils. "Monsieur, vous devez vous calmer."

Frement se leva, se pencha sur son bureau et le regarda fixement. "Ne me dites pas ce que je dois faire, Hamon. Vous avez *perdu Bremen* ? Comment ?"

"Il a assommé sa femme, Monsieur."

Frement allait parler mais son visage prit une expression confuse, suivie d'un caquetage que certains pourraient appeler un rire. " Putain de merde. Il l'a vraiment passée à tabac ?

"Oui, Monsieur. Ma femme l'a contactée et lui a dit que si Bremen ne livrait pas les papiers, il serait mort."

"Donc, il l'a assommée ? Un homme comme je les aime, si plein de surprises. Eh bien, trouvez-le, vous entendez ? Ramenez-le, avec ces putains de plans. Je veux qu'il soit démasqué, piégé, broché et rôti. Vous me comprenez ? On va le mettre dans le coup, notre cher et lourd inspecteur de police Bremen."

Hamon acquiesça. "Que voulez-vous que je fasse en premier, Monsieur ? Trouver Bremen ou tuer Legrand ?"

Frement expira bruyamment par le nez. "Ah oui. Legrand. Quel emmerdeur, avec sa grande morale." Il baissa la tête. "Occupez-vous-en, Hamon. Et ne revenez pas tant que ce n'est pas fait."

Hamon se raidit. "Oui, Monsieur."

Il se retourna et partit.

"Oh, et Hamon."

Hamon s'arrêta à la porte et se tourna vers son patron.

"Ne laissez pas vos couilles se mettre en travers du chemin cette fois, compris ?"

Hamon baissa légèrement la tête. "C'est mon pénis qui a rendu tout cela possible, Monsieur."

Frement sourit. "J'espère qu'elle en vaut la peine."

"Elle en vaut plus que la peine, Monsieur. Bremen était un gars chanceux. Maintenant, c'est moi qui en récolte les fruits."

"Votre femme est au courant ?"

"Cerys ?" Hamon sourit. "Il vaut mieux ne pas dire certaines choses, Monsieur."

"A elle... Ou à moi ?"

Hamon soutint le regard de Frement un instant et sortit. Frement pivota sur sa chaise et regarda à nouveau par la fenêtre, entrecroisant ses doigts, les pressant contre ses lèvres. "Salaud arrogant", siffla-t-il. "Je vais lui faire récolter ce qu'il a semé, c'est sûr."

L'HÔTEL EXCELSIOR

LE CHAUFFEUR TINT LA PORTE ARRIÈRE OUVERTE LORSQUE Monsieur Legrand quitta l'hôtel Excelsior. Il inclina la tête et s'installa sur le siège arrière. Sa secrétaire personnelle se glissa à côté de lui. Ses lunettes étaient perchées sur le bout de son nez tandis qu'elle faisait défiler son bloc-notes interactif. Elle fit glisser quelques icônes qui s'affichèrent devant eux sur un écran virtuel flottant à moins d'un mètre, en suspension dans l'air.

Legrand contemplait une vue aérienne de ce qui semblait être un vaste complexe de bâtiments en béton, plats et austères. Entourés d'une clôture barbelée, des vigiles armés et des aéroglisseurs truffés d'armes patrouillaient le périmètre.

"C'est ça ?"

Michelle acquiesça et fit apparaître d'autres images. "Nos satellites collectent des données depuis deux semaines, depuis que nous avons eu vent de ce qu'il proposait."

"Je veux savoir à quel point il est proche de le faire fonctionner. S'il pense qu'il peut aller de l'avant sans un accord total, alors il se trompe."

"Il a un problème." D'un geste de la main, l'écran se

transforma et un vieil homme assis derrière un bureau, pipe à la main, sourire aux lèvres apparut.

"C'est le père de Frement. Certains disent qu'il est le plus grand scientifique depuis Hawking." Elle bougea sur son siège. "Je devrais dire était, car il n'est plus parmi nous."

"Il est mort ? Quand ?"

"Il a été assassiné, Monsieur Legrand."

"*Assassiné* ? Récemment, vous voulez dire ?"

"Très récemment. L'enquête est toujours en cours, dirigée par cet homme", elle balaie à nouveau l'air de sa main et le visage de Bremen apparaît. "Voici l'inspecteur Bremen, chargé de l'affaire. Il semble que le passé de Bremen soit quelque peu mouvementé. Il a failli être renvoyé à plusieurs reprises."

"Pourquoi ça ?"

Elle haussa les épaules, remit ses lunettes sur son visage. "Inefficacité, boisson, on pense qu'il a touché des pots-de-vin. Il y a toute une liste."

Legrand se mordilla la lèvre inférieure. "Qui l'a affecté à une affaire aussi médiatisée ?"

"Wilson Frement lui-même."

Legrand la regarda. "Pourquoi confier à une telle crapule une enquête sur un meurtre qui concerne son propre père ?"

"M. Frement Senior était l'architecte en chef des nouvelles procédures cryogéniques que Frement Junior propose maintenant."

Legrand laissa la nouvelle percoler dans son cerveau. "Ce qui rend ma question précédente encore plus pertinente."

"Exactement."

"Permettez-moi de comprendre, Michelle. Vous pensez qu'il est possible que Frement soit derrière le meurtre de son propre père ?"

"Ça répondrait à quelques questions, oui."

"Mais pourquoi ? Pourquoi il aurait fait ça ?"

"Je ne sais pas."

"Et vous n'avez aucune preuve de son implication ?"

"Aucune."

"Donc c'est une pure spéculation ?"

"Oui, c'est le cas."

Legrand fixa à nouveau la photo de Bremen. "Mais, mettre cet homme aux commandes, un incapable... je vois bien pourquoi vous pourriez penser qu'il y a quelque chose de pas net dans tout ça".

"Frement dit qu'il a tout mis en place dans le centre cryogénique, sauf qu'il ne l'a pas fait."

Legrand fronça les sourcils alors que l'image sur l'écran revenait à une autre vue du complexe, avec ses gardes. "Des explications."

"Le complexe est prêt, mais la technologie ne l'est pas."

"C'est parce qu'il n'a pas obtenu l'accord total des différents délégués des Nations Unies, sûrement."

"Je ne pense pas."

Legrand fronça à nouveau les sourcils.

"Je pense que c'est parce qu'il n'a pas encore créé la technologie, seulement l'idée."

"Mais c'est ridicule. Pourquoi aller voir les Délégués avec sa proposition s'il n'était pas prêt à mettre ses propositions en action ?"

"Parce que son père a conçu la technologie."

"Oui, vous l'avez dit. Et alors ?"

"Alors, son père est mort."

"Vous voulez dire... Vous voulez dire que ses dessins sont morts avec lui ?"

Elle hocha la tête. "Et Wilson essaie de les retrouver."

Legrand se pinça les lèvres. "Ne me dites pas que ce Bremen a reçu l'ordre de retrouver les plans ?"

"Exactement."

"Donc Bremen n'est pas seulement un enquêteur, c'est un des larbins de Wilson ?"

"C'est ce qu'il semblerait. Ce qui est curieux, c'est pourquoi les papiers ont disparu en premier lieu. Et pourquoi Wilson Frement aurait un incompétent qui ferait le sale boulot pour lui."

"A moins qu'il ne veuille piéger Bremen ?"

"C'est ce que je pense, Monsieur."

"Mon Dieu, si tout ça est vrai, et que Frement est découvert comme complice de meurtre..."

"Il serait fini."

Legrand tourna la tête. "Allez chercher ce Bremen. Il faut que je lui parle." Il se pencha en avant et tapa sur l'épaule du chauffeur. "François, ramène-moi à l'hôtel. Je souhaite prolonger mon séjour."

VU MAIS PAS ENTENDU

"J'AI DÉVELOPPÉ BEAUCOUP DE CHOSES MOI-MÊME", DIT BENSON en se postant devant son ordinateur et en faisant apparaître de nombreux fichiers, images et vidéos.

Bremen resta bouche bée devant tous ces éléments, ébloui par la masse d'informations qui clignotaient dans l'éther et par la vitesse et l'expertise de Benson alors qu'il avançait et explorait ce qui se présentait."Mais qu'est-ce que c'est que tout ça ?"

"Des programmes. Je dois essayer de contourner de nombreux systèmes de sécurité et pare-feux pour obtenir ce dont j'ai besoin."

"Je ne vous ai pas dit ce dont j'ai besoin."

Benson le regarda et sourit. "Vous voulez savoir ce que Frement a sur vous, non ?"

"Je crois que je le sais. Ce que je veux vraiment, c'est..."

"Ce que les autres ont sur toi ? Oui, c'est ce que je pensais."

Il retourna aux écrans, fredonnant une chansonnette sans air. Bremen s'adossa contre un bureau et attendit. Une masse de technologie ancienne et mise au rebut, de fils, de câbles, de connecteurs, de boîtes de jonction noires, de lecteurs de différentes tailles, remplissait la pièce. Pas une seule feuille de papier en vue.

Les forêts tropicales sauvées. C'était le credo. Mais pas de succès. Les forêts tropicales continuaient à mourir, le changement climatique s'accélérait et maintenant la planète étouffait sous les fumées.

"Quelqu'un s'intéresse beaucoup à vous", déclara Benson en regardant l'un des écrans. "On dirait qu'il nous suit de près en ce moment." Il recula et ses mains devinrent confuses alors qu'il enclenchait habilement ses propres mesures de sécurité. "Merde." Il bougea dans tous les sens, poussa enfin un énorme soupir et ferma les écrans. Tout ce qui restait était le clignotement régulier de la lumière rouge d'alimentation.

"Qu'est-ce qui se passe, bordel ?"

Benson était cendré, son visage était dur. Il fouilla dans ses poches et en sortit un paquet de cigarettes froissé. Il les offrit à Bremen. "Vous aurez besoin de ça."

Bremen le prit et attendit que Benson eût allumé les siennes avant de se baisser en avant pour prendre du feu. Il se redressa et souffla un jet de fumée. "Benson ? Pourriez-vous me dire ce qui vient de se passer ?"

"Quelqu'un avec un logiciel d'analyse extrêmement puissant vient de pirater mon système".

"C'est habituel ?"

"Habituel ?" Benson lui lança un regard noir. "Vous me prenez pour qui, Bremen, M. Hammy-hamster de l'association des programmeurs amateurs ? Je suis un putain de hacker de premier ordre, et je viens de me faire hacker !"

Bremen leva la main, "Ok, ok. Calmez-vous, Benson. Je n'ai pas la moindre idée de ce que vous venez de dire, mais ça a l'air plutôt sérieux."

"C'est vachement sérieux, Bremen. Je ne suis *jamais* compromis. Quelqu'un de très puissant veut vous trouver, mon ami, et il vient de le faire."

"Quoi ? Que diable voulez-vous dire, 'comment ça, il vient de le faire' ?"

"Ils m'ont localisé, Bremen. Je pense que vous feriez mieux de vous barrer d'ici."

Instinctivement, Bremen se retourna vers la porte et la fixa. Il attendit, tendit l'oreille, mais n'entendit rien. "D'accord", dit-il doucement. "Je vais y aller. Mais vous ne m'avez rien donné, Benson."

"Eh bien, vous m'avez donné un tas d'ennuis. Et vous ne m'avez pas payé assez cher."

Bremen jura et sortit d'autres billets de son rouleau mince. Benson s'empara de l'argent sans le compter. Bremen siffla : "Y a-t-il une entrée arrière ?"

Benson fit la grimace et lui tendit une petite pièce de métal circulaire. "Vous trouverez des compartiments à l'extérieur ; trouvez le numéro 312 et mettez-le dans la fente. Mon hover-bike est là-dedans."

"C'est vraiment gentil de votre part, Benson."

"Non. Ça vous permet juste de sortir d'ici plus vite, et puis je n'aurai pas à répondre à des questions gênantes. "

"Comment je vous ramène la moto ?"

"Quand le temps est écoulé, il retourne automatiquement dans le hangar."

"J'ai combien de temps ?"

Benson sourit. "A partir du moment où vous mettez ça dans la fente, 40 minutes."

"Jésus. " Il s'apprêta à partir, puis s'arrêta. "Benson, avez-vous la moindre idée de qui a envoyé ces gens après moi ? C'est Frement ?"

"Non", il secoua la tête et éteignit sa cigarette sur le coin de la table. "C'est un certain Legrand, et il est à *l'hôtel Excelsior*, suite 2. C'est juste à côté de Grosvenor Square, au centre de la ville. Vous ne pouvez pas le manquer."

"Je vous en suis reconnaissant, Benson."

VOL DANS LA NUIT

BᴿᴱᴹᴱN ѕ'ɪɴѕᴛᴀʟʟᴀ ѕᴜʀ ʟᴇ ѕɪᴇ̀ɢᴇ ᴅᴇ ʟ'ʜᴏᴠᴇʀ-ʙɪᴋᴇ ᴇᴛ ғɪxᴀ ʟᴇ
tableau de bord éclairé. Il n'était pas monté sur une de ces machines
infernales depuis une demi-vie. Elles utilisaient l'électricité pulsée
pour générer un coussin d'air, et leur accélération était réputée
pour être d'une rapidité redoutable. Tout ce qu'il avait à faire était
de l'allumer, de tourner la poignée et de s'accrocher.

Il savait que le temps pressait, et lorsque les deux hommes en
costume noir surgirent au coin de la rue, il décida de ne pas
s'attarder plus longtemps. Ils criaient, agitaient une sorte de
carte d'identité, mais Bremen baissa la tête et appuya sur le
bouton.

Rien ne se passa.

Il maudit.

Cette satanée batterie devait être à plat. Il jeta un coup d'oeil
sur le tableau de bord. Pas de lumière, pas de courant. Il devait y
avoir quelque chose qu'il ne faisait pas.

Le bruit des pas devenait plus fort.

"Bremen, ne bougez pas."

Il jeta un coup d'oeil par-dessus son épaule, envisagea de les tuer tous les deux, puis reporta son regard sur le tableau de bord.

Et voilà.

Idiot.

Il chercha l'interrupteur sous le tableau de bord et l'actionna. Toute la moto s'alluma. Aussi simple que ça. Il pressa une nouvelle fois le bouton d'allumage et cette fois, la moto se mit à ronronner au moment même où une main s'empara de sa queue de pie.

Il s'accrocha fermement et accéléra, la main qui l'avait saisi l'arrachant presque de la moto. Mais pas tout à fait. Au contraire, alors que la moto s'élançait vers le ciel, il entendit le grand déchirement de sa veste alors qu'il s'accrochait et dirigeait l'hover-bike dans l'obscurité grise, libéré de ceux qui essayaient de le retenir.

Il ne tarda pas à réaliser à quel point il faisait froid. Le vent traversait sa fine chemise et ce qui restait de sa veste. Si seulement il avait apporté un meilleur manteau. Ses mains lui faisaient déjà mal, et il savait que le froid ne tarderait pas à l'obliger à s'arrêter.

Le vélo se déporta sur la droite. Il avait perdu presque toutes ses compétences de conducteur. Tout le monde dit : "Une fois appris, jamais oublié". Des conneries. Il se débattit avec les commandes et, en se rapprochant de la ville, il passa devant plusieurs autres véhicules volants. Il aperçut des visages effarés. Bientôt, la police de la route remarquerait sa conduite erratique et ce serait la fin de tout ça.

Avec la sueur qui coulait sur son visage et le vent froid qui lui transperçait les os, il commença son ascension. Dans le dédale des rues, il réussit à repérer un carré de terrain abandonné et s'y dirigea. Surgi de nulle part, un énorme aéroglisseur passa à toute vitesse, trop près pour assurer son confort. Le courant d'air qui s'ensuivit le fit basculer sur le côté et il cria, la peur se mêlant au désespoir tandis qu'il luttait pour redresser la moto.

Un autre véhicule passa devant. C'était de plus en plus effrayant. Et trop vite, il se rendit compte que sa montée était trop rapide et trop raide. Il tira les barres de direction vers la droite, mais la résistance du vent était trop forte. Il s'arc-bouta, coupa le moteur et espéra que la décélération rapide atténuerait l'impact.

Il aperçut une touffe d'herbe mêlée à quelques buissons morts ou mourants. Mieux valait eux que le sol dur. Se débattant avec les commandes, il réussit à aligner sa moto sur l'emplacement approximatif des buissons et ferma les yeux.

La moto heurta le sous-bois avec un bruit sec, des brindilles déchirant les restes de son manteau. Éjecté de la moto, il fit une culbute la tête la première dans la végétation éparse et hurla lorsque quelque chose de pointu lui transperça le côté. Il crut entendre une explosion sourde. Probablement que la moto avait heurté quelque chose qu'elle n'aurait pas dû. Mais il s'en fichait. Tout ce qui l'intéressait, c'était la douleur qui traversait sa chair.

Tout devint noir à ce moment-là.

UN PAS DANS L'ABÎME

À l'une des tables privées de son club exclusif, Wilson Frement était assis, un verre de brandy à la main, et regardait fixement. Le dîner avait été excellent, il n'avait pas à s'en plaindre. Ni du vin, ni du service, ni de l'ambiance. Rien de tout cela. Ce qui le dérangeait plus que tout, c'était Michael Hamon, qui était assis en face de lui, le regard d'un enfant irascible sur le visage.

"Qu'est-ce que vous entendez par là, vous l'avez perdu ? Encore ?"

Hamon faisait de son mieux pour ne pas égaler le regard glacial de Frement. "Ce que je dis, Monsieur. On nous a rapporté qu'il avait été vu se déplaçant sur un hover-bike."

"Un hover-bike ? À Bremen ?

"Aussi incrédule que cela puisse paraître, oui."

"Quel âge a-t-il ?"

Hamon haussa les épaules. "Cinquante-cinq, cinquante-six ans. Quelque chose comme ça."

"Bien au-delà."

"Apparemment pas."

"Et vous, M. Hamon. Quel âge avez-vous ?"

"Monsieur ?"

"La question est simple, M. Hamon. Quel âge avez-vous ?"

Hamon semblait perplexe. Maintenant, il regarda Frement, mais seulement brièvement. "J'ai trente-quatre ans, Monsieur."

"Et vous considérez-vous comme dépassé ?"

"Euh, pas exactement, Monsieur, non."

"Pas exactement ?" Frement but une gorgée de son brandy. "Donc, vous venez ici alors que je suis sur le point de finir mon repas, avec le plan précis de perturber mon indigestion. C'est bien ça ?"

"Pas du tout, Monsieur. J'ai pensé qu'il valait mieux que vous appreniez la nouvelle tout de suite, au lieu de..."

"Eh bien, vous l'avez fait, Hamon. Vous avez gâché mon dîner. Donc vous pouvez le noter comme votre succès d'aujourd'hui. Vous devez être à bout, Hamon, si vous me dites sérieusement que vous, à la tête de l'un des réseaux de renseignements les plus sophistiqués au monde, avez perdu le rouage le plus vital de toute cette machinerie très grasse. C'est bien ce que vous êtes en train de me dire ?"

"Nous l'avons perdu, oui Monsieur."

"Et vous n'avez jamais pensé à mettre une sorte de système de repérage sur lui ? Après tout, mettre sa propre femme à ses trousses n'a pas vraiment été bénéfique, n'est-ce pas ?"

"Il aurait tout de suite repéré toute forme d'appareil d'écoute, Monsieur. Quoi que vous pensiez de Bremen, il n'est certainement pas stupide."

"Non." Il vida son verre et le fit rouler entre les paumes de ses mains. "Non, il ne l'est certainement pas."

"Monsieur ?"

Frement se renfrogna. "Fermez-la, Hamon." Il posa son verre et se pencha en avant. "Je pourrais vous remplacer comme ça," dit-il en faisant claquer ses doigts bruyamment. "Et ne croyez pas que je ne le ferai pas."

"Je comprends, Monsieur."

Frement sourit. Les mains de Hamon tremblèrent. Quand il remarqua le regard de Frement, il les cacha sous la table.

"Avez-vous une idée de l'endroit où il pourrait se trouver ?"

"Nos sources ont découvert qu'il a été récupéré par des agents de sécurité étrangers, Monsieur".

"Des étrangers ? Pas des insurgés ?"

"Presque certainement pas, Monsieur. Nous avons interrogé un certain nombre de témoins et ils disent tous la même chose. Il s'est écrasé dans un bosquet, Monsieur."

"Un bosquet ? Qu'est-ce que c'est que ça ?"

"Un enchevêtrement de buissons et d'arbres, Monsieur. Une limousine est arrivée avec trois hommes à l'intérieur. Costumes sombres et lunettes, la tenue habituelle. Ils l'ont emmené."

"Donc, il est toujours en vie ?"

"C'est ce qu'ont dit les témoins, même s'ils ont aussi dit qu'il était dans un sale état."

"Et qui étaient ces étrangers, ces *hommes secrets* aux vêtements sombres, Hamon ?"

L'homme pâlit et baissa les yeux. "Nous essayons toujours de le découvrir, Monsieur."

"Spéculez pour moi, Hamon. Essayez de soulager un peu mon indigestion naissante."

Hamon se mordit l'intérieur de la lèvre. "Peut-être les Français, Monsieur."

"Et pourquoi pensez-vous que ça pourrait être eux ?"

"Parce qu'ils sont la seule puissance significative qui s'oppose à vos plans, Monsieur."

Frement hocha la tête, attira l'attention du serveur et l'appela. "Deux cognacs, s'il vous plaît."

Le serveur inclina légèrement la tête et s'éloigna.

"Cela pourrait vous surprendre, mais j'ai tendance à être d'accord avec vous, Hamon, bien que je n'aie pas la moindre preuve pour étayer cette hypothèse." Hamon avait le regard fixe et restait silencieux. "Pensez-vous qu'il pourrait y avoir quelqu'un d'autre ?"

"Il pourrait y avoir une ou deux possibilités."

"Votre femme, Hamon ? Qu'est-ce qu'elle a ?"

Hamon cligna des yeux, décontenancé. "Ma femme ? Je suis désolé, mais je ne..."

"Elle est ambitieuse, pleine de ressources. Vous devez encore me dire ce que Bremen a divulgué sur ses enquêtes. Peut-être qu'elle a les documents ?"

"Je ne pense pas qu'elle..."

"Quoi ? Vous trahirait ?" Frement gloussa. "Peut-être a-t-elle appris votre liaison avec la femme de Bremen. Peut-être qu'elle veut se venger."

Hamon s'arrêta de répondre lorsque le serveur revint et posa les deux verres sur la table.

Frement congédia le serveur d'un signe de tête. "Servez-vous, Hamon. On dirait que vous en avez besoin."

Hamon força un sourire et prit le verre. "Pour répondre à votre question, Monsieur, je ne vois personne d'autre. Les Chinois n'en ont rien à faire, les Russes n'ont pas la moindre idée et les Américains sont avec nous à cent pour cent."

"Les Allemands aussi. Leur supériorité technologique va nous être très utile dans cette entreprise, Hamon."

"Oui, Monsieur."

"Et il n'y a pas d'amour perdu entre eux et les Français, pas depuis que les Français se sont séparés des États-Unis d'Europe."

Hamon goûta le brandy et se lécha les lèvres. "C'est tout à fait exceptionnel, Monsieur".

"Oui", dit Frement, faisant une pause pour l'effet avant de prendre lui aussi une gorgée. "C'est français."

Hamon sourit. "Si ce sont les Français, que pensez-vous qu'ils vont faire de Bremen, Monsieur ?"

"L'utiliser, pour m'atteindre."

"Vous voulez dire... ?" Hamon laissa la question inachevée pendre dans l'air, peut-être trop effrayé pour vocaliser ses pensées.

"M'assassiner, Hamon ? C'est ce que vous pensez ?" Hamon acquiesça. "Je doute qu'ils aillent aussi loin. Si jamais on découvrait qu'ils ont participé à une telle chose, ils seraient anéantis."

"Vous voulez dire la guerre, Monsieur ?"

Frement plissa les yeux. "Hamon, je m'inquiète parfois pour vous. Vous semblez n'avoir qu'une compréhension infime du monde dans lequel nous vivons. Curieux attribut pour le chef de mon service de renseignement."

"Ce n'est pas que je ne comprends pas Monsieur, mais le monde a changé. On ne fait plus la guerre."

"Non. Mais le monde doit encore changer, Hamon. Et la France, si elle ne s'engage pas, sera laissée pour compte, et elle périra."

"Oui, Monsieur. Je comprends, Monsieur."

"Bien. Donc, si nous supposons que les Français vont utiliser Bremen pour contrecarrer d'une manière ou d'une autre mon grand projet, il n'y a pas vraiment d'alternative à ce que nous devons faire, n'est-ce pas ?"

Hamon fronça les sourcils.

"Nous *les* tuerons, Hamon."

"Les tuer ? Qui exactement, Monsieur ?"

"Bremen et Legrand, espèce d'imbécile. "

Hamon déglutit difficilement. "Monsieur, je ne suis pas opposé à l'idée de tuer Bremen, mais le président d'un État indépendant ? Ne serait-ce pas un peu exagéré ?"

"Je me fiche de savoir si c'est exagéré, je les veux morts, Hamon. Tous. Vous avez compris ?"

"Oui, Monsieur. Absolument."

"Et nous devrons peut-être réfléchir à ce que nous devons faire de votre femme chérie, Hamon."

Hamon fixa le regard, les lèvres préalablement pulpeuses à cause du brandy, se ratatinant à mesure que le sang s'écoulait. "Nous le ferons, Monsieur ?"

"Oh oui, Hamon. Nous le ferons. Bien." Frement sourit, se redressa et se tapota l'estomac : "Je sens que mon indigestion s'améliore déjà."

NÉGOCIATIONS ET TRANSACTIONS

BREMEN OUVRIT BRUSQUEMENT LES YEUX ET PRIT UNE GRANDE inspiration. Il se redressa, mais le regretta aussitôt lorsqu'une douleur aiguë le transperça sur le côté. Il se serra contre les côtes et retomba, haletant.

"Vous ne devez pas bouger. "

Son regard se porta sur une infirmière qui se penchait sur lui. Elle le touchait le long de sa cage thoracique et ses doigts étaient doux et rassurants.

"Où suis-je, bon sang ?"

"Vous êtes dans notre infirmerie."

Bremen tourna la tête pour fixer la propriétaire de la nouvelle voix. Elle était jeune, des lunettes perchées sur le bout de son joli nez, habillée d'une jupe gris cendré et d'une veste assortie. Avec ses cheveux auburn ramenés en arrière en un chignon, elle aurait dû paraître plus sévère qu'elle ne l'était, mais son visage était finement sculpté et d'une beauté exquise. Bremen se sentait attiré par ses lèvres rouges et pleines lorsqu'elle parlait.

"Vous devez vous reposer, M. Bremen, et essayer de ne pas faire d'efforts. Vous avez eu un accident, et un de vos poumons a été perforé par une branche d'arbre. Vous auriez pu mourir, si nos hommes n'étaient pas arrivés si vite."

"Vos hommes ?" Bremen essayait de contrôler sa respiration, alors que la douleur continuait à pulser tout le long de son flanc. "Qui sont exactement vos hommes ?"

"Vous êtes dans le consulat français, Monsieur Bremen, et vous êtes sous la protection de la République française. Nos agents ont réussi à vous suivre, mais vous vous êtes échappé. Peut-être avez-vous cru qu'ils étaient quelqu'un d'autre ?"

"J'ai cru qu'ils étaient quelqu'un d'autre, oui."

Elle inclina la tête. "Puis-je vous demander qui ?"

"Vous ne savez pas ?"

Elle sourit. C'était un beau sourire, un sourire qui illuminait son visage, enlevant toute suggestion de sévérité. " Si. Nous le savons. "

"Donc, vous m'avez récupéré après mon accident. J'ai eu un accident, je m'en souviens très bien."

Elle se rapprocha, et son parfum emplit ses narines. Ce parfum sensuel lui rappelait les jours d'été dans les orangeraies, il y a cent ans ou plus. Il ferma les yeux, pour savourer ce souvenir.

"Vous allez bien ?"

Il ouvrit les yeux, vit son regard inquiet. "Oui", sourit-il à présent. "Oui, je réfléchissais, c'est tout."

"Où essayiez-vous d'aller avec cet engin ridicule, M. Bremen ?"

"L'aéroglisseur ?" Les coins de sa bouche se rétractèrent. "Ici, pour être honnête."

"Ici ?"

"Eh bien, pour être plus précis, *l'Excelsior*. J'ai eu l'idée folle de rencontrer Monsieur Legrand."

"Et pourquoi voudriez-vous le rencontrer ?

"Pour trouver un accord avec lui."

Elle prit une longue inspiration, croisa les bras et le regarda fixement. "Quel genre d'accord ?"

Il sourit. "C'est à Monsieur Legrand de l'entendre."

"Je suis sa secrétaire personnelle, M. Bremen. Vous pouvez me dire tout ce que vous souhaitez lui dire."

Il secoua la tête. "Je ne le pense pas. De plus," il tourna la tête et indiqua d'un signe de tête le formulaire de suivi virtuel. "Ce n'est pas vraiment privé, n'est-ce pas ?"

La secrétaire soupira, dit quelque mots en français à l'infirmière, qui lèva la tête, marmonna un commentaire, referma le dossier et sortit dans une sorte d'agitation.

"Je ne le dirai qu'à Legrand."

Elle acquiesca, jeta un coup d'oeil derrière la tête de Bremen et acquiesça à nouveau.

Une série de lumières colorées commença à émaner du coin le plus éloigné et, soudain, l'image d'un homme grand et sombre, d'âge indéterminé, se matérialisa dans l'air. Il avança, avec un large sourire. "Bonjour, Monsieur Bremen. Vous vous sentez un peu mieux ?"

Bremen fronça les sourcils. L'hologramme était si parfait que l'homme aurait pu se trouver dans la pièce. "Un peu mieux. Merci."

"Je suis heureux de l'entendre."

"Je suppose que vous devez être le président Legrand. Pardonnez-moi si je ne me lève pas." Il se tapota le côté. Les bandages étaient serrés.

"Vous serez sur pied en un rien de temps, Monsieur Bremen. Ma secrétaire s'est occupée de vous, j'espère."

"Très bien."

Il sourit à nouveau, se rapprocha et se plaça à côté de la jeune fille. L'image holographique ne vacillait pas, la technologie était parfaite. "Vous avez parlé de conclure un accord, Monsieur Bremen."

Bremen fronça les sourcils. " Vous nous avez écoutés ? "

"Bien sûr. Vous nous prenez pour des nigauds, M. Bremen ?

"Non, pas du tout."

"Eh bien, alors. Sur quoi voulez-vous conclure un accord ?

"J'aimerais d'abord savoir pourquoi vous me cherchiez."

"Parce que je pense que vous pourriez nous être utile, c'est tout."

"Vous être utile ? Dans quel sens ?"

"Votre relation avec M. Frement est fragile, c'est le moins qu'on puisse dire."

"Cet homme est un obsédé."

"Précisément. Et sa vision d'une future société utopique n'est ni morale ni acceptable. Nous ne pouvons pas le laisser réussir.

"Il ne le peut pas. Pas encore."

"Non, pas sans les desseins de son père."

Bremen sentit un coup de poignard de panique. "Comment êtes-vous au courant de ça ?"

"Nous en savons beaucoup, M. Bremen. Nous savons aussi quelque chose que vous ne savez pas."

"Qu'est-ce que c'est ?"

Legrand se tourna vers la secrétaire. "Pourquoi ne lui dites-vous pas, Michelle ?"

La secrétaire enleva très lentement ses lunettes et mordit l'une des branches entre ses dents blanches et régulières. "Monsieur Bremen. J'ai des raisons de croire que le projet de M. Frement de créer une usine de traitement cryogénique n'est qu'un vaste écran de fumée."

La gorge de Bremen devint sèche. "Mais de quoi parlez-vous ?"

Elle se pencha en avant, "C'est un canular élaboré, M. Bremen, pour quelque chose de beaucoup plus subtil et," elle sourit, "réalisable."

UNE CURIEUSE RENCONTRE

À LA FIN DE LA JOURNÉE, BREMEN POUVAIT SE DÉPLACER librement. Grâce aux merveilles de la médecine moderne, son corps avait pu se rétablir en quelques heures. Comme pour se rassurer, il passa ses doigts sur son flanc, sentant l'endroit où l'une de ses côtes, fêlée par l'impact, sembla à nouveau entière. Une imprimante 3-D utilisée pour scanner et créer une réplique parfaite. Ainsi, convenablement soigné, il se promena dans le jardin, un toit en plexiglas le protégeant de l'atmosphère empoisonnée, et il étudia les différentes plantes, disposées avec un soin méticuleux autour de la pelouse bien entretenue. Alors qu'il se baissait pour porter à son nez un chèvrefeuille odorant, il sentit sa présence et leva les yeux.

Michelle, vêtue d'une jupe crayon et d'un chemisier blanc, les lunettes repoussées sur la tête, sourit avec un plaisir évident. " Vous vous sentez mieux ? "

"Beaucoup", dit-il et il se releva. "Ces médicaments dont vous m'avez gavé semblent avoir fait l'affaire."

"Vous nous faites confiance alors, M. Bremen ?"

"A qui d'autre pourrais-je faire confiance ? Wilson Frement et ses tueurs, ou vous ? Une puissance étrangère, qui m'a aidé à retrouver mes forces. C'est un peu comme le jour et la nuit si vous voulez mon avis."

Elle cligna des yeux. "C'est comme *quoi* ?"

"Oubliez ça." Il regarda autour de lui. "Je n'ai jamais rien vu de tel." Il soupira. "J'avais l'habitude d'emmener Petie se promener dans un parc virtuel, pour regarder les arbres, sentir l'herbe sous nos pieds, observer les cerfs. Mais ça..."

"Qui est Petie ?"

"Je pensais que vous l'auriez su, vu que vous avez fouillé dans tous les aspects de ma vie."

Elle sourit. "Oui. Votre fils."

"Savez-vous où il est ?"

Elle inclina la tête. "Vous ne le savez pas ?"

"Je pensais qu'il était avec ma femme. Maintenant, je n'en suis plus si sûr."

"Suzanne. Oui, votre ex-femme. Nous pourrions être en mesure de les trouver pour vous, si vous le souhaitez ?"

"Ce serait fantastique. Merci." Il sourit, se tourna à nouveau vers le chèvrefeuille et respira son parfum. "Je n'aurais jamais cru pouvoir sentir quelque chose d'aussi beau."

"C'est une biosphère miniature, un peu comme celles qu'on trouvait sur Mars."

Il hocha la tête. "La dernière grande aventure."

"C'est comme ça que vous le voyez ? Une aventure ?"

"Une chance, peut-être. De s'éloigner de cet enfer."

"Et contribuer à en créer un autre ?"

"Heureusement que l'argent a manqué."

"Oui." Elle inclina la tête. "Vous allez assez bien pour entendre ce que j'ai à dire ?"

"C'est de mauvais augure. Je vais assez bien."

"Ce n'est pas agréable, M. Bremen. Mais cela peut vous aider à comprendre une ou deux choses."

"D'accord. Dites-moi tout.

"Pas ici." Elle fit un signe de tête vers l'entrée principale. "Je veux vous présenter quelqu'un."

Il la suivit à l'intérieur du bâtiment, traversa le couloir arrière carrelé et entra dans un grand salon. Meublé dans le style de la fin du vingtième siècle, avec des meubles en cuir et des murs tapissés de livres. Au centre, un arrangement de fauteuils. Un feu brillait dans la cheminée. Bremen se sentit tout de suite détendu. Mais, en apercevant les deux hommes assis près des flammes, il se crispa.

Ils se levèrent.

"Voici Brian Jarvis", dit Michelle.

Jarvis s'avança et tendit la main. Bremen la saisit et fit un signe de tête. "Je vous connais", dit-il calmement.

Jarvis sourit. "Oui, je pense."

"Brian travaille pour nous, M. Bremen, et ce depuis trois ans."

Bremen fronça les sourcils.

"Il travaille aussi pour Wilson Frement. Il est ce qu'on pourrait appeler une taupe."

"Oui. C'est là que je vous ai vu. Au domicile de Frement."

Jarvis sourit. "Je suis ingénieur en logiciel, je travaille sur une large gamme de programmes qui doivent être installés dans tous les foyers du pays."

Bremen secoua la tête et tourna son regard vers la jeune fille. "Qu'est-ce que tout cela a à voir avec la raison pour laquelle je suis ici ?"

"Ecoutez." Elle le prit par le coude et l'entraîna vers le feu. L'autre homme, qui était toujours debout, souriait. "Voici Clive Reynolds. M. Reynolds est à la tête de 'Frencom Systems'. Ils ont conçu le bouclier de défense pour les puissances occidentales qui garantit la sécurité militaire de l'Europe et de l'Amérique du Nord depuis trente ans."

Bremen prit la main de Reynolds et la serra.

"M. Bremen", commença-t-il, sa voix n'avait pas d'accent, et Bremen devina qu'il venait sans doute de l'est de l'Angleterre. "Je comprends votre perplexité, mais laissez-moi vous assurer que nous sommes tous ici pour la même chose. Pour empêcher Wilson Frement de réussir dans ses plans diaboliques."

Bremen fronça les sourcils et regarda Michelle. "Vous venez de me dire que cela n'a rien à voir avec les plans de cryogénisation."

"Oui, c'est vrai. Frement a développé quelque chose de beaucoup plus insidieux, et efficace." Elle lui fit signe de s'asseoir. Il grimaça, mais la douleur était loin d'être aussi forte qu'avant et son air renfrogné se transforma en un mince sourire. Les autres prirent place et Michelle leur servit à boire. Bremen prit le sien et respira l'arôme du Cognac. Il se souvint de Benson et de la boisson qu'il avait dégustée là-bas, mais celle-ci était douce et parfumée. Il se rassit.

Reynolds se pencha en avant. "Les plans d'Avery Frement étaient de construire d'énormes usines où des millions de personnes pourraient être stockées indéfiniment dans un état d'animation suspendue. À l'intérieur, ces personnes pourraient vivre des vies virtuelles. En d'autres termes, ils ne se rendraient jamais compte que leur corps n'existe plus."

"Je sais. Steinmann m'a présenté à sa femme."

"Ah oui. Steinmann. Le génie derrière le plan d'Avery. Le problème avec tout ça, Mr Bremen, c'est que Wilson Frement n'était pas d'accord."

"Mais, je pensais que c'était la raison pour laquelle il était si désespéré de mettre la main sur les papiers."

"Désespéré, oui. Mais pas pour pouvoir finir ce que son père avait commencé. Non, son souhait était de détruire les plans, pour empêcher quiconque de développer une technologie similaire."

Bremen fronça les sourcils et promena son regard d'une personne à l'autre. "Vous êtes en train de me dire que tout ça n'était qu'une ruse ? Mais, si c'est vrai, alors pourquoi Wilson m'a-t-il impliqué ?"

"Parce qu'il vous a pris pour un imbécile, M. Bremen", répondit Michelle. "Il vous a sous-estimé. Nous, par contre, pas du tout."

"Le plan de Wilson est de vous faire porter le chapeau," dit Brian Jarvis, "de vous impliquer dans le meurtre de son père. Cela le blanchirait de tout méfait tout en lui permettant un accès sans précédent aux plans de son père. Il vous a envoyé parler à Steinmann, pour gagner la confiance de l'homme. Vous avez réussi. Mais maintenant les plans ont disparu, alors il est désespéré. S'ils étaient rendus publics, chaque nation voudrait savoir comment procéder. Dans un monde en proie au chaos, quel meilleur moyen de servir l'humanité que de donner à chaque individu le droit de vivre la vie qu'il souhaite ? Une vie virtuelle, mais infiniment plus désirable que l'existence qu'ils ont actuellement."

"Mais Wilson ne veut pas développer l'idée de la cryogénie ?".

"Non", dit Reynolds. "Il ne veut pas dépenser d'argent pour l'entretien d'innombrables millions de vies virtuelles."

"Wilson a besoin que les choses se passent rapidement," dit Michelle. "Pendant que vous couriez dans tous les sens et que vous n'alliez nulle part, Wilson a demandé à une grande équipe de concepteurs de logiciels hautement qualifiés, voire même doués, de créer ce... "

Elle agita sa main dans l'air. Il y eut un clignement de lumière et un écran holographique interactif apparut à un mètre de l'endroit où elle était assise. Elle sélectionna habilement plusieurs icônes, zooma sur l'écran et sourit. "Regardez, M. Bremen, et préparez-vous à être étonné."

L'écran clignota à nouveau, devint noir pendant un moment, puis explosa en action.

C'était une ruelle, et il y avait des chiens. Beaucoup de chiens. Ils aboyaient comme s'ils étaient possédés, et alors qu'ils s'approchaient de l'écran, les dents serrées, la lueur maniaque dans leurs yeux n'était que trop claire.

Pris à la première personne, dans cette démonstration, le "joueur" - un homme en l'occurrence - a commencé à combattre les chiens. Il avait une sorte d'arme, que Bremen ne put distinguer. Peut-être que c'était une machette, ou une petite épée. Quoi qu'il en fût, elle s'était avérée efficace, et quelques coups bien placés ont envoyé deux chiens au sol, les entrailles se répandant sur le sol, et les autres déguerpirent.

Le "joueur" avança ensuite. Bremen pouvait l'entendre respirer fort. Il sortit de la ruelle et entra dans une grande rue très fréquentée. Des véhicules de toutes formes et de toutes tailles roulaient dans tous les sens. Certains sur la route, beaucoup dans les airs. Les gens se pressaient partout, et le bruit remplit les oreilles de Bremen avec une telle intensité qu'il croyait vraiment être là. En effet, à mesure que l'écran s'agrandissait, il se retrouvait dans le jeu, il en fit partie, même s'il resta spectateur. Les gens passaient devant lui, certains hochaient la tête, beaucoup se renfrognaient. La plupart l'ignoraient. S'il tournait la tête, il pouvait avoir plusieurs vues de la rue et de tout ce qui se passait.

Et il se passait beaucoup de choses. La vue entière était composée de tous les aspects de la vie quotidienne dans n'importe quelle grande ville du monde. Les gens entraient et sortaient des bâtiments, les véhicules s'arrêtaient et démarraient, d'énormes aérobus atterrissaient pour prendre des passagers, des équipes de surveillance se faufilaient dans la foule. Bremen marchait, respirant, totalement immergé dans ce monde nouveau et crédible. Quelqu'un le bouscula, il s'étira et vit un homme lui lancer un regard furieux : "Regarde où tu mets les pieds, idiot !". Bremen le laissa partir, toujours fasciné par ce dont il était témoin. Il passa devant les grands magasins, créés parce que les gens avaient besoin de faire des achats, de partager, de socialiser. Un homme se tenait dans l'embrasure de la porte, invitant tout le monde à entrer, à ressentir le frisson du toucher et la dégustation. "Rien n'est comparable à la réalité", déclara-t-il en frappant ses mains l'une contre l'autre, en les frottant fébrilement.

À la gauche de Bremen, une soudaine explosion de cris et de hurlements éclata. Il se retourna et vit trois hommes faisant irruption dans la rue depuis une tour voisine. Ils brandissaient des armes, des alarmes hurlantes retentissaient si fort qu'elles couvraient le bruit de la rue animée. Les équipes de surveillance réagirent et les armes à feu éclatèrent en rafales, les balles et les projectiles laser emplissant l'air. Les gens se mirent à hurler et à fuir. Les véhicules s'arrêtèrent, les sirènes se brouillèrent. La zone entière se transforma en un chaos total alors que les hommes abattaient des passants et des membres de la surveillance dans leur course pour s'enfuir.

Bremen comprit ce que c'était. Une sorte de hold-up. Il repéra un ancien extincteur et s'accroupit derrière. La vue passa soudainement de la première à la troisième personne. Bremen sentit sa bouche devenir sèche. Il vit le joueur original, avec l'épée, aussi réel qu'une personne vivante. Bremen aspira de l'air. Il était dans le jeu, attiré sans même le savoir, et quand la tête du "joueur" explosa, Bremen sut immédiatement qu'il s'agissait d'un endroit très dangereux.

De nouveau à la première personne, Bremen chercha son arme à l'intérieur de sa veste, mais elle n'y était pas. Le dos contre la bouche d'incendie, il regarda autour de lui pour trouver une issue de secours.

Un policier surgit de nulle part, le visage couvert de sueur, les yeux écarquillés, la bouche béante, la respiration difficile. Dans ses mains se trouvait un fusil d'assaut à impulsion. Il s'accroupit à côté de Bremen.

"Ce n'est pas bon", dit le policier, il sort son arme de poing de gros calibre et la tendit à Bremen. "Nous allons devoir les contourner si nous le pouvons."

Bremen voulut parler, mais avant qu'il ne puisse le faire, le policier se mit en route, en restant bas, se déplaçant en zigzag à travers la rue. Les gens continuaient à bouger partout, hystériques, hors de contrôle, le bruit des klaxons, des sirènes et des cris emplissant l'air. Bremen jeta un coup d'oeil.

Une fusillade avait lieu de l'autre côté de la rue, les voleurs échangeant des coups de feu avec les hommes restants de l'équipe de surveillance. Il vit des corps sur le sol, certains en mouvement, d'autres morts. Un homme se traînait sur le macadam, sa jambe droite arrachée à son corps.

Un camion émergea du bout de la rue et l'un des voleurs se leva et tira sur le conducteur à travers le pare-brise de sa cabine. Le verre se brisa en mille morceaux et le véhicule se mit à dérailler, se dirigeant directement vers l'homme blessé dans la rue. Celui-ci leva la main et cria.

Bremen se détourna au moment où le véhicule le percuta. Le bruit écœurant du sang, des muscles et des tissus lui retournèrent l'estomac et il se plia en deux, haletant, luttant pour ne pas vomir.

Il avait vomi sur ce qu'il avait fait à Suzanne. Le fait qu'il l'eût frappée.

Il ne l'avait jamais frappée auparavant. L'idée ne lui avait même pas traversé l'esprit. Mais il l'avait fait, et ça le rongeait, et rien ne serait plus jamais pareil. Pas avant qu'il...

"Bremen !"

Il jeta un oeil autour de la bouche d'incendie et resta bouche bée devant ce qu'il vit.

C'était l'un des voleurs, arme à la main, le museau appuyé contre la tête d'une femme. Il l'utilisait comme une sorte de bouclier.

Tout se figea. Il n'y avait aucun bruit. Rien, à part cet homme avec son arme appuyée contre la tête de la femme. Bremen ferma les yeux puis les rouvrit

Il faillit s'évanouir d'incrédulité.

La femme que le voleur tenait était Suzanne.

ETAT DE CONFUSION

Sans réfléchir, Bremen tira entre les deux yeux du voleur. C'était un tir parfait et l'homme s'effondra sur le sol, le sang jaillissant de la blessure. Suzanne était libre. Elle plaqua ses mains sur son visage et cria. Bremen inspecta rapidement la rue avant de la saisir par le bras et de la traîner de l'autre côté du trottoir. Un autre policier en uniforme lui fit signe de s'approcher, mais au moment où Bremen avança, une impulsion lumineuse provenant d'un laser transperça l'air au-dessus de sa tête. Il se baissa instinctivement, entraînant Suzanne avec lui. L'explosion percuta un mur voisin, projetant des éclats de maçonnerie dans toutes les directions. Mais tout allait bien et il sourit à Suzanne, la serrant contre lui.

"Par ici, bordel ! "

Il leva la tête. Le premier policier était sur le seuil d'une boutique, appelant Bremen à le rejoindre. Bremen saisit le bras de Suzanne et ils coururent, tête baissée. Ils parvinrent à la sécurité relative de l'enclave juste au moment où un autre éclair de lumière pure gronda au-dessus de leur tête. À genoux, Bremen respirait difficilement. "Mais qu'est-ce qui se passe ?"

"Des insurgés", dit le policier au-dessus du vacarme. "Nous

devons essayer de les encercler, de les dissimuler, de les éliminer. Qui est-elle ?"

"C'est ma femme." Bremen regarda Suzanne et força un sourire. Elle tremblait, terrifiée. Elle ne semblait pas rassurée par le regard de Bremen. Une ambulance passa en grondant, certains passants de l'autre côté essayant de lui faire signe en agitant sauvagement les bras. Elle les ignora et fila à toute allure dans la rue principale.

"Des insurgés, vous dites ?"

Le policier acquiesça en secouant sa radio. Elle semblait en panne. "Ils ont envahi l'aéroport, et ils sont de plus en plus nombreux à arriver chaque minute."

Une explosion soudaine d'une arme d'insurgés frappa le côté du mur à côté d'eux et fit sauter un énorme bloc de mortier. De minuscules morceaux de pierre et de schiste les éclaboussèrent. Le policier cria, "Venez, nous devons bouger."

Bremen, saisit Suzanne, et suivit le policier qui se précipita le long du bâtiment vers une route secondaire, remplie de véhicules abandonnés. Un aéroglisseur occasionnel sifflait au-dessus de nos têtes, des véhicules militaires, des sirènes hurlantes. L'endroit avait l'aspect d'une zone de combat. De la fumée s'échappait des portes et fenêtres ouvertes, de l'eau jaillissait des bouches d'incendie endommagées, et des corps gisaient dans des angles grotesques, brisés et déchiquetés. Bremen resta bouche bée. Comment, pour l'amour de Dieu, tout cela avait-il pu arriver si vite ?

Le policier posa son pied sur une double porte et l'enfonça. Il se tourna et s'apprêta à dire quelque chose lorsque sa tête explosa comme une pastèque. Suzanne cria et tituba en arrière. Bremen, qui avait levé son arme de poing, aperçut une ombre se déplaçant à l'intérieur avant qu'une autre explosion ne le frappât durement à l'épaule gauche. La force de l'explosion le fit tourner et ses yeux se fixèrent sur ceux de Suzanne avant qu'un nuage noir ne descendît et qu'il ne basculât dans l'abîme.

La lumière vive le frappa comme un poing derrière les yeux, et il s'élança en avant, déployant ses bras pour repousser tout attaquant.

Tout ce qu'il ressentit était de l'air.

Il s'arrêta, respirant difficilement, et regarda autour de lui, essayant de se fixer sur un seul point, de se concentrer sur son environnement. Il n'avait besoin que de quelques secondes, le temps de s'orienter, d'essayer de survivre.

Les visages qui l'étudiaient n'étaient pas ceux d'insurgés ou de tueurs, cependant. C'était les mêmes visages qu'avant. Michelle, les deux hommes. Il réalisa enfin qu'il était de retour dans la chambre, le feu de cheminée allumé, au chaud et en sécurité. La rue pleine de mort et de destruction remplacée par l'environnement paisible d'un salon.

"Mais qu'est-ce que..." Bremen ferma les yeux lorsque Michelle posa doucement sa main sur son épaule. Il grimaça et se dégagea.

"Ça fait mal ?"

Il manqua de rire à cette question. *Mal* ? Il avait été touché par un laser ! "Bien sûr que ça fait vachement mal." Comme pour accentuer les mots, il fit tourner son cou pour avoir une meilleure vue de la blessure, sa main s'approchant déjà pour pointer la zone endommagée.

Il n'y avait rien.

Pas de vêtements roussis, pas de trou noirci plein de sang coagulé. Sa veste était aussi parfaite que si elle venait de sortir du cintre. Il sourcilla et fit tourner son épaule d'avant en arrière avec précaution. Il n'y avait aucune douleur. "Vous l'avez réparée ?"

Reynolds prit une chaise et s'assit. Bremen, allongé sur le canapé, se redressa lentement, vérifia qu'il était bien à nouveau dans la pièce, et fixa le concepteur du système de défense. Reynolds sourit. "Il n'y a jamais rien eu à réparer, M. Bremen."

Avant que Bremen ne pût fermer sa bouche béante, Jarvis intervint : "Vous étiez dans un jeu, M. Bremen."

"Un jeu ? Je..." Il dévisagea fixement les regards l'un après l'autre. "Pourriez-vous m'expliquer ce qui se passe au juste ? Un jeu ?"

Jarvis prit une grande inspiration. "J'ai travaillé sur la conception d'un jeu d'ordinateur entièrement interactif, M. Bremen, dont le genre n'a jamais été produit auparavant. Après aujourd'hui, je pense qu'il est prêt."

"Le jeu est exceptionnel", dit rapidement Reynolds, coupant une autre question de Bremen. "Une fois que l'émetteur est positionné dans la maison du joueur potentiel, il est relié à l'unité centrale par un tout petit émetteur-récepteur placé dans son poignet. Une procédure rapide et indolore, l'émetteur-récepteur permet au joueur de s'immerger dans le jeu et de vivre tout ce qui se passe comme si c'était réel."

"Le jeu est relayé dans l'implant depuis un petit routeur discret, placé dans les foyers et les bureaux du monde entier."

"Un routeur ?" Bremen se massa le front avec son poing. "Seigneur. Les boîtes que j'ai vues au sous-sol."

"Précisément."

"C'est donc pour ça qu'ils ne m'ont pas permis de vérifier l'intérieur de la caserne de Manchester la nuit de l'explosion."

"Une simple bizarrerie du destin, M. Bremen, vous a conduit directement à l'épicentre de l'opération de Wilson Frement."

"La réalité virtuelle", dit Bremen.

Michelle se tordit la bouche, le visage préoccupé. "Oui, mais bien plus que ça."

"L'idée maîtresse, dit Jarvis, est que le jeu peut être tout ce que vous voulez qu'il soit. Il plonge dans votre subconscient, extrait tout ce qui vous intéresse, ou vous procure de l'excitation et de l'exaltation. Il peut s'agir d'un événement sportif, d'une partie de football avec vos héros ou d'une partie de pêche sur les Grands Lacs. Cela peut être l'ascension du

Mont Everest, ou la visite des grandes pyramides. Dans votre cas, c'était de combattre des criminels."

"Et sauver votre femme."

Bremen se retourna et regarda Michelle. "Alors, vous avez tout vu ?"

"Bien sûr."

"Mais on m'a tiré dessus. Je l'ai senti. Ca fait mal."

"Tout ce qui se passe dans le jeu", poursuit Jarvis, "vous arrive réellement. Votre cerveau est en quelque sorte manipulé pour vous faire croire que le monde dans lequel vous êtes est réel. Il existe, mais seulement pour toi."

Bremen acquiesça. "D'accord, c'est un jeu ultra-réaliste, et je peux comprendre qu'une telle chose soit attrayante pour beaucoup de gens, mais pourquoi est-ce si secret au point que Wilson Frement est prêt à tuer pour ça ?"

"Les propositions cryogéniques pourraient bien être la réponse aux problèmes de la Terre. Imaginez, des millions de personnes vivant leur vie pendant que tout autour d'eux, le monde peut se rétablir. Plus de pollution, plus de demandes croissantes de nourriture et d'eau. Les riches pourraient continuer à vivre une vie réelle, s'ils le souhaitent, mais finalement, qui sait, tout le monde pourrait vivre dans une existence utopique. Une simple poignée de personnes serait nécessaire pour gérer chaque installation. Personne ne se plaindrait jamais. Ils auraient tout ce dont ils ont toujours rêvé."

"Alors pourquoi Wilson ne poursuit-il pas. Qu'est-ce que ce jeu a à voir avec tout ça ?"

"Wilson Frement voulait utiliser quelqu'un qui était si inutile dans son travail, qu'il entraînerait d'autres enquêteurs dans un périple insensé, sans but. Un périple qui ne mène nulle part. Les journaux télévisés, les journalistes d'investigation, les services de renseignement, tous seraient entraînés dans une danse joyeuse par vous, M. Bremen, alors que vous trébucheriez aveuglément d'un indice sans espoir à un autre. Il a fait assassiner son propre père, et s'est arrangé pour que vous meniez l'enquête, tandis que son véritable plan se poursuivait sans entrave." Elle croisa les jambes, Bremen ne put s'empêcher de la fixer. "Mais vous n'êtes pas l'incapable que Wilson pensait que vous étiez. Vous êtes allé dans l'entrepôt, vous avez vu ce qui se passait. Wilson ne le sait pas encore, bien sûr. Mais quelqu'un le sait."

Bremen fronça les sourcils. "Attendez, vous voulez dire ... ?"

La porte s'ouvrit et elle entra. Comme dans son souvenir. Efficace, professionnelle, ce regard dans ses yeux d'une détermination à toute épreuve. Le sergent Cerys Hamon.

"Bonjour Bremen."

Bremen voulait répondre, mais une sorte de colle gardait ses lèvres coincées. La colle du choc, de l'incrédulité. Il eut simplement le regard fixe.

"Le sergent Hamon travaille avec nous depuis le tout début, M. Bremen," continua Michelle.

"Je suis désolée de la façon dont je vous ai traité, Bremen. Et votre femme. Mais je devais être convaincante. À cause de Mikey."

"Jésus", souffla Bremen, trouvant enfin sa voix.

"Il a couché avec elle", dit Hamon avec franchise. "Il ne l'aime pas, pas plus qu'il ne m'aime moi. Quand j'ai découvert qu'il travaillait pour Wilson Frement, l'offre de Michelle s'est avérée très séduisante."

"Bon sang, vous êtes tous un nid de vipères, tous autant les uns que les autres."

"Nous sommes obligés de l'être", dit Michelle, "si nous voulons contrecarrer les plans de Wilson. Parce que, vous voyez, il ne veut pas congeler tout le monde, M. Bremen. Il veut les tuer. Chaque personne solitaire de l'hémisphère ouest. Peut-être même du monde entier."

LE BROUILLARD SE DISSIPE

LA FUMÉE TOURBILLONNANT DANS L'AIR, IL REGARDA LE BOUT brûlé de sa cigarette, se demandant où il pourrait en acheter d'autres, puis la jeta avec dégoût. Il devrait vraiment abandonner.

Il s'assit sur les marches arrière du bâtiment de l'ambassade, regardant la pelouse entretenue. La verrière recouvrait tout, et la pluie faisait vibrer les vitres avec le bruit de mitrailleuses lointaines. Un autre jour au paradis. Il fit un bruit au fond de sa gorge, regarda le paquet vide qu'il tenait, le froissa et s'apprêta à le jeter quand Cerys Hamon vint s'asseoir à côté de lui. Il respira son parfum, de la fleur d'oranger et autres. Cette odeur lui donnait chaud à l'intérieur.

"Vous allez bien ?"

"Aussi bien que possible."

Elle acquiesça et jeta un coup d'œil au paquet de cigarettes. " Vous êtes un homme aisé, Bremen. Pour pouvoir vous permettre ces trucs."

"De la merde chinoise bon marché", dit-il. Sentant son regard, il glissa le paquet froissé dans la poche de sa veste. "J'ai été dupé du début à la fin."

"Oui."

"Mais ce n'est pas une surprise. Je suis trop confiant."

"Non, ce n'est pas ça, c'est simplement parce que vous n'êtes pas très bon dans votre travail, Bremen."

"J'ai l'impression que vous aimez dire ça. Est-ce que ça vous procure une forme de plaisir de me faire sentir petit ?"

"Pas du tout. J'énonce des faits, rien de plus. Le fait est que vous êtes un détective de merde. Frement le savait, et il s'est servi de vous. Mais..." Elle soupira, balaya quelques miettes imaginaires de sa jupe. Il regarda sa jupe, puis ses jambes. Des jambes fines, enveloppées de satin noir. Le genre de jambes qui ferait délirer n'importe quel homme. Le genre de corps que la plupart des hommes voudraient explorer, découvrir. L'amour. Elle toussa et il détourna le regard, sentant ses joues se réchauffer. "Ecoutez, vous êtes peut-être un policier de merde, mais ce que vous avez est très *louable*."

"Oh, s'il vous plaît, dites m'en plus."

"La persévérance. Donc, vous voyez, vous n'êtes pas si mauvais. Vous avez surpris beaucoup de gens, Bremen. Moi y compris."

"Oh ? Comment ça ?"

"Vous vous êtes en fait remarquablement bien débrouillé, pour un tel bouffon. Vous avez réussi à en savoir beaucoup sur le meurtre de Frement Senior, *et* vous avez échappé aux griffes des agents de Frement. Ils ont réussi à tuer Miller, pas vrai ? Mais pas vous. Vous avez un véritable instinct de survie, même si monter sur cet aéroglisseur était extrêmement stupide."

"Si je ne l'avais pas fait, je ne serais pas ici."

"Peut-être pas. Mais Michelle vous a couvert. Nous vous avons tous couvert depuis longtemps." Elle lâcha un long soupir. "Je dis que vous êtes incompétent, Bremen, mais seulement pour certaines choses. Vous ne suivez pas les règles, vous n'adhérez pas à ce qu'on attend de vous. Vous êtes un voyou, un cas unique.

Wilson vous a sous-estimé, croyant que votre incapacité à faire votre travail signifiait que vous étiez stupide. Mais vous ne l'êtes pas. Vous n'en avez juste rien à faire."

"Vous avez dit à ma femme que vous alliez me tuer."

"Oui. Mais vous savez que je ne ferais jamais ça."

"Je le sais ? Comment puis-je savoir que ce que vous me dites là n'est pas un tas de conneries ? Que tout ce que vous, Michelle, tout ce que vous m'avez dit n'est pas aussi vain que tout ce que Wilson a dit ?"

"Vous m'avez parlé de l'entrepôt, de la façon dont vous vous y êtes introduit. Wilson ne le sait pas, et il l'aurait su si je lui avais dit."

"Qu'est-ce qui me dit que vous ne l'avez pas fait ?"

"Vous seriez déjà mort."

Ou peut-être allez-vous simplement m'utiliser à vos propres fins ? Peut-être allez-vous me piéger pour que je fasse quelque chose que vous ne pouvez pas faire vous-même ?

Il s'adossa aux marches et tourna son visage vers le ciel au-delà de la vitre. "Vous pensez qu'on peut l'arrêter ?"

"Nous devons le faire."

"Ce jeu, le logiciel. Jarvis l'a développé, mais il devait avoir une armée de programmeurs et de concepteurs qui travaillaient avec lui."

"Oui. Il l'a fait. Selon Michelle, l'ensemble de l'équipe de production comptait près de cent personnes."

"Alors, où sont-ils ?"

"Ils travaillent toujours, dans le sous-sol de la caserne de Manchester. Pour Wilson. Il ne sait rien de la défection de Jarvis dans notre camp. C'est mieux ainsi. S'il venait à avoir la moindre idée de ce que Jarvis prépare, tout s'écroulerait. Et nous avec."

"Par 'nous', vous voulez dire moi ?"

Elle sourit. "Eh bien, vous et M. Legrand. Jarvis, Reynolds, Michelle. Et moi. Nous serions tous éliminés, n'en doutez pas."

Bremen ferma les yeux un instant. " Vous souvenez-vous d'une époque où le soleil brillait ? "

Elle cligna des yeux, arqua un seul sourcil avant qu'un sourire ne se dessinât lentement sur son joli visage. "Non. Mais bon, je ne suis pas aussi vieille que vous."

Il ouvrit brusquement les yeux et la regarda fixement. "Merci."

"J'ai vingt-six ans, Bremen. Je commençais à peine à marcher quand la plupart des Maldives avaient cessé d'exister, que Pékin avait été évacué et que Mumbai était en guerre ouverte. Je n'ai connu que la mort, la pollution et des millions d'équipes... Et toujours cette pluie maudite et dégoûtante."

"Nous ne pouvons pas l'inverser, c'est bien au-delà maintenant."

"Certains scientifiques pensent que nous pouvons, mais la réponse de Wilson n'est pas la bonne. Nous devons faire tout ce que nous pouvons pour arrêter son plan diabolique."

"J'ai réfléchi à cela. La cryogénie, tout d'abord. Stocker les têtes de millions de personnes, leur faire croire qu'elles sont encore en vie, qu'elles vivent une vie fructueuse. Ce n'est peut-être pas une si mauvaise idée."

"Sauf que ce serait temporaire, et qu'il couperait les systèmes de survie. Vous savez cela."

"Eh bien, peut-être que ce faisant, le monde serait sauvé."

"Et l'élite continuerait ? Vous êtes d'accord avec ça, n'est-ce pas, *Monsieur le Détective* ?"

Il secoua la tête. "Nous devons faire quelque chose. Tous ces millions de personnes qui traversent l'Europe centrale, fuyant la montée du niveau de la mer, les tremblements de terre qu'ils ont eux-mêmes provoqués, l'air si toxique que nos enfants ne peuvent pas sortir. C'est de la folie. "

"Nos scientifiques cherchent des moyens d'assainir l'air. C'est la voie à suivre, M. Bremen. Peut-être recommencer la colonisation de Mars. L'exploration de l'espace profond."

"Carburant propre, modification génétique des cultures, évolution vers des régimes végétariens, insectes remplaçant la viande. J'ai déjà entendu tout ça. C'est très louable, mais pas assez rapide."

"Si vous êtes tellement d'accord avec Frement, pourquoi vous êtes-vous retourné contre lui ?"

"Parce qu'il m'a utilisé, a essayé de me tuer. Il a employé votre cher mari pour prendre ma femme. C'est personnel, pas environnemental."

Elle fit un claquement de langue et détourna le regard. "Wilson a tourné le dos au projet de cryogénisation. Il veut les plans pour empêcher quiconque de développer cette technologie. Il a mis toutes les ressources dans la production du logiciel de Jarvis et une fois que ce jeu sera installé dans chaque foyer, des millions de personnes mourront en quelques semaines. Vous l'avez vous-même expérimenté. C'est totalement dévastateur. C'est réel, immédiat, ça s'empare de vous et ne vous lâche plus. Personne ne peut s'échapper. Ils sont enfermés dans le jeu, jusqu'à ce que ça les tue ou qu'ils meurent de soif."

"C'est ce que je ne comprends pas. S'ils sont dans le jeu, comme vous le dites, et que leur cerveau est convaincu qu'il est réel, pourquoi leurs familles ne les débranchent-elles pas tout simplement ?"

"S'ils 'débranchent la prise', cela causerait des dommages cérébraux catastrophiques. Donc, les instructions vont leur dire comment sauver leurs proches. Tout ce qu'ils doivent faire, c'est entrer dans le jeu eux-mêmes, et atteindre le point de sortie. Ensuite, l'esprit libéré, les joueurs peuvent retourner dans le monde réel en toute sécurité. Débrancher le jeu les tuerait instantanément."

"Donc. C'est ça. Une fois qu'ils y sont entrés, ces autres, ils trouvent le point de sortie et..."

"Oui, sauf qu'il n'y a pas de point de sortie, Bremen. Ils

seront enfermés à l'intérieur aussi. Leur seule issue est de terminer le jeu."

"Et, terminer le jeu, c'est une impossibilité, car il devient de plus en plus difficile à chaque niveau atteint. Il n'y a pas de fin." Les nuages s'écartèrent et Bremen, hochant la tête, laissa échapper une longue et lente inspiration. "Du pur génie, bien sûr. Comme une drogue. Et avec le temps, ils atteindront un événement, ou un niveau où ils mourront. En très peu de temps, il n'y aura plus personne."

"Pas une âme, sauf les services de sécurité et..." Elle se leva, lissa à nouveau sa jupe. "L'élite dirigeante. Leurs drones, ceux qui restent, vont nettoyer les villes, les raser, les replanter, les reconstituer. En une génération, l'herbe et les arbres auront redonné à la planète sa beauté d'antan."

"Et les Frement de ce monde vivront et prospéreront dans leur idylle rurale."

"Oui. Un rêve utopique. Un rêve attrayant, oui ? Si vous êtes un multimilliardaire, avec une famille, vous aurez un avenir à espérer."

"Ou un politicien, un législateur. L'Establishment."

"C'est pourquoi tant de gens le soutiennent, Bremen."

"Sauf Legrand."

"Il y en a d'autres, des hommes comme lui, qui se soucient, qui ont une dimension morale, mais aucun n'a le même pouvoir que l'élite dirigeante, ni même le courage."

"Du courage ? Vous appelez le meurtre systématique de millions de personnes du "courage" ?"

"Le courage de leurs convictions. Legrand, je pense, l'a. C'est peut-être le seul leader mondial assez courageux pour s'opposer à Frement. C'est pour ça que je suis là, Bremen. Je crois en lui."

Bremen se retourna et vit Michelle entrer dans la biosphère. Elle se dirigeait vers lui en planant, faisant honte à Cerys Hamon par sa beauté et sa grâce. "Ou la morale", dit-elle."Et je suis censé croire ça ?" Bremen passa son regard d'une superbe femme à l'autre et secoua la tête. "Mesdames, j'ai été bouffé et déballé par Tom, Dick et Harry depuis que cette histoire de merde a commencé. Je n'en avalerai pas davantage. Votre pieux Monsieur Legrand y est probablement jusqu'au cou."

Michelle esquisça d'un mince sourire. "Nous voulons que vous assassiniez Frement, M. Bremen. Vous, plus que quiconque, avez un accès direct à lui."

Bremen rit. "Le tuer n'empêchera pas les plans de se réaliser."

"En soi, non. Mais Jarvis a développé une faille dans le programme. Il se plantera dès que la première balle mortelle sera tirée, ou que le scénario de mise en danger de la vie sera atteint. Quand les techniciens se débattront dans le chaos, Frement sera le plus vulnérable. Vous vous approcherez de lui, avec les plans, et vous l'assassinerez. Avec Frement mort, le reste de son gouvernement tombera dans le désarroi. Une fois les faits rendus publics, tout ce tas puant s'effondrera. Nous lancerons alors des frappes préventives sur les usines cryogéniques."

"Cela signifiera la guerre."

"Nous le savons. Nous sommes prêts."

Bremen posa ses mains sur son visage. "La France et la Grande-Bretagne n'ont pas été en guerre depuis 1815. Vous avez été battus plus souvent que nous."

"Eh bien, pas cette fois, M. Bremen. Nous avons tout en place. L'attaque sera massive et totale."

"Et le reste du monde va s'asseoir et regarder ?"

Cerys prit la parole, "Le reste du monde n'en aura rien à foutre, Bremen. Ils sont dans la même merde que le reste d'entre nous."

"Une fois que nous aurons présenté nos propres propositions," continua Michelle, "tout le monde verra à quel point elles sont plus humaines. Nous allons redémarrer les colonies mariales, les remettre en service. Le transport de millions de personnes commencera presque immédiatement."

"Mars ? Vivre sous des dômes ? C'est ça votre réponse ?"

"Vous préférez vivre sous des nuages de gaz toxiques ? N'avez-vous pas dit vous-même que vous emmèneriez votre fils dans le parc virtuel ? Eh bien, imaginez si c'était un *vrai* parc."

"Mais ce n'est pas réel."

"Bien sûr que si. Tout sera réel. Le chèvrefeuille, M. Bremen. N'est-ce pas réel ?"

Bremen se mordilla la lèvre. "D'accord, je vous l'accorde, mais pour cela, il faudrait éliminer tous ceux qui soutiennent Wilson."

"C'est le seul moyen."

"Jésus, vous tous. " Bremen secoua la tête et se leva. "Donc, vous voulez vraiment que je tue Frement ?"

"Oui."

Il hocha la tête. "Je ne vais pas en perdre le sommeil, mais avant d'accepter, je veux m'assurer que Suzanne et Petie sont en sécurité, sinon je ne ferai rien."

"Nous ne pouvons pas le garantir, M. Bremen. Pas encore."

Il tourna son regard vers Cerys. "Vous le pouvez. Vous pouvez demander à votre mari de vous dire où ils se trouvent. Essayez. Il vous fait encore confiance, non ?" Cerys fit un signe de tête. "Alors, il peut vous dire où ils sont."

"Et s'il ne veut pas me le dire ?"

"Vous trouverez une solution. "

Cerys échangea un regard rapide avec Michelle. "Et si je ne trouve pas de solution ?"

Bremen ricana. "Alors vous tuerez Frement vous-même."

Michelle y réfléchit un instant, rentra sa lèvre inférieure et poussa un soupir. "Très bien, M. Bremen. Cerys fera ce qu'elle peut. Dès que nous le saurons, nous vous informerons de la localisation de Suzanne, ainsi que de celle de votre fils. Mais attention, M. Bremen, si vous décidez de vous esquiver, alors..."

"Ne vous inquiétez pas, je ne vais nulle part. Pas avant d'avoir tué Wilson Frement. C'est quelque chose que j'ai hâte de faire depuis longtemps."

UN ENTREPÔT QUELQUE PART

Lorsque la porte s'ouvrit, une bourrasque de vent pénétra dans la grande pièce et le garde cria : "Putain, fermez la porte !". Lorsqu'il aperçut la personne, son estomac se retourna. "Désolé, Monsieur. Je n'ai pas..."

"Où est-il ?"

Le garde fit signe vers une petite pièce en alcôve au fond de l'entrepôt vide. Michael Hamon passa devant le garde sans un mot de plus et se dirigea vers la porte de manière précipitée. Il la poussa et entra à l'intérieur.

Ils le tenaient sur un chariot d'hôpital, les bras et les jambes liés, un bâillon dans la bouche. Il avait les yeux écarquillés et injectés de sang, les cheveux emmêlés sur son visage froissé, la douleur profondément ancrée. Il marmonna quelque chose alors que Hamon s'approchait et se penchait sur lui, comme s'il étudiait un spécimen médical. "Nous a-t-il dit quelque chose ?"

"Pas encore, M. Harmon." L'assistant en blouse blanche s'écarta du tableau informatique et lui serra la main. "C'est un dur à cuire."

Hamon grogna, tendit la main et retira le bâillon d'entre les dents de l'homme. "Alors, cher ami. Vous ne voulez pas parler, hein ?"

"Allez vous faire foutre."

Sa voix était rauque, épaisse comme du gravier. Hamon sourit. "Impossibilité physique, pauvre vieux bâtard. Ils vous ont passé l'électricité dans les couilles, hein ?"

L'homme grimaça et détourna le regard.

"Eh bien, je suis ici pour vous dire que nous n'allons plus être gentils. Si vous ne me dites pas dans les dix secondes où est passé Bremen..." Hamon sortit un couteau à lame fine de l'intérieur de sa veste et le brandit. Il s'assura que l'homme prostré comprit bien. "Vous voyez ça ? Il est vieux et très aiguisé. Plus besoin de tergiverser. Je vais vous castrer, puis vous pendre au Tower Bridge pour que le monde entier vous voit vous vider de votre sang. Après, les corbeaux viendront vous picorer les yeux."

"Vous ... Vous ne pouvez pas faire ça. Vous ne *pouvez pas*."

"Je peux faire ce que je veux, M. Benson, espèce de petite merde pleurnicharde." Il trancha habilement le pantalon de coton fin de l'homme. Quelques autres coupes habiles et le caleçon tomba pour révéler ses parties génitales. Hamon sourit et souleva délicatement le pénis avec l'index et le pouce. Il fait glisser le plat de la lame sur sa longueur. "Drôle de petit bonhomme, hein ? Je suppose que rien de tout cela ne vous manquera, vraiment."

"*Oh mon Dieu, s'il vous plaît, non.*"

Hamon retira son couteau. "Ce sera fini en quelques coups rapides. Chop-chop !"

Benson ouvrit la bouche et cria.

"Dites-moi où est passé Bremen. "

Benson le lui dit.

Puis Hamon lui coupa les couilles.

Plus tard ce même jour, chez Frement, Hamon attendait dans le bureau extérieur, se tournant les pouces. Frement faisait toujours ça, accumulant le stress, faisant attendre tout le monde, s'interrogeant, transpirant. Hamon n'était pas à l'abri des tensions. Il suivait un chemin dangereux, sachant que tout échec pouvait lui coûter la vie. Le succès était la seule issue acceptable pour Wilson Frement.

La porte s'ouvrit en sifflant. Hamon se retourna et vit Frement entrer à grands pas dans la pièce, tête baissée, scrutant une liasse de papier virtuelle planant devant lui. Il aperçut Hamon et sourit. "Il vous a dit ?"

"Tout, Monsieur."

"Excellent." Il agita le papier dans tous les sens. "J'ai reçu votre rapport. Vous avez bien travaillé."

"On les achève, Monsieur ?"

"En temps voulu. " Hamon fronça les sourcils. "Si nous attaquons l'ambassade Hamon, c'est un acte de guerre. Et nous ne pouvons pas nous le permettre en ce moment. Non," il fit le tour de son bureau et s'assit, faisant un signe de la main au rapport virtuel dans l'éther, "nous attendons qu'ils partent, puis nous les tuons. Faites passer ça pour une sorte d'attaque terroriste. Choisissez vos hommes, puis préparez une autre escouade pour les éliminer. Je ne veux plus personne qui puisse relier ce bureau à ce qui s'est passé. Vous comprenez ?"

"Absolument, Monsieur."

"Bien. Vous avez bien fait, Hamon. La putain de femme de Bremen est certainement d'accord avec vous."

Hamon sentit le coup de poignard s'enfoncer profondément, remarqua le regard de Frement, combattit la colère, le dégoût. "Oui, Monsieur."

"Elle est bonne, hein ?"

"Très, Monsieur."

"On se demande pourquoi Bremen n'a pas eu plus de considération pour elle, pas vrai ?"

"Cet homme est un idiot, Monsieur. Nous le savons tous."

"Policier inutile, amant inutile. Plutôt inutile dans l'ensemble, vraiment."

"Je suis d'accord avec vous, Monsieur."

"Alors peut-être pourriez-vous me dire comment il a fait pour ne pas se faire attraper par vos hommes ?".

Hamon tressaillit et haussa un sourcil. "Monsieur ?"

"Vous l'aviez coincé, pris dans le piège. Il s'est enfui, Hamon."

"Tout s'est bien passé finalement, Monsieur."

"Fortuit, hein."

Hamon sentit la chaleur monter et résista à l'envie de passer son doigt sous son col. "Nous avons maintenant l'opportunité de nous débarrasser de tout ce tas d'enflures, Monsieur."

"Vous croyez ?"

"Monsieur ?"

"Tous ? Combien y en a-t-il, Hamon ? C'est ce que je veux savoir. Exactement, jusqu'où va ce cancer ?" Il se pencha en avant. "Je veux des réponses, Hamon. Quand vous abattrez ces gens, vous garderez Bremen en vie. Amènez-le moi, vous comprenez ? Et si vous faites encore des erreurs..." Il se lécha les lèvres. " Vous êtes plutôt doué pour couper les couilles d'un autre homme, Hamon... Vous avez déjà pensé à ce que ça pourrait faire si ça vous arrivait ? "

Pendant un moment terrible, Hamon crut que le sol allait se soulever et le submerger. Ses genoux se dérobèrent et il vacilla légèrement sur la droite avant de retrouver un peu de son calme. "Je m'assurerai que tout se passe bien, Monsieur."

"Vous feriez mieux, Hamon, ou vous chanterez falsetto avec la chorale des garçons à Westminster."

———

IL PLEUVAIT. RIEN D'INHABITUEL À CELA. UN CIEL NOIR ET ÉPAIS, des éclairs qui le traversaient en traits d'union avec les nuages, mais qui n'apportaient aucun signe de soulagement au torrent.

Bremen remonta son col et attendit devant les marches. Deux gardes se tenaient à proximité, fusils à impulsion en travers de la poitrine, lunettes noires, en costume noir et à l'air méchant. Bremen avait envie d'une cigarette, il pensait se rendre en courant dans l'un des quartiers résidentiels voisins, trouver quelqu'un, donner plus d'argent qu'il ne pouvait se permettre et se réapprovisionner. Il parvint à surmonter le besoin, à le refouler. Mais il avait toujours envie de fumer.

Ils sortirent. Michelle tenait un parapluie, protégeant Legrand du pire de l'averse. Il portait un épais pardessus Crombie, elle un imperméable en gabardine. Si Bremen s'y efforçait, il pourrait les imaginer sortant tout droit d'un film noir, le genre qu'il aime. Comme c'était le cas, il n'avait pas besoin de chercher trop loin.

D'autres gardes descendirent les marches, encadrant le couple, les yeux fouillant la rue et les toits. Bremen grogna, remonta un peu plus son col et descendit les marches jusqu'à la première des voitures.

"Non, M. Bremen."

Il la regarda, les yeux plissés, à travers la pluie.

"Prenez la troisième voiture, si vous voulez bien. Derrière Monsieur Legrand et moi-même. Cerys sera avec vous."

Il grommela et fit un sprint pour s'installer sur le siège arrière de la limousine avant que la pluie ne s'infiltrât jusqu'à la peau.

À l'intérieur de la voiture, la chaleur de l'air l'enveloppait comme un manteau douillet, et il ne pouvait s'empêcher de se blottir dans les sièges en peluche. C'était mieux comme ça. Le luxe. Ce n'était pas quelque chose dont il avait l'habitude, dont il avait seulement rêvé.

Le conducteur le regarda à travers le rétroviseur.

"Nous sommes sur la route, et ces voitures sont des modèles anciens."

"Je le sais."

"Mettez votre ceinture de sécurité."

Bremen s'exécuta, fit claquer la ceinture sur son ventre et s'installa sur le siège tandis que Cerys Harmon ouvrait la porte et s'asseyait à côté de lui. "Quelle journée épouvantable", souffla-t-elle.

Il s'autorisa à promener son regard sur elle et apprécia ce qu'il vit. " Ça ne vous a pas fait de mal ", dit-il.

Elle lui lança un regard en attachant la ceinture de sécurité. Quelques gouttes de pluie tombèrent de ses cheveux et coulèrent sur son nez, la rendant encore plus désirable. Être si près d'elle le faisait presque se pâmer. Elle jeta un coup d'oeil dans sa direction et il détourna les yeux.

À travers le pare-brise, Bremen pouvait voir Legrand monter à l'arrière de sa voiture, d'autres gardes monter à côté de lui, et dans sa voiture, la porte s'ouvrit et un garde mouillé et ébouriffé monta à côté du conducteur.

"C'est une journée de merde."

"C'est ce qu'on voit", dit Bremen en riant. Personne ne réagit.

Le moteur démarra en ronronnant. Impressionné, Bremen regarda par la fenêtre. Il aperçut un ou deux passants et se demanda à nouveau s'il pouvait tenter sa chance, courir vers eux, acheter une cigarette.

Le garde se retourna et, par dessus son siège, regarda Bremen avec un regard froid et mesuré de dédain. " Vous avez un imperméable, Bremen ? "

"Je suppose qu'il n'a pas les moyens d'en acheter un", dit le chauffeur en gloussant. Il enclencha les vitesses et la voiture avança, se plaçant juste derrière le véhicule de Legrand.

"Ça doit être plutôt mal payé d'être flic", poursuivit le garde, regardant moins Bremen que lui-même. "Vous êtes payé aux résultats, n'est-ce pas ? Plus de condamnations, plus de salaire ? C'est bien ça."

Bremen acquiesça. "C'est à peu près ça."

"C'est une façon merdique d'être payé", dit le chauffeur.

"Combien gagnez-vous en un an, Bremen ? Pas beaucoup, je suppose."

"Assez", dit Bremen qui regarde à nouveau par la fenêtre, en essayant de garder son calme.

"Qu'est-ce que ça veut dire ?" demanda le garde. "Assez ? Vous avez une femme, vous vivez dans une maison ?"

"Un appartement."

"Merde, Bremen", dit le garde en riant. "Merde. Un appartement ? Au bord de la rivière ?"

"Au centre de la ville."

"Merde, c'est le pire quartier de la ville."

"Le pire quartier de toutes les villes", dit le chauffeur.

Ils rejoignirent l'une des artères principales qui contournaient le centre ville, se faufilant dans la foule. Au-dessus, des aéroglisseurs passaient en sifflotant. La pluie recouvrait tout d'un fin voile noir, de minuscules ruisseaux glissant sur le vitrage des fenêtres. Bremen soupira, il aimerait être ailleurs qu'ici en ce moment.

"Nous allons faire une déviation", dit le conducteur et ouvrit son téléphone laser. Ce dernier crépita, des faisceaux de lumière verte se rassemblèrent pour former un écran. Le visage d'un homme apparut. "On utilise la priorité pour passer à travers ce trafic ?"

"Nous l'avons demandé, et tout est pris en charge", répondit l'homme. "Nous allons descendre à l'ouest et traverser le Tower Bridge. Il sera fermé à toute circulation sauf à nous. Ça ne devrait pas poser trop de problèmes, restez juste à proximité."

L'écran disparut, le rayon vert se rétractant dans le téléphone du conducteur. Il le posa à côté de lui et changea de position sur son siège.

Derrière lui, Bremen vérifia à nouveau ses poches. "Je suppose que vous n'avez pas de cigarette ?

Le garde rit à nouveau et se tourna vers son siège en face. " Allez vous faire foutre, Bremen. "

Bremen ravala une réplique appropriée. Il regarda Harmon en face. Ses yeux étaient fermés. Bremen soupira, posa la tête contre la fenêtre et essaya également de trouver une échappatoire en dormant. Il ne réussit pas et choisit de regarder le monde affreux qui défilait à travers la fenêtre.

Peu de temps après le début du voyage, la circulation se fluidifia et le cortège se glissa hors de l'embouteillage pour se diriger vers le Tower Bridge.

La route se dégagea et la voiture prit de la vitesse.

Bremen contempla le trait gris et froid de la Tamise. Il ne pouvait pas voir très loin, car l'épais smog et la pluie limitaient la visibilité à un peu plus de cent pas. Il ne descendait presque jamais dans cette partie de la ville, son quartier étant plus au sud. Il songeait souvent à demander un transfert. La police de la ville s'en sortait beaucoup mieux, même avec la montée du fleuve. Les prédictions disaient que dans environ cinq ans, la ville serait sous l'eau. Dans cinq ans, il serait à la retraite. Et puis quoi ?

La voiture franchit une énorme bosse sur la route, et quelque chose qui ressemblait à un bloc de béton solide s'écrasa sur l'essieu arrière.

"Merde", dit le conducteur.

Hamon, bien réveillée, étouffa un bâillement. "Qu'est-ce qui se passe ?"

Bremen se redressa et en se penchant, il aperçut le tableau de bord dans le noir, toutes les lumières éteintes. Avant qu'il eut pu comprendre ce que cela signifiait, une solide impulsion d'énergie invisible frappa le véhicule, comprimant l'air à l'intérieur, forçant Bremen à serrer ses mains sur ses oreilles, alors qu'un gémissement aigu envahissait ses sens.

"C'est quoi ce bordel !

. . .

HAMON, À CÔTÉ DE LUI, HURLAIT EN SE TENANT LA TÊTE. LE conducteur se débattit avec le volant, mais la voiture ne répondit pas. Rien ne répondait. Il appuya de toutes ses forces sur les freins, se dressant presque sur ses jambes sous l'effort, mais cela ne servit à rien ; la voiture continua à avancer et Bremen s'arc-bouta, se rejetant aussi loin que possible en arrière, ramenant ses pieds contre le dossier du siège du conducteur tout en frappant de son bras la poitrine de Hamon. "Tiens bon", rugit-il.

Avec un bruit sec, la voiture s'écrasa contre l'un des piliers massifs du pont. Malgré tous ses efforts, le corps de Bremen s'élança vers l'avant, la ceinture autour de sa taille l'empêchant de se catapulter par-dessus l'épaule du conducteur et dans le pare-brise. Alors que la voiture effectuait un virage à 90 degrés, la porte du conducteur se coinça contre le poteau. Les airbags sortirent de la colonne de direction et des panneaux latéraux, enveloppant le conducteur et le garde dans un coussin protecteur.

Tout s'arrêta. Étourdi, Bremen lutta pour retrouver son équilibre. Il vit de la vapeur s'élever sous le capot et, à travers elle, Bremen constata que la voiture de Legrand s'était également arrêtée, de côté, au milieu de la chaussée. Plus loin, la voiture de tête s'était couchée sur le côté du pont et vacillait sur le bord, la chute inévitable vers la rivière étant sur le point de se produire à tout moment.

Ils étaient attaqués, cela ne faisait aucun doute. Bremen s'agrippa à sa ceinture, Hamon, semblant comprendre, suivit son exemple. "Nous devons sortir," dit-il, "nous sommes une cible facile si nous ne..."

Une seule boule de lumière blanche traversa le pare-brise et fit exploser la tête du garde, inondant Bremen de sang et de matière cérébrale. Il donna un coup de pied sur la gauche et réussit à détacher la ceinture avant qu'un autre projectile ne vînt frapper le siège où il se trouvait. En se baissant, il avança en se tortillant et poussa la porte. Il dégringola sur la route, Hamon juste derrière, l'arme à la main.

C'était un monde devenu fou dehors. Malgré la pluie battante, il pouvait entendre le rugissement des hélices de l'hover-copter, la riposte aiguë des fusils à impulsion et les éclairs des projectiles. Il fit profil bas, arracha la porte du garde et s'accroupit derrière. Il passa la tête dans la voiture et vit le conducteur qui essayait désespérément de se libérer. Sa porte était coincée contre le poteau et il n'avait aucun espoir de sortir par là. Ses yeux accrochèrent ceux de Bremen, et son visage était un parfait masque de terreur. "Bremen, pour l'amour de Dieu, sortez-moi de là."

Bremen calcula les chances, savait qu'elles étaient sans espoir et secoua la tête. "Allez vous faire foutre, M. Parfait." Il plongea la main dans la veste du garde mort et sortit son arme, puis se mit à courir en zigzag vers la voiture de Legrand, les cris du conducteur s'atténuant à chaque pas.

Le souffle de l'explosion le souleva et le projeta en avant. Il heurta le sol de plein fouet, roula sur lui-même et comprit que quelque chose de grave était arrivé. Il continua à se rouler, mais son genou droit hurlait de douleur. Se forçant à l'ignorer, il secoua la tête et jeta un coup d'oeil autour de lui.

Des hommes, vêtus de noir, armés jusqu'aux dents, se laissaient tomber au sol via des tyroliennes suspendues aux portes ouvertes des hover-copters. Des grenades de suppression explosaient dans toutes les directions et, en se relevant, Bremen constata l'impact de l'explosion.

Sa voiture, celle dont il venait de sortir, était engloutie par les flammes.

Cerys. Où diable était-elle ?

Il ne pouvait pas la voir, l'épaisse fumée noire de la voiture obscurcissant tout. Peut-être avait-elle été propulsée par l'explosion ou bien était-elle morte. Mais il n'avait pas le temps de réfléchir à ce qu'il fallait faire. Pas maintenant. Pas dans ce tourbillon de bruit et de mort. Il fit un pas, sentit sa jambe se dérober. Il jura, serra les dents et avança en boitant. Le premier homme en noir sauta par-dessus le capot de la voiture de Legrand et Bremen sortit son revolver et lui tira une balle dans la tête. Michelle hurlait sur le siège arrière et avait les bras enroulés autour de la tête de Legrand. De loin, il semblait inconscient. Bremen, qui boitait cruellement, atteignit la voiture et ouvrit la porte violemment. L'un des gardes de Legrand était à genoux, manipulant son fusil à impulsion. Il vit Bremen, resta bouche bée, puis se prit une décharge électrique dans la poitrine.

Bremen passa la main à l'intérieur et saisit le bras de Michelle. "Il faut qu'on sorte", dit-il.

Elle avait un regard révélateur. Elle n'allait aller nulle part, certainement pas sans Legrand.

"Il est blessé", dit-elle.

Bremen acquiesça. Un projectile percuta le repose-tête à côté de Bremen et il se baissa instinctivement, repéra un autre soldat vêtu de noir qui se tenait à moins de trois mètres, tira en lui faisant un trou dans le torse. D'autres attaquants pullulèrent partout, les autres gardes de Legrand ayant du mal à les tenir à distance. Bremen siffla : "Je m'occupe de lui, restez près de moi et gardez la tête baissée."

Il la tira et la poussa au sol avant de prendre Legrand par le col pour le traîner vers la porte ouverte. L'homme gémit, une traînée de sang suintant du coin de sa bouche. Bremen prit une inspiration et, usant de toute sa force considérable, dégagea le Français de la voiture, perdit l'équilibre et tomba sur la route, Legrand sur lui.

Bremen aperçut un hover-copter s'approcher d'eux depuis le ciel gris. Des impulsions lumineuses traversèrent le ciel tandis que partout résonnait le bruit des explosions mêlé aux cris des mourants. "Ah putain," cracha Bremen. Il garda Legrand près de lui alors que le canon électrique de l'engin envoyait un flot de balles de gros calibre vers eux. Mais le pilote était aux prises avec l'étroitesse de l'angle, et les tirs s'écrasaient sur la route, projetant des morceaux de bitume, mais aucun n'atteignit sa cible. Bremen tira deux fois sur l'appareil, plus par espoir qu'autre chose, et regarda l'hover-copter s'éloigner, avant de revenir pour une nouvelle attaque. Il saisit Legrand par les revers et le plaqua contre le côté de la voiture.

La respiration de Legrand semblait difficile. Il saisit son épaule gauche et du sang s'écoula entre ses doigts. "Qui sont-ils ?", lâcha-t-il à peine d'une voix chevrotante.

"Dieu seul le sait. Il faut qu'on sorte d'ici."

"Il est vivant", dit Michelle, en rampant vers eux à quatre pattes. "Oh, Dieu merci."

"Il faut qu'on se mette à l'abri", répéta Bremen, en regardant l'hover-copter qui réapparaissait. "Merde. Michelle, regardez sous le siège avant. Nos véhicules de patrouille ont toujours un fusil à impulsion, là. Regardez s'il y en a un dans celui-ci. »

Sans dire un mot, elle se dirigea vers le siège, les mains tendues, elle jurait, le visage déformé. Elle tira d'un coup sec, le dégagea et il était bien là. Comme Bremen l'avait dit. Il sourit, le lui prit et l'alluma. Le laser interne résonna et il le porta à son épaule, retint son souffle et visa.

"Cela fait un moment que je n'ai pas utilisé un truc pareil", dit-il, alors que l'hover-copter se rapprochait de plus en plus, "et je ne suis pas sûr de pouvoir...". Il attendit jusqu'à ce qu'il pût voir le pilote, la couleur de son casque, sa visière repoussée révélant son visage. Et à côté de lui, le tireur, qui visait, se préparant à cracher la mort.

Bremen lâcha un staccato de lumière, chaque impulsion frappant le copter, abattant le pilote, les hélices, les énormes moteurs qui gémissaient, et pendant un moment, il sembla rester là comme s'il était un être vivant, frappé par la soudaineté de l'attaque. Et puis il éclata en une grande boule de flammes. Hors de contrôle, neutralisée, il plongea en spirale à une vitesse alarmante avant de s'écraser sur le sol, projetant dans toutes les directions une énorme gerbe de métal tordu et de plastique en feu.

Bremen s'éloigna de l'explosion, chercha Michelle à l'aveuglette, trouva son bras et la plaqua au sol. Un énorme souffle de chaleur et de flammes se répandit au-dessus d'eux, le pont entier basculant d'un côté à l'autre avec la force de l'explosion. Le bruit couvrait tout, sauf Legrand, qui avait poussé un terrible gémissement. Mais au moins, il était vivant. Et Michelle aussi. Bremen passa le dos de sa main sur ses yeux et osa jeter un coup d'oeil.

Les restes de l'hover-copter crachaient de la fumée, rien ne bougeait. Tous les occupants à l'intérieur morts. Et au-delà, les restes fumants de la voiture. La voiture dans laquelle Cerys et lui avaient voyagé. D'elle, il n'y avait aucun signe. Sa bouche, remplie du goût de l'huile brûlée, s'asséchait, sa langue s'épaissit et il parvint à ravaler un gémissement de désespoir. "Nous devons nous enfuir."

Il regarda Michelle, les yeux bordés de rouge, le visage strié de traces de suie noire se mêlant à ses larmes. Prenant une grande inspiration, Bremen porte son regard sur Legrand. " Vous pouvez marcher ? "

Legrand marmonna quelque mots et Michelle fut sur pied, aidant son patron à se relever, grognant dans l'effort. Bremen s'apprêtait à le suivre, mais un redoutable malaise le stoppa net dans son mouvement. Il baissa les yeux et vit une grande tache sombre s'étendre sur son genou. Le lendemain, la douleur allait être infernale.

S'il allait survivre.

UN MEURTRE... OU DEUX

À DEUX KILOMÈTRES À PEINE EN AVAL DU TOWER BRIDGE, Michael Hamon occupait sa salle de contrôle aménagée à bord de la coque grinçante et pourrie d'un bateau de pêche abandonné. La pluie tambourinait sur le toit rouillé, et le froid lui rongeait les os. Recroquevillé sur l'écran de son ordinateur, il pressa un mouchoir contre son nez et aspira à un semblant de chaleur.

Il assista à la lutte contre l'incendie qui suivit, vit Bremen aider la fille hors de la voiture. Une fille qu'il connaissait. Cerys. L'écran fit un zoom sur l'action juste au moment où la voiture explosa, Bremen étant projeté en l'air comme un jouet. Mais il se releva. Il survécut.

On ne pouvait pas en dire autant de Cerys.

Il la vit, la femme avec qui il avait partagé tant de choses, engloutie dans l'explosion, son corps se désintégrant, rien de plus qu'une brindille noire et ratatinée. Il observait et rien ne semblait remuer en lui. Il fut un temps, quelques années auparavant, où ils parlaient d'enfants. Une vie après que Wilson eut présenté ses plans pour un nouvel ordre, un nouveau monde. Un monde propre et lumineux, rempli de promesses d'un avenir où les enfants pourraient s'épanouir. Des enfants comme les leurs.

Et maintenant, elle était morte.

Il s'adossa à sa chaise et regarda Bremen positionner un fusil à impulsion sur son épaule et abattre l'hover-copter d'un coup de laser bien ciblé. Alors que l'appareil plongeait, des flammes s'échappant de son moteur arrière, Hamon détourna le regard, l'écran explosant dans une lumière blanche. L'onde de choc arriva quelques instants plus tard, faisant tanguer le vieux bateau et heurtant les vitres crasseuses de la cabine avant dans laquelle il était assis. Il se leva, l'écran le suivant, et fit signe à l'un de ses hommes. " Monte à bord, va voir ce qu'ils font, bordel. Je veux Bremen."

L'homme fronça les sourcils. "Aller où, Monsieur ?"

"Sur le pont, crétin ! "

L'homme grogna et quitta la cabine au pas de course.

Hamon retourna à son écran, qui bafouillait et clignotait, le signal étant interrompu par le souffle de l'hover-copter en détresse. *Maudit fut ce putain de Bremen. Tout le monde disait qu'il était une merde, mais il était loin de l'être. Cet homme savait tirer. Il les avait tous dupés.*

Et, en gros, il avait tué Cerys.

Hamon prit une inspiration, surpris par le peu d'émotion que lui procurait ce fait. Peut-être que si la victime avait été Suzanne, il aurait réagi avec plus de tristesse, ou de culpabilité. Mais il n'y avait rien, pas pour Cerys. La pensée de Suzanne, cependant, lui donnait des frissons dans les reins. Oui. La mort de Suzanne aurait remué quelque chose en lui, quelque chose d'aussi proche du chagrin qu'il pouvait faire surgir du fond de son âme dure et glacée.

Il envisagea d'appeler Frement, pour lui donner les dernières nouvelles, mais s'en abstint presque aussitôt. Frement, bien à l'abri du danger, avait ses propres soucis, son esprit changeant comme le vent, ses décisions s'agitant comme des noyés dans une mer déchaînée. Mieux valait le laisser, du moins jusqu'à ce que la situation soit un peu plus claire.

L'homme franchit la porte, le souffle fumant de sa bouche. "Difficile à dire, Monsieur, mais il semble que le ministre français ait réussi à s'enfuir."

"Oh merde." Hamon se mordit la lèvre inférieure. "Très bien, rassemble tous les hommes, on y va."

"Les sirènes, Monsieur ?"

"Bien sûr, les putains de sirènes. Bon sang, où t'ont-ils trouvé ?"

"Euh, vous m'avez choisi, Monsieur."

"Moi, par Dieu." Hamon mit l'ordinateur en veille et secoua la tête. " J'étais sûrement bourré. Allons-y, et réglons toute cette merde une fois pour toutes."

BREMEN ASPIRA SON SOUFFLE ALORS QU'UNE NOUVELLE DOULEUR lui traversait le genou. Il boitillait comme un vieil homme, son bras autour de la taille de Legrand, faisant de son mieux pour que le Ministre quitte le pont en toute sécurité. Michelle arrivait juste derrière avec l'unique garde survivant, mettant un genou à terre toutes les quelques secondes pour maintenir les attaquants à distance avec des tirs de son fusil à impulsion. Bremen savait qu'ils n'avaient pas beaucoup de temps, que leurs chances de trouver un endroit sûr étaient minces. Toute la ville de Londres était désormais en état d'alerte. Cela pouvait jouer en leur faveur, mais peut-être pas. Pour tout le monde, Bremen et sa joyeuse bande étaient des terroristes qu'il fallait arrêter. Par tous les moyens.

Ils continuèrent à lutter, la fumée noire des restes en feu de l'aéroglisseur les recouvrant comme une épaisse et lourde couverture de malheur. Alors qu'ils atteignaient l'extrémité du pont, les sirènes retentirent et Bremen soupira. Le monde entier était en train de s'écrouler sur eux. Il continua, Legrand était un poids mort dans ses bras, et il se demanda combien de temps encore il pourra tenir, puis la voix de Michelle lui coupa les idées et il s'arrêta.

Il se retourna, écarquilla les yeux pour apercevoir la fumée et grimaça en voyant ce qu'il voyait. Il lâcha le ministre comme un sac d'épicerie non désiré et se dirigea vers Michelle. Elle était à genoux, les mains sur ses oreilles, hébétée et tremblante. Bremen réalisa que sa réaction n'était pas due à la peur, mais à un mélange de frustration et de colère. Fougueuse et coriace, elle frémissait. A quelques pas devant elle, le dernier garde restant se tordait sur le sol, pris de spasmes, un trou béant dans la gorge. Bremen l'ignora, se dirigea vers la Michelle, la prit par l'épaule et la remit debout.

"Nous devons continuer à avancer."

Elle se dégagea de sa prise. "Je vais bien, M. Bremen. J'ai juste besoin d'une arme."

Par-dessus son épaule, Bremen aperçut un attaquant en costume noir qui fonçait, ajustant une nouvelle charge dans son fusil. Il le repoussa et lui tira deux balles dans la poitrine. Alors que l'homme tombait, un autre émergeait de la fumée. Bremen lui tira une fois dessus et son arme devint silencieuse. Vide. "Merde", dit-il et il ramassa le fusil à impulsion du garde mort. Il vit l'attaquant suivant trop tard.

Ils tombèrent dans un enchevêtrement de jambes et de bras. Bremen vacilla alors que les coups pleuvaient sur ses côtes, des coups de poing durs donnés par un expert. Chaque coup lui coupait le souffle, le froissait, sapait sa force et toute sa résistance. Il était fatigué, vieux et effrayé. Pas le temps de réagir maintenant, pas le temps de faire quoi que ce soit. Il essaya de lever les bras, pour parer d'autres coups, mais l'agresseur était trop fort, et maintenant il enjambait Bremen, le frappait une, deux, trois fois à la mâchoire. Peut-être plus. Beaucoup plus. Bremen n'en avait aucune idée. Le monde commença à tourner, la douleur lui poignardant les yeux.

Un seul éclair de lumière souffla l'attaquant en arrière. Bremen éprouva un sentiment de soulagement presque orgasmique.

"Allez, vieux garçon."

C'était au tour de Michelle de l'attraper et elle se leva.

Bremen se tint sur des jambes incertaines, respirant difficilement, laissant le sang s'écouler de sa bouche cassée. "Je suis foutu."

"Pas encore, non." Elle enfonça le fusil dans sa poitrine. " Venez, il faut qu'on sorte d'ici. " Elle se baissa et ramassa l'autre fusil, visa le canon et lâcha plusieurs autres projectiles de lumière. Elle se retourna sur ses talons et se précipita vers Legrand, laissant Bremen boiter derrière elle.

Ils dévalèrent le talus, Michelle s'occupant de Legrand tandis que Bremen grommelait et jurait quelques pas derrière. De temps en temps, il se retournait et tirait dans la fumée. Il n'avait aucune idée maintenant du nombre de soldats qui les poursuivaient, ses yeux brillaient à cause de la fumée, son genou hurlait de douleur, et son esprit tournait avec des images de Cerys, puis de Suzanne et, enfin, de Petie.

Enfin, la fumée se dissipa, laissant apparaître une petite zone isolée avec de l'herbe en plastique, des chapiteaux aux couleurs vives et une multitude d'enfants. Bremen s'arrêta et resta bouche bée. Cela semblait être une sorte de fête en plein air, bien qu'il ne pût se demander ce qu'ils faisaient sous la pluie. Peut-être traumatisés, ou désorientés par le chaos qui se manifestait si près d'eux, ils couraient dans une sorte de panique sauvage, certains riant, la plupart pleurant. De très jeunes enfants, pas plus de six ou sept ans, dont les voix stridentes couvraient les bruits des hélicoptères, des tirs et des explosions occasionnelles. Parmi eux, des enseignants masqués font tout leur possible pour maîtriser les enfants, mais échouaient lamentablement. Un clown habillé de façon absurde, avec des cheveux bleus hérissés et d'énormes chaussures, battait des mains en criant des ordres d'arrêter et de "rester calme". Personne n'écoutait. Tout le monde s'en foutait. Tout ce qu'ils voulaient, c'était courir.

"Par ici", lança Michelle dans le vacarme.

En se retournant, Bremen la vit emmener Legrand à l'intérieur d'un grand chapiteau. Tout autour de lui, les enseignants conduisaient les enfants vers une autre sortie. Sa jambe le faisait souffrir et la pluie battait. Il voulait se laisser tomber et mourir, mais Mélanie criait, gesticulait sauvagement. Inutile de discuter, alors il baissa la tête, serra les dents et lutta vers l'ouverture de la tente.

A l'intérieur enfin, avec un tapis de liège sous les pieds, un merveilleux sentiment de sécurité l'enveloppa et d'un seul coup, il fut pris de vertiges et chercha à tâtons un quelconque soutien.

"Bremen, pour l'amour de Dieu !"

Il cligna des yeux à travers la brume qui se développait devant lui et elle était là, Michelle, son bras le soutenant, le guidant doucement vers le sol. "Je vais bien", dit-il, la voix basse, incertaine. "J'ai juste besoin d'une minute."

"Nous n'avons pas le temps", répondit-elle en lui plaçant son fusil dans les mains. "Utilisez ceci pour couvrir l'entrée. Le vôtre ne devrait plus fonctionner." Elle fit un pas en arrière, passa la main sous sa jupe et baissa sa culotte. Bremen détourna aussitôt le regard, ne comprenant pas ce qui se passait, et se tourna vers l'entrée.

Sans se retourner, il entendit Legrand gémir. "Est-ce qu'il va bien ?", dit-il.

"Il saigne beaucoup. Il faut l'emmener chez un médecin."

Il jeta un coup d'œil par-dessus son épaule et la vit utiliser la culotte comme un bandage de fortune pour endiguer le sang du bras du ministre français. Elle le vit et sourit. "Je n'avais rien d'autre."

"Aussi bon que n'importe quoi."

"*Merde*", cria-t-elle alors que tout autour l'enfer déferlait.

Bremen essaya de bouger, mais c'était trop tard. Ils firent irruption par la fente, fonçant vers eux, tant de soldats vêtus de noir, visières baissées, fusils prêts à l'emploi. Bremen leva les bras dans une tentative pathétique de parer toute attaque et la crosse d'un fusil s'écrasa sur sa mâchoire, le projetant au sol.

Il resta étendu là, fixant le plafond. Au loin, il pouvait entendre des voix. Elles avaient l'air en colère. Non, pas en colère. Paniquées. Incrédules.

Un coup de feu. C'était inhabituel. Pas un laser, pas un fusil à impulsion. Un bon vieux coup de feu.

Les balles tuent.

Il le savait bien.

Son propre pistolet, le Colt automatique, il l'avait laissé tomber, le chargeur était vide. Essayaient-ils de le faire porter le chapeau pour d'autres meurtres ?

Il rassembla ses forces et tourna la tête.

L'homme en costume repoussait Michelle d'un coup de pied. Elle était morte, ses yeux grands ouverts et le trou dans sa tête ne lui laissaient aucun doute. Il gémit, voulant tellement aller vers elle, arrêter tout autre meurtre, mais il ne pouvait pas. Les chiffres défilaient devant ses yeux, détachés, surréalistes. Michelle. Cerys. Si belle. Si morte.

Ce même homme posait maintenant le canon de l'arme sur la tête de Legrand. Bremen voyait mais ne croyait pas. Non. Ils ne le tueraient pas, le ministre français. Mais la décharge du pistolet, si proche, fut si forte qu'elle fit disparaître toute l'agitation qui étouffait ses sens. La tête de Legrand explosa, le corps se relâcha et Bremen respira bruyamment, sachant qu'il était le suivant. Il ferma les yeux et attendit.

Quelque chose le poussa. Quelque chose de lourd. Il ouvrit les yeux et vit l'homme, et l'arme. Un gros pistolet. Le propre pistolet de Bremen.

"Vous le reconnaissez, Bremen ? "

Bremen voulait parler, il voulait bouger. Rien ne

fonctionnait. Il voulait dire : "Fais-le, salaud, tue-moi", mais les mots ne sortaient pas de sa bouche. Il pensait que sa mâchoire était cassée. C'était étrange qu'il eût des pensées aussi cohérentes alors que la mort était si proche."On va te faire des points de suture pour ça, Bremen. J'ai pensé que je devais vous tenir au courant. Et pendant que vous essayez de tout reconstituer dans la prison de Sa Majesté, vous serez heureux d'apprendre que je vais baiser la cervelle de votre femme. Juste pour que vous le sachiez."

Où avait-il entendu ça avant ? Ces mots, destinés à le faire entrer dans une crise de jalousie, le faisaient presque rire.

L'homme pressa l'arme dans la paume de Bremen et enroula les doigts du détective autour de la crosse. Un sourire se répandit sur son visage alors que l'homme s'éloignait.

Et c'est alors que Bremen comprit qui c'était.

Hamon.

EXÉCUTIONS

Vers l'arrière de l'arène ouverte, alors que les écrans holo-graphiques massifs zoomaient pour une vue plus détaillée de l'exécution, le chancelier allemand dut se détourner, le visage devenant vert. Frement lui tapota le bras. "C'est une partie essentielle du processus, Herr Chancellor."

"Oui, mais c'est tellement dégoûtant."

"Peut-être. Mais nécessaire. Le taux de criminalité a chuté depuis son introduction. Vous ne pouvez pas le contester."

"Non, je comprends, mais... Mon Dieu." Il jeta un autre coup d'œil rapide avant de presser un mouchoir sur sa bouche alors que le laser tranchait les testicules de l'homme nu. De nombreuses personnes dans le public hurlèrent leur approbation."La castration publique est un grand nivellement, Chancelier", dit Frement par-dessus les cris de la victime qui, diffusés par l'énorme système d'amplification, résonnèrent dans l'arène, plus fort encore que les acclamations des spectateurs, dont certains vomirent. Un ou deux s'évanouirent et doivent être évacués par des stewards vêtus de blanc. Un groupe d'enfants élégamment vêtus se donnèrent la main et sautillèrent en cercle en chantant une vieille comptine. Une fête d'école sortie pour la journée pour assister à la castration publique. "Ce qui est génial, c'est que, contrairement à la méthode médiévale, les vaisseaux sanguins sont instantanément cautérisés. Par conséquent, le prisonnier ne meurt pas. Il cesse simplement d'être un homme."

Le chancelier allemand acquiesça, mais il ne regarda toujours pas. Derrière lui, le délégué italien se pencha en avant. "Herr Steinwender, soyez assuré qu'en Italie, nous n'avons pas encore emprunté cette voie. Nous comptons encore sur la bonne vieille flagellation publique".

Steinwender hocha la tête. "Vous pensez que ce sera la dernière fois, M. Frement."

"Presque certainement. J'ai longuement parlé avec le gouvernement français, et comme nous avons travaillé dur pour retrouver les assassins de Monsieur Legrand, nous sommes parvenus à un accord très amical. L'Europe est en sécurité, Chancelier. Nous pouvons tous dormir en sécurité dans nos lits."

Une ombre se dessina au-dessus de leur tête. Frement leva les yeux. C'était Hamon. "C'est fini, Monsieur. Nous le ramenons à la prison."

"Merci, Hamon. Vous avez bien travaillé. Je vous verrai plus tard, dans mon bureau, pour une réunion de félicitations plus formelle."

Hamon rayonna, se raidit dans une sorte de salut, et s'en alla.

"C'est un homme bon à avoir de votre côté", dit le délégué italien, toujours penché en avant.

"Oui, dit Frement. "Et il sera justement récompensé, croyez-moi".

HAMON FRANCHIT LA PORTE DE SON APPARTEMENT ET DRAPA SA veste sur le dossier du canapé. Suzanne sortit de la cuisine, s'essuyant les mains sur un torchon.

"Tu l'as vu ?"

Elle fit oui de la tête.

Il remarqua les taches sombres sous ses yeux et il alla vers elle, posa ses mains sur ses épaules. "Bon sang, tu as pleuré."

"Eh bien, à quoi tu t'attends ?"

"Je ne sais pas. Rien, je suppose. Tu ne l'aimais pas."

"Non. Mais quand même... Pour que ça se termine comme ça."

"Ça ne s'est pas terminé. Il est toujours en vie."

"C'est comme ça que tu l'appelles ? Et tu penses que lui le verra de cette façon ?"

"Il n'a pas vraiment le choix, non ? Il connaissait les risques, mais il est quand même allé de l'avant, quel idiot il."

Elle s'éloigna de lui, finit d'essuyer ses mains et jeta le tissu sur le canapé à côté de la veste d'Hamon. "Je ne peux pas croire qu'il ait fait ça, sachant ce qui pourrait lui arriver à la fin."

"Eh bien, à quoi pouvait-il s'attendre ? Les preuves étaient là, Suzanne. Tu le sais bien."

"Ah oui, les soi-disant preuves. Mais qu'en est-il du mobile ?"

"Le mobile ? Nous n'avons pas à nous en préoccuper, ma chérie. Il a tué Legrand, et sa secrétaire. Il avait le pistolet à la main."

"Le pistolet fumant, celui qui ne ment pas."

"Jésus."

Il s'approcha d'elle, mais elle le repoussa. "Non. Je ne peux pas croire qu'il ait fait ça. Il n'y a aucune raison."

"C'est partout dans les journaux, tu l'as vu toi-même. Il travaillait pour les insurgés et était avec eux depuis des mois, préparant un plan farfelu pour tuer les dignitaires français, les tuer tous, et semer les graines du chaos. Il avait engagé ces hommes, tu te souviens, pour tuer le père de M. Frement ?"

"Je ne peux pas croire ça non plus."

Hamon se mordit la lèvre. "Écoute, Suzanne. Il faut que tu laisses tomber. Toute l'affaire est bien ficelée. C'est Bremen, le cerveau de l'affaire. On l'a sous-estimé. Nous l'avons tous sous-estimé. Même toi."

Elle hocha la tête, son regard se posant sur quelque chose de très, très loin. "Oui. Je l'ai certainement sous-estimé."

"Eh bien, alors. Arrête de t'inquiéter pour ça." Il se rapprocha d'elle, l'entoura de ses bras et se pressa contre elle. Il sentit son estomac se liquéfier lorsque ses mains descendirent dans son dos. Elle leva son visage vers le sien et ils s'embrassèrent.

"Je suis désolée", dit-elle, la voix enrouée de désir. "C'est juste... Tu sais... Bremen. Ça ne me convient pas, c'est tout."

"On n'a plus à s'inquiéter pour lui." Il fit glisser ses mains sur le gonflement de ses fesses. Elle gémit et posa son visage sur sa poitrine. "C'est fini maintenant. Tout ce dont on doit s'inquiéter, c'est de réunir assez d'argent pour quitter cette ville puante. Toi, moi et Petie. Une fois que nous pourrons partir, les choses iront mieux, ne t'inquiète pas."

"Oui. Tu as raison." Ses ongles jouèrent avec les poils bouclés du torse qui dépassaient de sa chemise ouverte. "Je suis désolée. C'est un tel choc, c'est tout."

"Oui. Je sais. Et dans quelques jours, une fois qu'il aura passé du temps à l'hôpital, il sera à Pentonville pour le reste de sa vie. Tu pourras l'oublier."

"Oui." Elle le regarda et sourit. "Je veux que tu me fasses l'amour maintenant."

Il sourit, se baissa et la souleva dans ses bras. Il l'embrassa. "Bien sûr, ma chérie !"

Ils rirent, puis il l'emmena dans la chambre et l'allongea sur le lit.

Ensuite, alors qu'il était assis dans le lit en train de boire le café qu'elle lui avait préparé, elle se glissa de sous les couvertures du lit et enfila sa robe de chambre. "A quelle heure est ton rendez-vous ?"

"Environ une heure. Ce n'est rien de formel."

"De quoi M. Frement veut-il te parler ?"

"Il veut me remercier formellement pour ce que j'ai accompli. Peut-être une augmentation de salaire, ou même une nomination. Je ne sais pas, pour être honnête." Il sirota son café et l'observa tandis qu'elle se dirigeait vers la fenêtre pour regarder la ville grouillante en dessous. Il aimait la façon dont ses cheveux de jais tombaient sur l'arrière de sa robe blanche, créant un contraste si frappant, augmentant son désir sexuel. C'était une amante hors pair, inventive et imaginative, qui ne manquait jamais de le surprendre par sa capacité à prolonger son activité sexuelle. Bremen devait avoir perdu la tête pour se détourner de ses charmes.

"Qu'est-ce que tu as accompli ?"

"Eh ?" Il cligna des yeux une ou deux fois. "Quoi ? Je ne t'ai pas entendu." Il sourit. A des kilomètres de là, rêvant de son corps, de la façon dont elle se soumettait à lui, de la façon dont ses doigts s'enroulaient autour des siens...

"Tu as dit qu'il voulait te remercier, pour ce que tu avais accompli. " Elle se retourna et il vit ses yeux se rétrécir. Durement. "Qu'as-tu accompli ?"

Son esprit revint à la réalité, il se pencha sur le lit et posa soigneusement la tasse de café sur la table de chevet. Il se retourna et la regarda. Il faillit pousser un cri.

Elle tenait son arme était dans les mains. Et elle le pointait directement vers lui.

"Tu as tout manigancé", dit-elle, la voix calme et plate.

Il sentit la chaleur monter, le rythme cardiaque s'accélérer, les battements dans ses oreilles et sa gorge. "Quoi ?"

"Toi, le chien de Frement. Son maître à tout faire. Son mac, sa fouine, son fouille-merde."

"Suzanne, qu'est-ce que tu fous..."

"Pourquoi es-tu venu me voir dans ce bar cette nuit-là ? La nuit où on s'est rencontrés, quand j'étais avec les filles du bureau ?"

"Pourquoi ? Tu sais pourquoi."

"Redis-le-moi."

"Suzanne, je ne sais plus ce que c'était, mais tu..."

"Dis-le-moi."

Elle tendit le bras, pointant l'arme droit sur lui.

Il leva les deux mains, remontant instinctivement ses genoux pour faire une sorte de bouclier.

"C'est bon ! Putain, fais gaffe à ce truc." Il prit quelques respirations, essayant de calmer le bruit sourd dans sa tête. "Je t'ai vu, c'est tout. Je t'ai vu et j'ai aimé ton look."

"Aimé mon look ? J'arrivais directement du travail."

"Je sais, mais... Suzanne. Qu'est-ce que ça veut dire ?"

"Je vais te dire ce que c'est. Tu savais que j'étais la femme de Bremen, n'est-ce pas ? Avant, je veux dire. Avant de me voir dans ce bar."

"Non. Comment je l'aurais su ?"

"Parce que ça faisait partie du plan. Tout ça. Bremen. Moi. Toi. Tout ça. Contrôlé par Frement sans doute."

"Suzanne, c'est de la folie. Rien de tout cela n'était *prévu*."

"Non ? C'est étrange de constater que lorsque Bremen s'approche de la vérité, il est judicieusement capturé et arrêté. Je ne serais pas surprise qu'il ait un accident sur le chemin de la prison. Pour le faire taire pour de bon. Hein ?"

"Ne sois pas ridicule. Je te dis qu'il n'y avait pas de *plan*. Bremen a infiltré les insurgés, a appris à les connaître, a cru en ce qu'ils représentaient. C'est tout. Des idéologies partagées. Tu l'as vu sur l'écran, comment leur chef a parlé à tout le monde de l'implication de Bremen."

"Oui, avant qu'ils ne lui coupent les couilles. Je n'ai pas entendu Bremen dire une seule de ces choses. Il n'a pas avoué, je me trompe ?"

"Tu sais très bien qu'il n'était pas content de tout ça, de la façon dont ce monde était dirigé."

"Il attendait avec impatience sa retraite, et puis Frement le met sur l'affaire pour résoudre le meurtre d'Avery Frement.

Pourquoi aurait-il fait ça ? Bremen n'avait pas eu de condamnation depuis plus de six mois, peut-être plus. C'était un fainéant, il détestait son travail. On a survécu avec mon salaire minable, en vivant dans ce trou à rats d'appartement. Wilson Frement, l'homme le plus puissant du pays, prend mon mari, mon mari inutile et pathétique, et le met sur une affaire très médiatisée. Je trouve tout ça très étrange."

"Suzanne. Ecoute-moi bien. Bremen a tout découvert, non ? Il a attrapé les deux rigolos qui ont tué le père de Frement. Tout ça s'est fait avec beaucoup de finesse, étonnamment."

"Non. C'était trop facile." Elle fit un pas en avant. "Je t'accorde une chose, tu es sacrément bon au lit. Mais pour le reste," elle inclina la tête et sourit, "je pense que je vais passer."

La gorge de Hamon s'assécha et ses intestins se relâchèrent. " Jésus, Suzanne, ne ... "

Mais Suzanne sourit simplement.

DANS SON BUREAU, FREMENT SIGNA LE DERNIER DES DOCUMENTS restants qui permettraient d'enfermer Bremen pour de bon, et les remit à sa secrétaire personnelle. "Donnez un coup de fil à Hamon, voulez-vous. Et allumez l'écran."

La secrétaire sourit, se leva et fit un signe de la main pour faire apparaître l'holo-écran. Les images montraient déjà la scène de l'accident.

"Assurez-vous qu'il est mort, voulez-vous."

"Certainement Monsieur."

Elle sortit de son bureau et Frement pivota sur sa chaise, plissa les doigts et regarda les toits de la ville. Bien que ce soit le début de l'après-midi, les nuages d'orage toujours présents semblaient particulièrement furieux ce jour-là. Les niveaux de pollution allaient s'aggraver au cours des prochaines vingt-quatre heures et des avertissements avaient été émis pour que les gens demeurèrent à l'intérieur autant que possible. D'ici la fin de la semaine, tous les foyers seront connectés à l'ordinateur central et le jeu sera diffusé dans les salons et les chambres à coucher du pays. Brian Jarvis, une fois qu'il eut vu le destin de Bremen, obtempéra sans autre forme de procès.

La secrétaire poussa une petite toux. "J'ai la confirmation, Monsieur."

Frement se retourna et sourit. "Il est mort ?"

"Oui, Monsieur. M. Bremen n'est plus."

CINQ ANS PLUS TARD

Il observa Sébastien qui prenait un bain de soleil au bord de la piscine, ainsi qu'un ami mince et bronzé qui faisait travailler ses muscles à proximité. Aucun des deux ne le regardait. Wilson soupira, alla au bar de la piscine et se versa un gin, avec une tranche de citron. Du réfrigérateur, il sortit une petite bouteille de boisson tonique, l'ouvrit et la versa dans le gin. Le glaçon suivit. Il la fit tournoyer dans le verre, le porta à ses lèvres et en prit une grande gorgée. Fermant les yeux, il tourna son visage vers le soleil et inspira profondément.

"Tu es allé à la réunion ?"

Il ouvrit les yeux et regarda sa femme, qui lui avait posé la question. Elle portait un maillot de bain d'une seule pièce, noir transparent, coupé haut sur les cuisses, les seins tirant sur le tissu prêt à éclater. Son corps était uniformément bronzé, ses cheveux tirés en arrière en une queue de cheval. Elle avait l'air bouleversante. "Les conneries habituelles, mais ils veulent un suivi cet après-midi."

"Un suivi ? Tu veux dire que tu dois encore sortir ?"

"Oui. Le chancelier allemand veut passer en revue quelques idées."

"Je vois. Donc ça va durer toute la journée ?"

"Plus que probable."

Elle sourit et rejeta une mèche de cheveux en arrière. "Dans ce cas, je pense que je vais aller prendre une leçon de tennis."

Frement leva un sourcil. " Tu dois être plutôt doué pour ça maintenant, vu toutes ces séances privées que tu prends. "

"Oh oui, je me perfectionne."

Un autre sourire. Frement laissa ses yeux parcourir son corps parfait. Elle n'avait encore que soixante-quinze ans, mais elle se portait comme une jeune femme de trente ans, la peau lisse, les muscles tendus. Parfois, il souhaitait qu'ils aient encore cette proximité physique, celle qu'ils avaient perdue il y a des décennies. Il soupira. "Une bonne nouvelle est ressortie de la réunion précédente. Ils ont trouvé la fille."

"Oh." Elle se pencha vers lui et commença à se servir son propre gin tonic. "C'est tout."

"C'est tout ? Merde, Miriam, ça fait presque trois ans qu'on la cherche."

"Eh bien, elle ne va pas vraiment nous poser de problème, n'est-ce pas ?"

Gin à la main, il la regarda s'éloigner, ses fesses tendues et mûres se balançant d'un côté à l'autre. Il sentit une envie pressante dans ses reins, termina son verre et monta prendre une douche.

La vie était belle maintenant. L'air était plus pur, les rivières plus pures. Des milliards de personnes étaient mortes, leurs corps étaient entassés dans des cargos et envoyés sur la Lune où ils étaient jetés dans des fosses communes. Ceux qui n'étaient pas morts dans le Jeu des Rêves, comme on l'appelait, avaient été définitivement congelés dans des centres cryogéniques tentaculaires. Le plan avait finalement été mis en œuvre, et les résultats avaient dépassé tous ses espoirs. Le seul regret était Hamon. Disparaître comme ça, sans un mot, en tournant le dos à tout. C'était tellement stupide.

Il traversa le tapis de sa chambre et s'assit sur le bout de son lit.

Le téléphone sonna et il soupira. "Je ne suis pas là."

"Vous pourriez être intéressé par ce monsieur."

Wilson leva les yeux lorsque l'holo-écran se matérialisa au centre de sa chambre. Il montrait deux aéroglisseurs qui étaient entrés en collision, engloutis par les flammes. "Qu'est-ce que cela a à voir avec moi ?"

"La fille était à bord, Monsieur."

Wilson Frement soupira. La dernière pièce du puzzle, qui se mettait parfaitement en place. "Elle est morte ?"

"Aucun survivant n'a été signalé."

Wilson acquiesça et fit disparaître l'écran. Il se leva et alla sur le balcon. L'ami de Sebastian était nu, en équilibre sur le bord de la piscine, les bras tendus au-dessus de la tête, fier de son corps, et de cette bite qui pendait là si lourdement. Il vit aussi sa femme qui le regardait avec avidité. Quant à Sebastian, il dormait. Wilson regarda le ciel et le garçon toucha l'eau. Une mouette planait dans l'étendue bleue du ciel, bien au-dessus de lui. Wilson sourit. Tout cela valait la peine, ne serait-ce que pour revoir un tel spectacle. La géographie du monde avait changé, le pouvoir s'était déplacé, mais au final, si c'était le résultat, de l'air pur et frais, des animaux prospères, les océans soupirant leur soulagement, alors personne ne pourrait jamais remettre en question sa conviction de débarrasser la planète de son plus terrible fléau. L'humanité elle-même.

Il retourna à la commode et regarda son visage dans le miroir. Pas mal pour quatre-vingt-deux ans, se dit-il. Avec un peu de chance, il pourrait arriver à cent cinquante ans. Ce n'était pas inhabituel, pas maintenant.

Non, personne ne lui en voudrait. Il entrerait dans l'histoire comme celui qui avait sauvé la planète. Dix millions de travailleurs sous-humains travaillaient pour l'élite dirigeante. La forme la plus pure de révolution qu'il y ait jamais eu. Les justes *avaient* hérité du monde.

Plus tard dans la journée, il prit place sur la banquette arrière de l'hover-car, alors que celui-ci chuchotait au-dessus de la ville en direction des bâtiments du Parlement. Celui-ci était en cours de rénovation et des échafaudages masquaient l'extérieur ancien de ce qui était encore l'un des grands symboles de la démocratie dans le monde. De nos jours, peu de gens parvenaient à le voir, à part l'élite dirigeante, car il n'y a plus personne d'autre.

Son chauffeur ouvrit la porte, comme ils le faisaient auparavant, de la manière dont Frement insistait. Il avait aimé ça quand il avait vu les anciennes images d'actualités. Les leaders mondiaux sortant de limousines noires et élégantes. Un monde différent. D'une certaine manière, supérieur au monde actuel, mais tellement rempli de gens. Ce n'était plus le cas maintenant.

Il prit une inspiration et regarda les grandes machines qui étaient toujours occupées à démolir l'abbaye de Westminster. Le nouveau palais de Frement, érigé à la place de l'ancien monolithe, ne tarderait pas à être prêt. Il pourrait alors y vivre, loin de tous. Personne ne s'en soucierait, surtout pas Sebastian. Il avait son amant, que demander de plus ?

Les grandes portes s'ouvrirent brusquement et il entra, ses chaussures déclenchant une série d'échos dans tout le grand édifice. Il détestait le Palais de Westminster, il aurait aimé présenter des plans pour le démolir aussi. Ses plans pour le remodelage complet de Central One avaient suscité l'appréhension de beaucoup de gens. Quelques vieux hommes avaient aboyé leur fureur quand il avait ordonné que tous les monuments anciens soient rasés. Cela avait commencé avec Saint Paul, maintenant c'était l'Abbaye. Ensuite, il y avait la Tour, et cet horrible bloc de granit blanc en son centre. Qui diable se souciait d'un roi oublié qui avait ordonné sa construction il y a onze cents ans ? Ce qu'il fallait, c'était un nouveau monde, maintenant qu'il était propre. Un nouveau départ.

Ces vieux schnocks en avaient payé le prix. Comme tous ceux qui se mirent en travers de son chemin.

Le chancelier allemand surgit du coin de la rue. Frement poussa un soupir. Il détestait tout cela, être convoqué par un si petit homme. Frement devrait voir comment il pourrait se débarrasser de cette dernière épine dans son pied. Les Chinois étaient de retour à l'âge de pierre, à cause d'une guerre civile qui avait fait des millions de morts. L'Amérique aussi, déchirée par des conflits internes, alors que les gens affluaient vers l'intérieur des terres, loin de la mer qui engloutissait la côte Est. Le président français était mort, le premier ministre russe mourant, les seules personnes d'importance étaient lui-même, et ce pet de Prusse au dos raide qui s'avançait vers lui, se prenant pour le nouveau Frédéric le Grand.

"Bonjour Wilson, c'est bien que vous soyez venu."

Frement prit la main de l'homme.

"Nous devons parler dans un endroit privé", dit le chancelier, et fit un signe de tête vers les deux gardes de Frement. "Cela vous dérange ?"

"Pas du tout", répondit Frement et renvoya ses hommes d'un geste de la main. Les deux hommes traversèrent le grand couloir et prirent la direction des bureaux privés qui donnaient sur les eaux argentées de la magnifique Tamise.

Le Chancelier alla jusqu'à un meuble à boissons, versa à Frement une bonne dose de brandy et le lui tendit. Frement sourit, prit le verre et le leva, appréciant le liquide ambré. "Hennessey ?"

"Douze ans d'âge, vieilli en fût de chêne."

Frement baissa les coins de sa bouche et hocha la tête. "Je suis impressionné." Il prit une gorgée, ferma les yeux alors que l'alcool doux et chaud glissait dans sa gorge. "Merveilleux." Il s'assit. Il n'y avait pas de bureau, juste quelques chaises disposées de façon désordonnée. Le nouvel ordre signifiait que personne n'était au-dessus des autres, et la barrière d'un bureau n'était pas dans l'intérêt de la philosophie que l'élite voulait promouvoir. Pas de hiérarchie de direction, mais un collectif. Chacun travaillant pour l'autre. Frement détestait cela, et savait que ce n'était qu'une question de temps avant que tout ne change. C'était son monde, il l'avait façonné, et personne ne pourrait jamais dicter ce qui se passait, sauf lui.

"Wilson." Le Chancelier goûta son propre verre, dont Frement remarqua qu'il était beaucoup plus petit que le sien. "J'ai eu des nouvelles qui sont arrivées jusqu'à moi."

"Des nouvelles ?" Frement fronça les sourcils, se penchant en avant. Il y avait quelque chose dans le ton de l'homme qui le mettait en alerte. "Il s'est passé quelque chose, un problème avec les processus ?"

Le Chancelier sourit et leva la main. "Non, non. Rien de tel. Tout cela fonctionne aussi bien que jamais. Non, c'est ça." Il se pencha sous la chaise et sortit une grande enveloppe en papier kraft. Il la pesa dans sa main. "J'ai reçu un appel il y a environ une semaine."

Pour une raison qu'il ne comprenait pas, Frement sentit un picotement dans sa nuque. "Quel genre d'appel ?"

"Oh, juste un appel. De quelqu'un qui a... des inquiétudes."

Frement n'aimait pas la tournure que prenaient les choses. Il prit un autre verre, fit tourner la boisson autour de la coupe du verre et se lécha la langue. "Chancelier, je suis venu ici parce que vous me l'avez demandé, pas pour que vous me fassiez perdre mon temps à essayer de résoudre vos maudites énigmes."

Un sourire plus large. "Non, bien sûr que non. Pardonnez-moi, Wilson. Je sais que vous êtes un homme occupé. Staple et Norton savaient aussi que vous étiez un homme occupé, oui ?"

Frement grimaça. Staple et Norton étaient les deux

ministres du gouvernement qui s'étaient opposés à ses projets de démolition de l'Abbaye. "Mais qu'est-ce que ça veut dire ?"

Le Chancelier haussa les épaules. Il regarda l'enveloppe, puis la poussa vers Frement. "Lisez ça, Wilson. Vous allez trouver ça plutôt révélateur."

"Mais qu'est-ce que c'est ?" Frement posa son verre et prit l'enveloppe.

"C'est le plan de votre père pour le processus cryogénique. Celui que vous vouliez tant que Bremen trouve. Celui pour lequel vous étiez prêt à tuer."

DEHORS, UNE GRANDE LIMOUSINE S'ARRÊTA DANS UN chuintement. Ses fenêtres étaient noircies pour que les passagers ne purent pas être vus de l'extérieur. Le moteur cessa de tourner et la limousine se posa en douceur à quelques pas de l'entrée principale des Chambres du Parlement.

Les deux gardes de Frement jetèrent un coup d'œil, mais n'y prirent pas garde, puis retournèrent à leurs occupations. Il faisait froid, l'automne arrivait, et tous deux en avaient assez de traîner à l'air libre.

Le premier garde vola en arrière, un panache de sang jaillissant du côté de sa tête. Avant que l'autre ne pût réagir, deux trous, de la taille d'un pamplemousse, éclatèrent sur sa poitrine et il tomba lui aussi. Alors que la lumière restait encore dans leurs yeux, des mains rugueuses les ramassaient et les emmenaient pour les faire fondre, les effacer.

Le grand type aux lunettes noires fit un signe de tête aux passagers et ils sortirent du véhicule.

"Vous pouvez entrer maintenant", dit-il, en vérifiant son arme laser. Il le glissa dans son étui à la hanche. Son accent était prononcé, mais les mots étaient faciles à comprendre. Ses yeux parcoururent les autres participants. "Suivez le couloir à gauche en traversant le salon principal. Un de nos hommes vous y retrouvera." Il se retourna, confiant qu'ils allaient se conformer à ses instructions.

Ce qu'ils firent.

Frement pinça les lèvres, plia le papier et le tint entre le pouce et les index de ses deux mains. "Où avez-vous eu ça ?"

"C'est important ?"

"Ne jouez pas à vos putains de jeux avec moi", s'emporta Frement, contrôlant à peine sa respiration. "Où l'avez-vous trouvé ?"

"La question cruciale est de savoir ce que l'on va en faire, Wilson. Vous ne croyez pas ?

"Ça ne veut rien dire", il allait le déchirer en deux mais le Chancelier leva la main. Frement fronça les sourcils.

"Ce n'est pas l'original, Wilson. Il est en sécurité. Déposé aux Archives Centrales des Nouvelles... à Berlin."

Les entrailles de Frement se relâchèrent et il laissa le papier tomber sur ses genoux. "Mais de quoi parlez-vous ? Cela ne veut rien dire. Quoi que vous espériez gagner avec ça, vous vous trompez. Je vais vous écraser comme un cafard. Et ça," il jeta les papiers à travers la pièce. Ils se dispersèrent dans l'air, atterrirent sur le sol, se mêlèrent les uns aux autres, "ne vaut rien. Ça n'a plus aucune importance. Je n'en ai pas besoin."

"Non, mais *autrefois* si, Wilson. Vous en avez eu besoin une fois, pour vos plans diaboliques. Des plans qui n'étaient qu'un écran de fumée, pendant que vous dirigiez votre équipe informatique pour produire les moyens par lesquels vous pourriez créer votre nouveau monde."

"Oui, un monde que vous avez si facilement accepté."

"Je ne peux nier que le monde est bien meilleur qu'il ne l'était. A l'exception d'un aspect singulier."

Frement serra et desserra les poings. "Encore une de vos putains d'énigmes. Quel 'aspect singulier' ?"

"Un résidu du passé. Une cicatrice. Un poison."

Les entrailles de Frement grondèrent, ses intestins se

tordirent. Son corps tout entier commençait à trembler de rage. "Qu'est-ce que vous racontez, mon vieux ?"

"Je parle de la seule chose qui se dresse entre un monde magnifique, plein d'espoir, de liberté et de promesses, et un monde entaché de peur." Le Chancelier sourit. "Vous."

Pendant un long moment, le silence plana dans la pièce, figé, oppressant, jusqu'à ce que, d'un bond, Frement se leva et jeta un regard noir au Chancelier. " Par Dieu, je vais vous faire payer pour m'avoir traîné jusqu'ici juste pour m'apprendre ces conneries. Mais qu'est-ce que vous espérez obtenir ? Ces papiers, ils ne valent rien."

"Faux. Ils sont la preuve de votre complicité dans une série de meurtres qui a commencé avec la mort de votre père."

Frement secoua la tête en souriant. "Vous vous trompez sur ce point. Bremen. C'était lui. Il a travaillé avec les mécontents, s'est associé à eux pour essayer d'obtenir ces papiers avant moi. Mais je l'ai fait marcher, je l'ai bien fait marcher. Pendant qu'il pataugeait, je continuais le développement du logiciel, et au final tout le monde s'en fout parce qu'ils sont tous morts, Chancelier." Il remua un doigt. "Tout comme vous le serez, espèce de tas de merde pathétique. Vous n'avez aucune preuve, rien qui tienne la route. Ces papiers ne vous aideront pas."

"Non, mais des témoins indépendants, si. Des témoins qui jureront que vous avez manipulé et contrôlé toute l'affaire. Que c'est vous qui êtes responsable de la mort de M. Legrand. Comment vous..."

"Non, non, non", Frement riait. "Ce n'était pas moi, espèce de con. C'était Bremen. Bremen a tué Legrand."

"Vous savez que ce n'est pas vrai. "

"*Moi* ? Et *vous* ? Non, je ne pense pas, parce qu'ils sont morts. Ils sont tous morts. Bremen, sa femme. Morte. Et Hamon, eh bien, Dieu sait où il est, mais il vaut mieux qu'il soit aussi loin de moi que possible. Vous n'avez rien, Chancelier, rien qui puisse me relier à tout ça. Ce plan, cette idée que vous avez eue de me supprimer, de me faire tomber..." Il rit à nouveau. "Mal pensé, et mal conçu, Chancelier. Les rôles sont inversés, et c'est vous, vous qui serez renversé. Alors je serai à la tête de l'âme, plus d'obstacles, plus de réunions, plus de ces conneries." Il se redressa, prit une grande inspiration. "Merci pour le brandy, chancelier. Il m'a éclairci la tête, m'a fait tout voir sous un jour nouveau."

"Qu'est ce que vous croyez que vous allez faire, Wilson ?"

"Espèce de pet pompeux ! Quand vous tenterez de présenter toutes ces soi-disant preuves, je vous mettrai en pièces. C'est vous qui vous écroulerez, pas moi. Vous serez la risée de tous. Alors, mon conseil, mettez-le sous clé, oubliez-le. Parce que bientôt, vous n'aurez plus besoin de rien. En fait, c'est vous qui n'en aurez plus besoin."

"C'est quoi ça, Wilson ? Une menace ?"

Frement boutonna son manteau. "Je vous ferai castrer publiquement pour incitation à la rébellion. Pensez-y, espèce de salaud."Il se retourna pour partir au moment où la porte s'ouvrit.

Dans l'embrasure de la porte se tenaient trois personnes. Trois personnes que Frement pensait ne jamais revoir.

Il lui fallut un moment pour réaliser que cette situation n'était pas un rêve. Cela ne voulait pas dire qu'il pouvait s'en sortir. Il était bouche bée.

"Bonjour Wilson", dit Bremen en entrant dans la pièce. Il se rapprocha et sourit. "Vous ne vous attendiez pas à me revoir un jour, n'est-ce pas ?"

La force quitta les genoux de Frement et il tituba en arrière, heurta la chaise, tomba sur le bras et fixa sans ciller l'homme qu'il croyait mort.

Hamon et Suzanne entrèrent et se placèrent à côté de Bremen. Ils souriaient tous.

"C'est vrai", dit Hamon. J'ai travaillé pendant des années avec Herr Chancellor, à rassembler les preuves pour vous faire condamner, Frement. Vous vous êtes joué de moi, mais pendant tout ce temps, c'est vous qui vous êtes fait avoir." Il fit un signe de tête vers Suzanne. "Je n'étais pas sûr d'elle, jusqu'au soir où elle a voulu me faire sauter la cervelle. Quand je lui ai raconté l'histoire, elle m'a raconté la sienne. Comment vous l'avez recrutée, amenée à m'espionner, à espionner Bremen. Tout le monde. Comment vous l'avez baisée, sans vraiment y parvenir." Il hocha la tête. "Oh oui, Wilson, elle m'a tout raconté."

Frement secoua la tête, un crachat s'échappant de ses lèvres. "Non, non, ce n'est pas possible." Il pointa son doigt vers Bremen. "Je vous ai vu. Je vous ai vu aux infos. Vous êtes mort. C'était tout..." Il fronça les sourcils, tourna son regard vers Hamon. "Tu as tout manigancé, espèce de salaud."

"Oui. J'ai tout truqué. Même sa castration."

Bremen sourit, plaça sa main droite sur son aine, "Tout est encore là, mon vieux. Toujours tout à fait là." Il secoua la tête, traversa la pièce jusqu'au brandy et se servit une grande gorgée. Il buvait et regardait par la fenêtre en parlant. "M. Frement, nous avons rassemblé les preuves depuis plus de trois ans. Nous avons tout ce dont nous avons besoin pour vous condamner pour trahison envers l'Etat. Vous serez jugé, reconnu coupable, pendu sur la colline de Tyburn et castré publiquement. Puis on vous enlèvera la tête et on vous déposera dans l'une des nombreuses usines cryogéniques qui parsèment le pays." Il remua les lèvres. "C'est du bon travail." Il fit un clin d'oeil au Chancelier et se retourna. "Vous m'avez pris pour un putain d'idiot, n'est-ce pas ? En fait, vous le pensiez tous. Si seulement vous m'aviez laissé tranquille, vivre mes dernières années dans la police, prendre ma retraite, disparaître. Mais vous ne pouviez pas. Vous deviez trouver un bouc émissaire, un idiot pour détourner l'attention du monde entier de ce que vous faisiez réellement. Mais vous avez choisi le mauvais gars, Frement. C'était votre seule et grosse erreur."

La tête de Wilson Frement oscillait d'un côté à l'autre,

d'étranges énoncés gutturaux sortant du fond de sa gorge. "Non. Non, ça... Ça ne peut pas être réel. Non ..." Il fixa le Chancelier. "Vous ne pouvez pas autoriser cela."

"Pourquoi pas, Wilson. Vous l'avez fait à suffisamment de personnes dans votre vie. Des nations entières, des populations entières. Il est temps de payer votre dû." Le Chancelier claqua des doigts et deux hommes costauds entrèrent dans la pièce. ""Attendez !"" Frement battit des bras, le visage cendré, avançant les mains en signe de supplication. "Je vais m'en aller, je vais disparaître. Rien de tout cela ne doit arriver, pas un procès public, pas... pas Tyburn." Il quitta sa chaise et tomba à genoux, les mains jointes, suppliant. "Je vous en prie, pour l'amour de Dieu, ne faites pas ça."

Le Chancelier ferma les yeux un instant, puis se tourna vers Hamon. Hamon haussa les épaules. Suzanne ne dit rien, et Bremen finit son brandy et s'en versa un autre. Il considéra le liquide pâle pendant un moment et dit : "Il y a une alternative, Wilson. Et c'est une alternative que je pense que vous devriez sérieusement considérer."

LE CALME APRÈS LA TEMPÊTE

UNE VAGUE DE LUMIÈRE MULTICOLORE SE RÉPANDIT SUR LE MUR et l'écran holographique s'anima. Les fluctuations de l'atmosphère devaient avoir interrompu les connexions d'une manière ou d'une autre. Une tempête arrivait peut-être de la mer. Bremen sirota son café et attendit que l'image s'éclaircisse.

Quand elle s'éclaircit, le visage d'un journaliste apparut en grand, devant la colline de Tyburn, avec une petite foule de spectateurs bruyants qui trépignaient d'impatience alors que les premières gouttes de pluie tombaient.

Rien à voir avec ce que c'était autrefois. Des milliers de personnes assistaient autrefois à ces castrations publiques. Maintenant, le nombre se compte en dizaines. Quand tout était fini, des limousines avec chauffeur les ramenaient dans leurs manoirs au sommet des collines, dans leurs somptueuses suites. L'attrait de voir un homme se faire enlever les testicules au laser a toujours le pouvoir de faire frissonner. L'expérience, le fait d'être "dans l'action" aidait à soulager la monotonie des journées interminables de détente, de bonne nourriture et de bon vin. Ceux qui continuaient à vivre, l'élite.

La voix du journaliste retentit. "On nous rapporte que

l'ancien chef du gouvernement Wilson Frement, qui devait être émasculé publiquement ce matin, a été retrouvé mort dans sa cellule de détention."

Bremen manqua de s'étouffer avec son café, bafouillant bruyamment, ayant du mal à respirer. "C'est quoi ce bordel ?"

"L'ancien chancelier allemand, et bientôt le prochain président mondial, Herr Steinwender, fit part de son choc face à cette nouvelle."

L'écran clignota et le visage tiré et hagard du chancelier apparut. "C'est avec un profond regret que je dois confirmer que tôt ce matin, le corps de Herr Wilson Frement a été découvert dans sa cellule, mort. Des enquêtes sont en cours pour savoir comment cela a pu se produire, et je tiens à rassurer tout le monde que je n'aurai pas de repos avant d'en avoir découvert la raison. Herr Frement était un grand leader, qui a beaucoup fait pour éviter le désastre écologique auquel la Terre était confrontée et, même si ses crimes étaient graves, j'ai toujours souhaité que dans les années à venir, nous puissions à nouveau faire appel à ses talents considérables. C'est un jour triste pour nous tous".

Bremen fit un signe de la main et l'écran disparut. Il baissa les yeux sur les restes de son café et se demanda combien de temps il lui faudrait avant qu'on le retrouve pendu au plafond.

Un léger sifflement, suivi d'un bruit de succion, fit se retourner Bremen. Il soupira en voyant la silhouette holographique s'avancer vers lui. "M. Bremen", lui dit-elle. "Vous avez entendu la nouvelle ?"

"A l'instant."

"Le président aimerait vous parler. Une voiture attend dehors. Ne soyez pas en retard."

Le robot disparut. Bremen fixa le vide pendant un long moment, pensant que c'était le moment. Qu'est-ce qu'ils allaient faire, pensait-il. Une balle dans la nuque, une chute sur le bord d'une falaise ? Il se dirigea vers son bureau, sortit le lourd Colt automatique et vérifia son fonctionnement. Eh bien, si ces salauds voulaient agir ainsi, ils feraient mieux d'être prêts à se battre. Il rangea l'arme dans sa ceinture, enfila sa veste et se dirigea vers l'hover-car qui attendait dans la rue.

Il n'y avait presque plus de circulation de nos jours. Les rues autrefois animées de la ville étaient mortes. Les seuls signes de vie étaient les grands engins de démolition, qui rasaient les rangées d'immeubles, les appartements, les magasins, tous les éléments du monde moderne qui étaient désormais surnuméraires. Le rêve de Frement avait toujours été de nettoyer la ville, de l'ouvrir, de créer de larges boulevards, des parcs, des espaces ouverts. Maintenant, son rêve se réalisait. Malheureusement, il ne sera pas là pour le voir.

La voiture s'arrêta en chuchotant devant l'énorme bâtiment présidentiel qui avait autrefois abrité la famille royale britannique. Bremen n'arrivait pas à se souvenir de son nom. Un palais en quelque sorte, il semblait s'en souvenir. La porte de la voiture s'ouvrit dans un sifflement, coupant ses pensées, et il sortit, la pluie faisant des taches sur ses épaules et son dos. Il se redressa et sprinta vers l'entrée principale.

Sans un mot, les gardes lui firent signe de passer et il s'arrêta un instant pour apprécier l'immensité de l'intérieur. Les immenses plafonds voûtés, les chandeliers en cristal, les magnifiques peintures qui ornaient les murs. Si ce n'était pas une opulence incroyable, il se demandait ce cela pouvait être. Même dans un monde contrôlé par les riches, c'était le summum de l'extravagance. Il soupira et continua, empruntant les immenses escaliers de marbre, deux par deux. Lorsqu'il arriva au dernier étage, un homme en costume noir, grand et nerveux, le conduisit dans un couloir recouvert de moquette rouge vers une paire d'imposantes portes en chêne. Il les poussa et fit signe à Bremen d'entrer.

Le Président sortit de son bureau et lui tendit la main.

"C'est bon de vous voir gagner, Herr Bremen. Vous voulez du café ?"

"Je viens d'en prendre."

Le Président hocha la tête. "Il pleut. J'espère que c'est une pluie propre."

"Presque."

Herr Steinwender approuva de la tête. "Nous avons encore du chemin à parcourir avant que notre travail soit terminé. Mais nous y arrivons. S'il vous plaît, asseyez-vous."

Bremen s'exécuta, regarda autour de lui en appréciant à voix basse l'impressionnante pièce avec ses tapis en peluche et ses meubles en acajou finement travaillés. Ici aussi, des tableaux ornaient les murs, des "vieux maîtres" qui étaient autrefois accrochés dans des musées et qui appartenaient maintenant à des particuliers. Plus besoin de musées maintenant. Des colonnes de marbre s'élevaient jusqu'au plafond orné. Des corniches dorées à l'or fin, des panneaux bleu poudré, un murmure de silence, l'odeur des âges.

Une pièce digne du président du monde.

Steinwender s'assit sur le bord de son bureau et regarda Bremen. Il sourit. "Ces mois ont été difficiles pour vous, Herr Bremen."

"On peut dire ça,"

"Vous n'avez aucune rancune envers votre femme et son amant ? Ils ont adopté votre fils, je comprends."

"Petie ? Oui. Il se porte bien. Mais mon mariage était mort depuis longtemps, même avant qu'elle ne parte avec Hamon."

"Oui. Tu l'as frappée, donc je comprends."

Le souvenir le fit frétiller de honte. "C'était il y a longtemps, et ça n'avait rien à voir avec... Mais oui, je l'ai frappée. Je ne suis pas fier de ce que j'ai fait. C'était une nécessité, que je regrette d'avoir fait."

"Un homme d'honneur, Herr Bremen ? C'est ce que vous êtes ?"

"De conscience, certainement."

"Oui. Peu de gens resteraient éveillés la nuit à penser comme vous le faites, leur conscience les rongeant."

"Non." Bremen voulait lui demander comment il savait cela. Était-il espionné ? Mais il abandonna, fatigué de penser, fatigué d'essayer de résoudre les choses.

"Herr Bremen, c'est pour cette raison que je vous ai fait venir ici aujourd'hui. J'ai une offre d'emploi pour vous, une offre que j'espère vous allez considérer avec attention."

Bremen fronça les sourcils. Ce n'était pas ce à quoi il s'attendait. Une menace encapuchonnée, une allusion au fait qu'il devait " disparaître " avant que quelque chose de terrible ne se produisît, la réactivation des preuves contre lui, un nouveau procès, une véritable castration cette fois. "Emploi ?"

Le président rit du ton incrédule de Bremen. "Herr Bremen, vous avez été d'une aide immense pour nous tous, et vous allez être récompensé. N'ayez pas l'air si inquiet."

Il se lèva et se versa une boisson. Bremen ne voulait peut-être pas de café, mais la promesse de quelque chose de plus raffiné n'était pas à négliger.

Le Président tendit un verre de whisky. Bremen l'accepta, en savoura l'arôme, puis en but une gorgée. Il hocha la tête en signe d'appréciation.

"Herr Bremen, je veux que vous soyez le nouveau chef de la police centrale."

Bremen resta figé. Il avait dû mal interpréter. Son cerveau s'efforça de comprendre ce que le Président venait de dire et, pendant un instant, il éprouva la plus étrange des sensations, comme s'il flottait.

"Herr Bremen, avez-vous entendu ce que j'ai dit ?"

"Oui. Oui, j'ai entendu." Bremen se lécha les lèvres. "Vous voulez que je sois... le nouveau chef de la police ?"

"Chef de la police centrale, oui. C'est un poste très prestigieux, Herr Bremen, mais que vous méritez. Permettez-moi de vous demander," il s'appuya contre le bureau et se frotta les mains l'une contre l'autre, "dans combien de temps serez-vous à la retraite ?"

"Trois ans, si j'y arrive."

"Trois ans. *Et puis quoi* ?"

Bremen sourcilla. Et puis quoi ? "Eh bien, je n'y ai pas vraiment réfléchi."

"En tant que chef de la police centrale, vous auriez un studio à Mayfair, et une retraite de week-end à Salcombe, dans le Devon. À la fin de votre mandat, vous pourriez y prendre votre retraite. Herr Bremen.

Quelqu'un avec votre expérience, vos aptitudes naturelles scellerait ce travail, le développerait en quelque chose de valable, d'efficace. Nous avons peut-être un monde propre, Herr Bremen, mais beaucoup de choses peuvent mal tourner. Nous avons besoin d'un homme comme vous, adaptable, vif et imaginatif. Un nouveau type de policier, un nouveau type de force de police. Qu'en pensez-vous ?"

Bremen regarda fixement son whisky. "Je pense que je ne veux plus être le larbin de personne."

"Le larbin ? Herr Bremen, de quoi parlez-vous ?"

Pendant un moment, il se permit de rêver. Le week-end de retraite à Salcombe lui procurait le plus grand plaisir. Rien que d'y penser, ça lui faisait fondre les entrailles. Il soupira et revint à la réalité. "Je suis honoré que vous ayez pensé à moi, M. le Président, mais je ne peux pas accepter."

C'était au tour du Président de faire une double prise. "Je vous demande pardon ?"

"Je ne peux pas accepter. Je suis désolé. Ce ne serait pas correct."

"Pas correct ? Que voulez-vous dire ?"

"Je veux dire, je ne voudrais pas... Écoutez, M. le Président, je suis responsable, vous comprenez ? Je ne voudrais pas... Je salirais leur mémoire.

"Salir" ? Herr, Bremen, ce qui est arrivé à ces gens n'avait rien à voir avec vous. Rien de tout cela n'était de votre faute."

"C'est là que vous vous trompez, M. le Président." Bremen étudia son verre pendant un long moment. "Les gens ont toujours pensé que j'étais un peu idiot, que j'avais le pied lourd, que j'étais un bûcheur. Et vous savez quoi, ils ont raison. J'avais ces papiers, M. le Président. J'ai tout compris, je savais ce qu'ils signifiaient bien avant de les transmettre à Hamon. Je les avais, vous comprenez, et pourtant j'ai laissé mourir tous ces gens. Michelle, Legrand... Cerys. "Il renifla bruyamment et vida son verre. "Alors, vous voyez, c'est ma faute. Si j'avais fait quelque chose plus tôt, j'aurais pu l'arrêter. Mais je ne l'ai pas fait. Je suis resté assis sur mon cul paresseux comme je l'ai toujours fait, et des millions de gens sont morts. Cerys... Jésus, j'avais un espoir, un rêve... D'autres sont morts aussi, comme Stowell, Benson. Même Steinmann."

"Steinmann était déjà mourant quand vous l'avez rencontré, Bremen."

"Et alors. Ses derniers mois n'auraient pas été les plus heureux. Sa femme. Jésus." Il pressa ses doigts dans le coin de ses yeux. « Des gens innocents, des gens dont le seul crime était de vouloir vivre. Eh bien, je dois vivre avec ça." Il se leva et posa le verre à fond épais sur le bureau du président. "Merci mais, non merci. Je ne peux pas dormir la nuit en pensant à ce que j'avais fait, et accepter cette offre d'emploi, cela me ferait basculer. Je suis désolé."

« Herr Bremen, je vous demande de reconsidérer votre décision. »

« Pourquoi ne pas le donner à Hamon ? Le salaud avait l'habitude de faire le sale boulot des gens.

« Tu as dit que vous lui avez pardonné.

"Oui, j'ai dit ça, c'est exact... Bon, ça ne l'excuse toujours pas de la balle qu'il a tirée dans la tête de Legrand."

"Legrand était un homme de vision, mais même lui n'avait pas le courage de ce qui devait arriver."

"Non. Contrairement à Frement, je suppose. Bremen sourit. « Frement voulait un monde propre et bon. Un monde où il pourrait marcher dans la rue avec sa famille en toute sécurité. Ce qu'il a oublié, c'est que tout le monde le voulait, et les personnes responsables de la création de l'enfer dans lequel nous vivions tous n'étaient pas des gens ordinaires. C'étaient des gens comme Frement lui-même. Le riche. Le gourmand. Les fous de pouvoir. Il pointa du doigt le président. « Des gens comme vous, Monsieur le Président. Pas moi. J'aurais dû divulguer ces papiers, j'aurais dû le faire savoir au monde. Je ne l'ai pas fait, et c'est mon fléau, Monsieur le Président. Ma malédiction et ma punition.

Les yeux du président se plissèrent. « Herr Bremen, si vous quittez cette pièce sans accepter mon offre, vous emprunterez une voie dangereuse. »

« Ah, et voilà. » Bremen secoua la tête. « Pensez-vous vraiment que je m'en soucie, Monsieur le Président ? Si je m'en souciais, j'aurais fait quelque chose à ce sujet il y a très, très longtemps.

Il hocha la tête et se tourna vers la porte. Alors que sa main s'enroulait autour de la poignée, le président toussa. « Bremen. Ne parlez jamais de cela. Rien de cela.

Bremen le regarda et sourit. "Je l'ai déjà fait ?"

« Si vous le faites, Bremen, je vous détruirai. »

Un autre sourire. "Vous arrivez trop tard pour ça, vieux fils, bien trop tard." Il sortit et ferma doucement la porte derrière lui.

Cher lecteur,

Nous espérons que vous avez passé un agréable moment avec *Moins de Vie*. N'hésitez pas à prendre quelques instants pour laisser un commentaire, même s'il est court. Votre avis est important pour nous.

Bien à vous,

Stuart G. Yates et l'équipe de Next Chapter

Moins de Vie
ISBN: 978-4-82411-354-2

Publié par
Next Chapter
1-60-20 Minami-Otsuka
170-0005 Toshima-Ku, Tokyo
+818035793528

9 novembre 2021